HUANGTU GAOYUANGOUHEQU
SHUIZIYUAN TIAOKONG LIYONG JISHU YANJIU

黄土高塬沟壑区水资源调控利用技术研究

赵安成 李怀有 宋孝玉 等 编著

黄河水利出版社

图书在版编目(CIP)数据

黄土高塬沟壑区水资源调控利用技术研究/赵安成等编著. —郑州:黄河水利出版社,2006.10
ISBN 7－80734－125－4

Ⅰ.黄…　Ⅱ.赵…　Ⅲ.①黄土高原－沟壑－水资源－协调控制－研究　②黄土高原－沟壑－水资源利用－研究　Ⅳ.TV213.4

中国版本图书馆 CIP 数据核字(2006)第 099461 号

组稿编辑:雷元静　电话:0371－66024764

出　版　社:黄河水利出版社
　　　　　　地址:河南省郑州市金水路 11 号　　　邮政编码:450003
发行单位:黄河水利出版社
　　　　　　发行部电话:0371－66026940　　　传真:0371－66022620
　　　　　　E-mail:hhslcbs@126.com
承印单位:河南第二新华印刷厂
开本:787 mm×1 092 mm　1/16
印张:19　　　　　　　　　　　　　　插页:3
字数:436 千字　　　　　　　　　　印数:1—1 500
版次:2006 年 10 月第 1 版　　　　　印次:2006 年 10 月第 1 次印刷

书号:ISBN 7－80734－125－4/TV·476　　　定　价:45.00 元

老院沟治沟骨干工程（张 竿 摄）

集水造林试验（张西宁 摄）

集水造林示范（张西宁 摄）

崔沟集雨节灌示范果园（张 竿 摄）

监测泉水流量（张西宁 摄）

小麦喷灌（李怀有 摄）

技术交流（王鸿斌 摄）

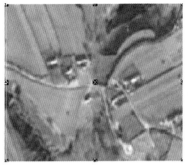

（a）融合前多波段影像　　　　（b）融合前全色波段影像　　　　（c）融合后的影像

影像融合前后效果对比

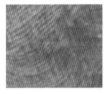

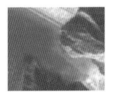

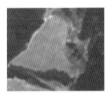
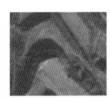

影像解译过程

崔沟径流高效利用示范村DEM图

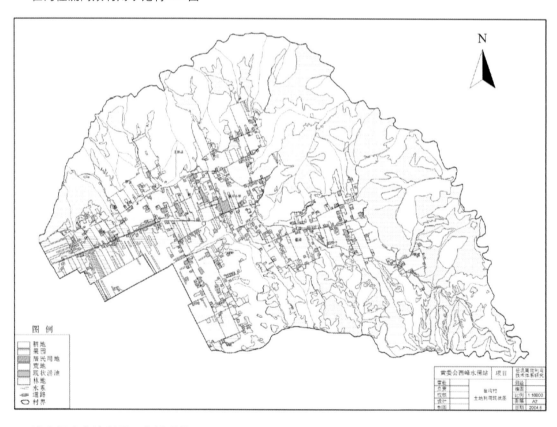

崔沟径流高效利用示范村现状图

崔沟径流高效利用示范村高分辨率卫星影像图

影像接收时间：2003年10月

崔沟径流高效利用示范村措施布设图

N

黄委会西峰水保站　项目　崔沟村径流利用技术体系研究

技术措施布设图

比例　1:10000
图幅　A2
日期　2004.6

图例

谷坊
沟头防护
水系
土建工程
建筑
管理房
村界

果园
薄园
观薄果园
现牧游池池
新修游池池
径游水平工程
薄子工程
荒地
林地
居民用地
管理工程
游池平薄
游池游薄集园
低压管灌集园

《黄土高塬沟壑区水资源调控利用技术研究》
主要编写人员

主　编　赵安成
副主编　李怀有　宋孝玉
编　委　赵安成　李怀有　宋孝玉　郭　锐
　　　　王　斌　刘文宏　张西宁

具体编写分工
　第一章：宋孝玉　郭　锐　李怀有　张西宁
　第二章：李怀有　王　斌
　第三章：赵安成　刘文宏　王　斌　李怀有
　第四章：赵安成　郭　锐

统　稿　李怀有

前　言

　　黄土高塬沟壑区地处我国西部地区的黄土高原腹地,由于该地区水资源匮乏,降水年内分配不均,6~9月份降水量占全年降水量的70%以上,且多暴雨,水土流失严重,农业基本处于"大旱大减产,小旱小减产,不旱保丰收"的天赐农业状态。在长期的旱地农业生产中,该区广大群众和科技人员为解决干旱问题,曾采取深翻、深松、蓄水聚肥耕作、覆盖保墒、修筑梯田和水平沟等农业技术措施来控制水土流失,协调旱地田间土壤水分。尽管这些措施对提高作物生长季节土壤水分、增加作物产量起到了一定的作用,但仍然没有从根本上改变农业干旱缺水问题。干旱缺水的常驻性,使旱地作物不能适时播种,高效农业难以启动发展,土地资源的生产潜力因农业水资源的严重失衡而远未得到充分开发。在农业严重干旱缺水的同时,雨水资源的利用率却很低,大部分雨水径流无效损失。可见,加强降雨径流资源的集蓄贮存与调控及高效利用有着很大的潜力,这是解决该区农业干旱缺水问题、控制水土流失、推动旱区农业进一步发展的有效途径。

　　径流资源的调控与利用技术是一条既控制水土流失,又解决农业干旱缺水问题的有效途径和方法,可改善农业环境,发展高效农业,创造显著的经济、社会、生态效益,是对水土保持内涵的丰富和完善。集水调控理论就是通过对降雨径流进行收集贮存和高效利用、实现雨水径流资源的人工调控再分配,达到控制水土流失、提高降水利用率、解决农业干旱缺水的一种主动做法,以摆脱长期以来主宰黄土高塬沟壑区旱地农业"顺应天时,被动防旱"的常规思路。其基本原理是:通过径流收集—叠加贮存—高效利用三个环节,将该区时空分布不连续、不稳定且无效损失较大的雨水径流资源实现局部或有限地收集贮存,把有间歇性和离散性特点的降雨径流转变为具有相对持续供水能力的稳定系统,将较大面积上的降雨径流集蓄后在较小面积上利用,来弥补农业供水不足,为旱区农业生产提供一定的水源保障。

　　《黄土高塬沟壑区水资源调控利用技术研究》一书正是基于上述研究思路,汇集了作者近年的研究成果,突出了水资源调控及利用技术理论与工程实践紧密结合的特点。全书共分为4章24节。第一章论述了区域水资源分析与评价的方法,列举了微观区域水资源分析与评价实例;第二章论述了塬面苹果园水资源的调控利用技术;第三章论述了坡面林地水资源的调控利用技术;第四章论述了沟道水资源的调控利用技术。

　　本书由赵安成任主编,李怀有、宋孝玉(西安理工大学)任副主编,李怀有负责全书的统稿工作。各章节撰稿者有赵安成(第三章第一节,第四章第一节)、李怀有(第一章第四节,第二章第一至第五节,第八至第九节,第三章第二节)、宋孝玉(第一章第一至第二节)、郭锐(第一章第三节,第四章第二至第二节)、王斌(第二章第六至第七节,第三章第六至第七节)、刘文宏(第三章第三至第五节)和张西宁(第一章第五节)。

本书得到了黄河水土保持生态工程科研项目"齐家川示范区径流高效利用技术体系研究"的资助。在本书编著过程中,黄河水土保持西峰治理监督局吴永红高级工程师对卫星图片进行解译,并制作了相关图件;张竿工程师和王鸿斌工程师提供了部分照片。另外,在成书过程中,还得到了有关单位的大力支持。在此一并表示感谢!

由于编著者水平所限,书中难免存在缺点和错误,恳请广大读者批评指正。

编著者

2006 年 3 月

目　录

第一章 区域水资源分析与评价

第一节 概 述

一、水资源评价定义及研究现状

广义的水资源是指在地球的水循环中,可供生态环境和人类社会利用的淡水,它的补给来源是大气降水,它的赋存形式是地表水、地下水和土壤水。大气降水在直接湿润了植被的茎叶后,多余部分渗入土层并在土壤中保持为土壤水,没有渗入土壤的成为地表径流,汇成河川径流。渗入土层的土壤水,除直接从土壤表层蒸发外,大部分通过地表各种植被吸收,蒸腾回归大气,部分继续下渗到地下水含水层。积累形成的地下水,有的通过毛细管作用又回补土壤水,也有相当部分则形成地下径流,汇入河道成为河川的基流。

合理开发利用水资源,首先必须对当地水资源的实际情况做出全面、正确的评价。水资源评价是合理开发利用和管理水资源的前期工作。1977 年,联合国在阿根廷马尔德普拉塔召开的世界水会议第一项决议中明确指出:没有对水资源的综合评价,就谈不上对水资源的合理规划和管理。在全社会用水中,农业用水所占比例最大。1900 年全世界农业用水量占世界总用水量的 87.5%,1940 年占 80.3% ,1975 年占 69.9%,1990 年占 60.2%,2000 年仍占 56.8%。因此,解决水资源问题的首要任务是解决农业用水问题。但除了水资源单一的灌区和只能为作物利用的土壤水外,在大多数场合,很难将水资源明确划分为工业、农业或城市生活水资源。因此,通常是以地区、流域来进行综合评价,合理分配各行业可用水资源量。

所谓水资源评价,联合国教科文组织(UNESO)和世界气象组织(WMO)提出的定义为:水资源评价是指水的源头、数量、范围及其可依赖程度,水的质量等方面的确定。这种评价不限于对已列入水文整编目录中的可供水资源量,还根据对社会经济和环境的考虑,对水的各方面进行评价。《中国农业百科全书》(水利卷)所下的定义为:水资源评价是对水资源数量、质量、时空分布特征和开发利用的条件做出全面分析评价。

(一)水资源量的评价

什么是一个区域的天然淡水资源量,迄今有不同的认识和统计方法。例如:降水量是不是水资源量? 降水到地面后除了河川径流量可看做水资源量外,地下水算不算水资源? 地下水有浅层的,也有深层的,有的和地面隔了很多隔水层,深到几千米以下,算不算水资源? 地球水圈中一切形态的水,是否都是水资源? 如果从由天然降水维持天然和人工植被的水供需关系说,或者可称之为广义的水供需关系来说,则降水,或至少是对天然和人工生态系统的有效降水来说,也应当认为是水资源的组成部分。通常意义上的人为地利用工程措施,把水送到用水户的水供需关系,可称为狭义的水供需关系。在这种情况下,水资源只定义到河流、湖泊以及积极参加水文循环的浅层地下水(或称在开放含水层中的地下水)。在水资源供需关系比较紧张的地区,往往把深层地下水(或称在封闭含水层中的地下水)也当做资源来利用。但封闭含水层中的地下水基本得不到通过全球水文循环中水量的补充更新,长期大量采用将引起一系列的如地面沉降等环境灾害。因此,一般认为,这部分水只能在特殊情况下少量取用,不属于可大量长期持续利用的水资源。目前多数国家对水资源是以河川径流量为代表,河川径流量中包含了大部分的地下水径流。我国采用的方法是,以河川径流量与地下水资源量相加,并扣除两者的重复部分,作为水资源总量。

在对河川径流量作为水资源量进行统计时,对各特定区域来说,其统计的方法也有不同。一种意见认为,作为一个区域的水资源量,只能计算当地的产流量,不计由区域以外流入本区域的河川径流量,这是最常见的做法。美国的第一次全国水评价(1968年)采用了这一原则,我国在第一次全国水资源调查评价(1986年)和进行的第二次水资源评价中也采用了这一原则。但这种做法在美国于20世纪70年代进行第二次全国水资源评价时被打破,把从加拿大流进美国本土的河流水量统计计算到美国全国的水资源量中,后来在一些文件、报告中也采用了这一原则。苏联曾在统计其原各加盟共和国的水资源量时,在水资源量一栏中给出两个数字,一个是当地径流量,另一个是被称为"总径流量"的数字,它的含义与我国在水资源评价中的"水资源总量"不同。我国评价的水资源总量是指河川径流量加上不能汇入河川的地下水量,他们的"总径流量"是指当地径流量加上由境外流入的水量(未讲是否扣除了流出的水量)。美国的世界资源研究所定期出版的《世界资源》报告"淡水"一章中,在世界各国的"淡水资源"一栏中给出三个数值,即当地径流量、由境外流入的水量以及向境外流出的水量。

在评价地区的水资源总量时,宜以河流的流域为单元,对包含不同自然条件的较大的河流流域,则宜以有一定代表性自然特征的支流流域为单元,评价范围不宜过大。在一个省、自治区范围内,可划分出所含的不同自然特征的河流流域,分别进行评价,并需考虑到入境和出境水量。同时,评价地区范围也不宜过小。在一个面积不大的城市,即使像京、津、沪这样的省级大城市,也不宜仅按行政区划进行评价。例如上海市地跨长江口,评价水资源时,如只按本市范围内所产生的当地径流量,完全忽略长江的存在和作用,显然不符合实际情况。对于国土面积更小的地区和县,更不应脱离所在的流域,单独评价其当地产生的水资源。但是,对于一些处于江河分水岭或河流最上游的地区,如云南省的滇中地区、贵州省的黔中地区、湖南省的衡邵地区、川中丘陵地区以及其他一些地区,由于只可能利用当地产生的有限水资源,应当考虑进行单独评价。

(二)水资源可利用量的评价

上述水资源量统计都是以多年平均值为代表。对河川径流来说,由于水文现象的随机性,降水及其产生的河川径流各年间很不一致。年内变化的洪枯水比例,年际变化中的多水年与少水年,以及在一些大河上出现的连续多水年和连续少水年,都增加了水资源利用的难度,这种难度又随着各地具体气候和地貌特点而有所不同。通过工程措施进行调节可以增加水的可利用程度,但不可能达到全部利用。一般情况下,水的可利用量必然小于水资源量。但水资源可利用量迄今并无统一的计算方法,随着科技水平的提高,经济实力的增强,水资源调蓄工程的增多,水资源的可利用程度将不断提高。在水资源利用能力提高的同时,应当注意水资源合理开发利用的限度,即在不破坏生态环境条件下的开发利用限度。

在生态环境比较脆弱的地区,天然生态系统依靠全部降水资源所形成的土壤水、地表水和地下水等各种赋存形式才能维持生存。在这种情况下,人类开发利用狭义的水资源往往破坏了广义的水供需平衡。例如:人类在河流上中游过度取水,影响了下游河水对两岸地下水的补给,从而威胁两岸生态系统;河流终端湖泊的萎缩,威胁到湖泊湿地生态系统;在一个地方过度抽取地下水,形成周边地区的地下水漏斗,因而影响周边的生态系统;等等。在这些地区,对水资源的可利用量的评价需十分慎重。

(三)农业水资源的构成

正如对所有事物的认识都需要一个过程一样,人们对水资源的认识也经历了一个较长的过程。早期仅把多年平均地表径流量作为流域或区域的水资源,但随着社会、生产的发展和科学技术的进步,尤其是20世纪70年代以来,开发利用地下水在工农业生产中所占的比重日益加大,开始促使人们把地表径流和参与水循环的地下水量一起看做区域水资源。这种观点一直延续到20世纪80年代末。

近年来,人们已逐渐认识到,在干旱半干旱地区,土壤水也是相当重要的农业水资源。它既具有水资源的基本特征,又与重力水资源有区别,具有不可调度性、不可开采性,只能就地为植物利用和直接返回大气耗于蒸发,且基本是自然利用,不需要耗费昂贵的工程投资。因具有这些特征,故易被人们忽视,甚至至今仍有人不承认其是水资源。但在缺少地表水和地下水资源的地区,土壤水无疑是非常重要甚至有时是唯一的农业水资源。据调查,在我国北方地区,土壤水资源占降水资源的60%～70%,一般为360～420mm。农业现代化研究所试验结果表明:在小麦生育期内,土壤水利用量可占全部耗水量的1/3。但在多数地区未能得到充分利用。因此,有人预测,土壤水将是今后水资源开发利用的主要对象。

苏联地理学家李活维奇于20世纪70年代在《世界水资源及其未来》一书中首次使用了"土壤水资源"一词,指出了土壤水资源是淡水资源的组成部分。之后,苏联水文学家布达哥夫斯基于1983～1985年则连续著文就土壤水资源的概念、评价原则和提高土壤水资源利用效率的途径和措施作了较为全面和科学的论述。他认为,一个区域的降水量(扣除雪面蒸发量)在理论上可作为天然水资源,在通常情况下,它等于可恢复的地表水资源、土壤水资源和地下水资源之和。近十几年来,各国学者就土壤水的能量状况和运动规律开展了大量深入的研究。印度学者通过对小麦利用土壤水的研究,认为在干旱地区土壤水是供应作物的唯一水源。

此外,用城市废污水灌溉可有效利用污水中所含的植物所需养分,故经过必要的净化处理后的废污水也正日益被作为一种重要的农业水资源。再有,大气降水被陆地植物截留的部分虽也应视作农业水资源,但因其量很小,可忽略不计。

二、水资源评价方法及发展趋势

(一)水量评价

地表水资源评价的主要对象是河流、湖泊和水库等地表水体。对于一个流域来说,河川径流量就是全流域潜在的可利用的地表水资源。故通常以多年平均年径流量作为地表水资源量来进行评价。地下水资源评价则是对地下水的补给量、储存量、可开采量等方面进行估计。在地表水和地下水相互转化明显的地区,则常把二者作为一个统一体进行评价。地表水与地下水相比,后者的评价因需要足够的水文地质勘探资料和地下水动态观测记录,故要比前者困难得多。但随着高速数值计算机的诞生,使地下水评价的深入研究得到了迅速发展。

水资源评价的方法一般分为水量均衡法和水动力学法两种。在计算机普及之前,因各种数值解法计算复杂,工作量大而受到限制。近来随着计算机技术的日益普及和进步,也使数值模拟、有限元法和有限差分法等数值解法在模拟地下水运动规律、利用边界条件和初始水位建立数学模型、计算水量、预报水位变化、反推计算参数等应用方面取得了长足进展。水量均衡法具有概念明确、计算简单、使用方便等特点,因此是进行区域水资源评价时常用的方法。可以预测,今后随着快速大容量数值计算机的发展和应用,更加广泛地运用数值模拟方法,来精确地评价水资源问题,是水资源评价方法发展的必然趋势。而数值模拟法应用将从下列几方面得到发展:①进一步加强对水资源的数值模拟研究,达到更加合理地开发利用水资源的目的;②通过对水质的数值模拟研究,达到保护水源,避免农药、化肥污染的目的;③通过数值模拟方法,加强切实可行的管理问题的研究,制定长远规划,监测开发利用情况,充分发挥水资源的最大作用;④改进数值模拟计算方法,特别是提高精度与减少内存的研究,仍然是提高与改进这一方法的重要课题。

农业水资源评价应包括对可用于农业的所有水资源在量、质、时空分布特征和开发利用条件等方面的全面评价。其中以量的评价最为重要,故研究也最多、最深入。关于土壤水资源评价,因其被视为农业水资源的概念形成较晚,且至今尚有异议,故评价方法研究较少。但其基本方法仍应是水量均衡法,其难点在于如何确定土壤水资源量和参数。就量而言,有人提出土壤水等于总蒸发量或蒸散量,在一般情况下,区域土壤水资源量等于降水量减去地表径流量和地下径流量。就参数而言,如土壤水库深度,有人认为应取作物层深度(小麦为1.0m左右),也有人认为应为整个包气带厚度(我国北方地区一般为3.0m左右)。因此,仍有待深入研究。中国科学院、水利部水土保持研究所试验结果表明,在中壤—重壤土上的小麦对2m之内的土壤水可利用90%～100%,直到3m处也能利用;棉花在2m内基本上能百分之百地利用。

(二)水质评价

目前,国内外评价水质的方法很多,有分级评价、指数评价、扣分评价等,均各有利弊。我国第一次水资源水质评价采用的是分级评价法,它以《地面水环境质量标准》为主,同时对照各种水质专门用途标准,用两个综合指标来表示被评价水质的好坏。

由于人类对水的需要是多方面的,因而不同用水对水质的要求就各有不同,故应区别用途,选择不同的水质监测项目(参数),对实测数据加以分析,做出水质综合评价。我国有关部门就农田灌溉用水制定了《农田灌溉水质标准》，是进行农业水资源水质评价的主要依据。但目前，在我国大多数地区不同程度地存在有重视量评价轻视质评价的倾向，故对后者有待加强。有人预测，今后在水质评价中，水力学和水文学将发挥愈来愈大的作用。譬如解决废水系统的水动力学问题，包括固体抬送、沉积池中主要根系的沉淀、二维水流阻力、扩散过程以及污染物在地下含水层中的运移等。

苏联学者提出，由于灌溉水质对土壤、作物和土壤改良系统设施均有影响，故应利用生态、农业、工程和经济标准对灌溉水质进行综合评价。生态标准是避免污染环境和保障灌溉农田卫生及作物的卫生安全，农业标准是保持并增加土壤肥力，工程标准是防止灌溉水对工程设施造成腐蚀或堵塞，经济标准是应能产生正效益。

水质评价的发展趋势是，进一步深化理论和实验研究，系统地研究水—土壤—植物、水—植物、水—建筑物之间的关系和用矿化水灌溉时生态经济损失的评价方法。

三、水资源评价面临的主要问题

目前，水资源评价的成果及方法还不能满足经济可持续发展和水资源可持续利用的要求。其表现在以下几方面：

(1)人类活动对水资源的影响。由于土地利用、城市化、水资源利用等人类活动干扰了天然水文循环，改变了水资源的产生条件，进而影响了水资源的数量、质量、分布等特征。平原区由于地下水的开发利用，地下水位普遍降低，土壤容蓄量增加，下渗条件改善，使产流条件发生很大变化。华北平原区 20 世纪五六十年代次降雨量达 40mm 即可产流，由于地下水的开发利用，使地下水埋深从 3m 左右下降到 8～10m，次降雨量达 100mm 以上才能产流，使相同降水条件下的地表水资源大幅减少。现行水资源评价成果难以反映人类活动对水资源的影响，而且这种影响是一个不断扩大的渐变过程，将对未来可利用水资源量产生影响，威胁水资源的可持续利用。只有定量评估人类活动对水资源的影响程度，并对其变化趋势进行长期预测，才能保证水资源的持续利用。人类活动一方面影响了水资源的数量与质量，另一方面也破坏了水文系列的随机性和独立性，即资料产生的一致性，人类活动使水资源产生条件处于持续变化过程中，而现行的系列"还原"计算只能对水利工程引出和调入水量进行还原，难以满足系列一致性的前提条件。

(2)气候变化对水资源的影响。水资源主要来源于大气降水，对气候变化具有高度依赖性。在干旱半干旱地区、湿润地区和污染严重区域，可能因小的气候变化产生较大的水资源问题。部分专家认为，中国北方地区是全球气候变暖的敏感区，由于干旱化趋势和"温室效应"，可能使北方广大地区降水偏少，水资源形势将更为严峻。因此，定量研究气候变化及其对水资源的影响，以采取相应的对策、措施，也是水资源评价面临的重大问题。

(3)可利用水资源量的评价。以往评价成果是以天然水资源量(数量、时空分布、开发利用程度等)来表达的，虽然能够宏观描述天然水资源状况，但缺乏可利用量或可利用程度的指标，不能满足生产与管理工作的需要。而可利用量决定于水资源质量、分布、工程设计与规划工程等，尚无统一公认的计算方法与技术标准。考虑水质指标的水资源数量评价，具有重要的实用价值。由于水质是由多个评价指标描述的瞬间状态，处于不间断的掺混、弥散、降解过程中，很难与表征时间或分布总量的水资源数量联系起来。计算不同水质等级地表水、地下水数量及其时空分布规律,为定量、保质、稳定供水打下基础,是水量与水质联合评价的重要课题。

(4)用水资料问题。目前主要问题是用水资料人为因素大,精度不高,一定程度上影响了水资源开发利用情况的分布和水资源评价成果的精度。应建立规范化的用水资料收集、审查、分析系统。水文站等应充分发挥观测资料作用,解决水资源评价中的专项科研问题。

四、水资源评价的发展

由于人类活动对水资源的影响不断加大,人们对水循环的认识也不断加深,所以水资源评价不是一劳永逸的,应随着资料积累及技术水平的不断提高而滚动进行。在这项工作中应引入新理论、新方法、新技术。

(1)建立水资源评价模型。为对现状及未来水资源量进行评估,应分区建立具有物理背景的,反映降水、地表水、土壤水与地下水转化机制及下渗、蒸发等水循环过程,引水、开采等水资源开发利用活动的水资源评价模型。对植被情况、不透水面积、耕作条件及水资源利用水平等因素均可以用调参数形式体现在结构化水资源评价模型中,通过参数调整,反映产流条件及水资源利用水平,并根据社会经济发展及气候长期变化预计估算未来产流条件变化及水资源利用情况。还应研制较为通用的结构化模型,根据不同地区自然地理条件和水文地质条件,增减不同的模型组件,使模型参数具有物理背景和可比性,通过试点流域,实验站资料等率定分区模型参数。

(2)充分利用国家水文数据库。充分利用国家水文数据库系统,研制水资源评价系统与水文数据库、水资源数据库的接口,提高水资源评价工作的现代化水平。

(3)在 GIS 平台上建立集成化的水资源评价信息系统。充分利用地理信息系统对空间数据及属性数据的管理、分析功能,实现 GIS 与水资源评价模型、水文及水资源管理数据库的集成,建立基于 GIS 平台上的水资源评价信息系统,从根本上改变水资源评价的手工操作状况。

(4)统一技术标准指导评价工作。制定统一的技术标准与评价方法,采用一致的水文系列,根据需要与可能,分区开展水资源评价工作,既可为当地经济可持续发展和水资源持续利用提供科学依据,也可在需要时汇总成全国水资源评价成果。

(5)开展关键性技术攻关。加强技术研究,积极开展关键性技术攻关,尽早建成通用水资源评价模型系统,广泛采用新技术与新方法,尽早建成通用计算机系统,为水资源评价提供技术支持。

第二节　区域水资源分析与评价方法

水资源的计算与评价,是制定特定区域国民经济组合、集约程度和发展方案的基本依据,也是调整、确定农业结构的重要根据。在水资源调查工作的基础上,区域水资源分析计算的主要任务是:研究特定区域内降水、蒸发、径流诸要素的变化规律和转化关系,阐明地表水、地下水资源及总水资源的数量、质量及其时空分布特点,揭示河流水能资源及泥沙分布和变化特性,开展水资源供需分析,寻求水资源开发利用、管理的最优方案,以便为工业、农业和其他各部门服务。

区域水资源的分析与计算,一般是针对省级或省级以下行政区域而言的。有时,区域内包含一个或几个完整的流域,并且具有足够数量和精度的实测气象、水文资料。但在大多数情况下,区域内包含一个或几个非完整的流域,且气象、水文的实测资料也比较缺乏,这就给区域水资源计算带来了一定的困难。在一般情况下,区域水资源分析计算的主要内容包括:

(1)基本资料的收集、整理与分析。这是区域水资源计算的基础工作,一般应对收集、调查、刊印的资料和以往分析成果进行整理与审查,选择分析代表站,对径流资料进行还原计算,对降水、径流资料进行插补延长和系列代表性分析等。

(2)降水量和蒸发量的计算。降水是水资源的主要补给源,蒸发是降水的主要损失量。降水量、蒸发量的大小及其时空变化规律分析,是用水量平衡法计算水资源数量的重要基础,也是研究水资源时空分布的基本依据。

(3)河川径流量的计算。河川径流量一般通过水文站实测径流资料来计算。在区域水资源计算中,一般需要计算多年平均及不同频率的河川径流量,并分析其年内分配与多年变化规律,为地表水资源和水资源总量的计算提供依据。

(4)地下水资源的计算一般将特定区域划分为山丘区和平原区不同地貌单元,分别计算地下水补给量或排泄量,为计算水资源总量提供必要的依据。

(5)水资源总量计算与水量平衡分析。在不同地貌单元河川径流量、地下水补给量(排泄量)计算的基础上,扣除重复量,即可得出区域水资源总量。在一般情况下,还应当进行不同区域的水量平衡分析,以便利用水文、气象及其他自然因素的地带性规律,检查水资源计算成果的合理性。

(6)入境与出境水量的计算。入境水量系指流入本区域的水量,连同当地产水量经本区开采利用或消耗后,流出本区的水量为出境水量。对当地水资源比较贫乏的区域,入境水量是极为可贵的水资源。

(7)水能资源的估算。它是水资源计算的重要组成部分,一般需要计算河流水能蕴藏量及可能开发的水能资源量,以便为水资源的开发利用提供依据。

(8)输沙量估算。河流含沙量是反映区域水土流失情况的重要指标,它对航道、湖泊、水库的寿命,水资源开发利用的手段,水利工程型式、规模,调度运用方案的制订等都有直接影响。输沙量估算的主要内容是:悬移质、推移质含沙量计算,输沙量计算以及输沙模数地区分布规律的研究等。

(9)水质评价。水资源实质上包含质和量两方面的含义,质量不好的水,它的量也失去了意义。水质评价的目的是:查明区域水体污染源、主要污染物、污染程度及其时空变化规律,预测水质污染变化趋势,为水资源保护和水污染的防治提供依据。

(10)水资源供需分析。这是水资源分析、计算、评价的最终目标,它旨在揭示区域内水资源供需关系的主要矛盾,探讨水资源开发利用的途径与潜力,为水资源的合理开发利用和科学管理提供科学根据。水资源供需分析的主要内容是:可供水量的估算,水资源开发利用现状分析,不同代表年、不同发展阶段需水量的预测和余缺水平衡计算等。

当区域内气候及下垫面条件变化较小,水资源的地区差异相对不人时,上述内容可作适当简化。当区域面积较小时,水资源分析计算也可借鉴大面积的相应计算分析成果。

一、基本资料的收集、整理与分析

区域水资源分析计算的项目多,技术要求严格。为了保证水资源分析计算成果具有足够的精度,必须首先根据特定区域的实际情况,认真做好基本资料的收集、整理与分析工作。

(一)基本资料的收集

区域水资源计算中需要收集的基本资料主要有:

(1)本区域和邻近区域有关水文、气象资料。包括降水、蒸发、径流、冰情、水温、泥沙、气温、日照、云量等资料。

(2)本区域的流域特性资料。包括地形、地貌、土壤、植被以及河流、湖泊、沼泽特性等资料。区域面积应当采用国家统计部门确认的数值,并尽量与自然资源调查及其他部门相统一;流域面积一般采用水文年鉴刊印成果和《水文特征值统计》中建议的采用值。

(3)区域内水利工程概况。包括历年各级水库的有效库容及其灌溉面积,历年各类引、提水工程的引、提水量及其灌溉面积,并要收集灌溉定额、渠系水有效利用系数、田间回归系数等资料。

(4)区域水文地质特性资料。包括岩性分布,地下水平均埋深及其补给、径流、排泄特性,地下水开采情况,地下水动态观测资料与分析成果。

(5)社会经济资料。包括耕地、林地、草牧场、荒地的面积与分布特点,总人口、农业人口、非农业人口及经济发展概况等。

(6)各部门的水质监测资料。包括区域内主要城镇和工矿企业的排污量、排放毒物、排放途径及影响范围,以及近年来各种农药使用量,田间水质污染引起的人畜中毒、农业减产、水生生物死亡等事故资料。

(7)历史上发生的水、旱灾害年份及成灾面积,水利设施的防洪、排涝、抗旱能力等资料。

(8)以往水文、水资源分析计算成果。

(二)资料的审查

一般可从以下几方面对所收集的资料进行合理性审查。

(1)历年降水量资料要着重分析年、月降水量的特大、特小值及其成因。对区域内个别站降水量偏大或偏小的资料要认真分析,既要注意降水量在地区分布上的规律性,又要考虑局部暴雨造成的特殊性,不能轻易舍弃实测资料。降水量资料的审查重点是新中国成立以前的和委托雨量站的资料。

(2)年径流资料要注意审查各站集水面积变动情况及变动原因,分清是断面迁移还是计量错误,按准确的面积核对后再计算逐年径流量。

对偏大、偏小的年径流资料,应当通过上下游或相邻流域径流过程线的对比、水量平衡分析、极值的对比、年降水与年径流关系的对比等各种途径审查其合理性。

(3)水面蒸发观测资料,既受气象因素影响,又受观测场周围的地形、地物、蒸发器结构、安装形式和材料等因素的影响。在收集资料时,要做认真细致的考证工作,对有关情况应予以说明,以便在分析统计和绘制等值线图时考虑资料的代表性与一致性。

(4)泥沙资料应重点核对输沙量的特大值、特小值,对输沙量较大的年份,要从上、下游沙量平衡以及年径流量与年输沙量关系上检查其合理性。对明显偏大或偏小的数据,要通过区域内不同时期植被和降雨强度的变化情况,分析判断其偏大、偏小的原因,并决定对资料的取舍与修正。

(5)对所收集的水质监测资料,当出现特大值、特小值等突出点时,应在分析其可靠程度后再参加计算和评价。对水质监测资料的取样次数、取样时间则需分析是否有代表性。

(三)径流还原计算

由于人类活动的影响,许多河流的天然径流状况已经受到破坏,水文站的实测资料并不能真实地反映断面以上径流的固有规律。因此,应当通过还原计算,把受人为影响的实测径流资料改正到接近天然状态,使水文资料系列具有同一基础,以便进行径流的统计分析和计算。

在一般情况下,还原计算的径流量主要包括:测站以上大、中、小型灌区耗水量,城镇工业及生活用水耗水量,跨流域引水量,河道分洪决口水量,测站断面以上大、中型水库蓄变量,以及因扩大水面面积而增加的蒸发耗水量等。

为了满足不同用水部门的需要,上述各项应尽可能逐年逐月进行还原。处理用水量资料时,应注意将地表水和地下水分开,还原时一般只计算河川径流量部分。

径流还原计算常选用下列方法。

1. 分项调查法

还原计算时段内的水量平衡方程式可以写成:

$$W_{天然} = W_{实测} + W_{灌溉} + W_{工业} + \Delta W_{库蓄} + W_{库蒸} \pm W_{引水} \pm W_{分洪} + W_{库渗} \qquad (1-1)$$

式中:$W_{天然}$ 为还原后的天然径流量,亿 m^3;$W_{实测}$ 为水文站实测径流量,亿 m^3;$W_{灌溉}$ 为灌溉耗水量,亿 m^3;$W_{工业}$ 为工业耗水量,亿 m^3;$\Delta W_{库蓄}$ 为计算时段始末水库蓄水变量,亿 m^3,增加为正值,减少为负值;$W_{库蒸}$ 为水库水面蒸发量和相应陆地蒸发量之差,亿 m^3;$W_{引水}$ 为跨流域引水量,亿 m^3,引出为正值,引入为负值,引入水量若为农业灌溉利用时,只计算引入水量中的回归水量;$W_{分洪}$ 为河道分洪水量,亿 m^3,分出为正值,分入为负值;$W_{库渗}$ 为水库渗漏水量,亿 m^3。

式(1-1)中几个主要项目计算方法如下。

1)灌溉耗水量

对有实灌面积、灌溉定额及田间回归系数等资料的区域,一般可按下式计算灌溉耗水量:

$$W_{灌溉} = (1 - \beta)MF \times 10^{-8} \qquad (1-2)$$

式中:β 为田间回归系数;M 为净灌溉定额,m^3/hm^2;F 为实灌面积,hm^2。

当灌溉引水口位置在测站控制断面以上,灌溉面积在测站断面以下时,灌溉耗水量即为灌溉引水还原量,其计算公式为:

$$W_{灌溉} = M_{毛}F \times 10^{-8} \qquad (1-3)$$

式中:$M_{毛}$为毛灌溉定额,m^3/hm^2;其他符号意义同前。

2)水库蓄变量

水库蓄变量等于时段末与时段初水库蓄水量之差,即:

$$\Delta W_{库蓄} = W_{末} - W_{初} \tag{1-4}$$

式中:$\Delta W_{库蓄}$为水库蓄变量,亿 m^3;$W_{末}$为时段末水库蓄水量,亿 m^3;$W_{初}$为时段初水库蓄水量,亿 m^3。

根据实测资料情况,水库蓄变量的计算可分别采用下列方法:

(1)大、中型水库一般都有实测流量资料,可直接按式(1-4)计算水库蓄变量。只有水位记载而无流量记录的水库,可借助于水库库容曲线,分别由计算时段始、末水位查得库容再计算水库蓄变量。对于泥沙淤积严重、库容变化较大的水库,要注意历年水位库容曲线的变化。

(2)对缺乏实测资料的小型水库群,可在本区域邻近区域选择气候与下垫面条件基本一致并有实测资料的大、中型水库作为典型水库,用典型水库的蓄变量估算水库群的蓄变量,计算公式为:

$$\Delta W_{群} = \Delta W_{典} \frac{V_{群}}{V_{典}} \tag{1-5}$$

式中:$\Delta W_{群}$、$V_{群}$分别为水库群的蓄水变量和库容,亿 m^3;$\Delta W_{典}$、$V_{典}$分别为典型水库的蓄水变量和库容,亿 m^3。

3)水库水面蒸发量和相应陆地蒸发量的差值

因修建水库,使库区范围内原来的陆地变为水域,蒸发由陆地蒸发变为水面蒸发,其蒸发增量的计算公式为:

$$W_{库蒸} = (E_{水} - E_{陆})F_{水} \times 10^{-5} \tag{1-6}$$

式中:$E_{水}$为计算时段内库区水面蒸发量,mm;$E_{陆}$为计算时段内库区陆地蒸发量,mm;$F_{水}$为计算时段内增加的水面面积,km^2,可由水位面积曲线查得。

在缺乏实测资料的小型水库群区域,库面蒸发量也可参照小型水库群蓄水变量的计算方法推求。

工业耗水量、跨流域引水量、河道分洪水量和水库渗漏水量可由实测资料或通过调查估算。

2.径流双累积曲线法

根据人类活动前的资料建立降水径流模型,计算逐年(包括人类活动以后)径流量$R_{计}$并推求其累积值,它与逐年实测径流量$R_{实}$的累积值绘制的相关线,称为径流双累积曲线。在下垫面条件未改变的情况下,实测径流量等于天然径流量,径流双累积曲线为45°直线。在人类活动的影响下,实测径流往往小于天然径流,径流双累积曲线偏离45°线,依据逐年偏离幅度即可推求相应年份的还原水量。径流双累积曲线法又称降水径流模式法。

3.流域蒸发差值法

在天然状况(人类活动前)和现状(受人类活动影响后)条件下,流域多年平均年降水、径流、蒸发三要素的水量平衡方程式分别为：

$$\overline{P}_{天然} = \overline{W}_{天然} + \overline{E}_{天然} \tag{1-7}$$

$$\overline{P}_{现状} = \overline{W}_{现状} + \overline{E}_{现状} \tag{1-8}$$

式中：$\overline{P}_{天然}$、$\overline{P}_{现状}$分别为天然和现状条件下的多年平均年降水量，亿 m^3；$\overline{W}_{天然}$、$\overline{W}_{现状}$分别为天然和现状条件下的多年平均径流量，亿 m^3；$\overline{E}_{天然}$、$\overline{E}_{现状}$分别为天然和现状条件下的多年平均年陆面蒸发量，亿 m^3。

若近似认为人类活动影响前后的多年平均年降水量相等，即$\overline{P}_{天然} = \overline{P}_{现状}$，则有

$$\overline{W}_{天然} - \overline{W}_{现状} = \overline{E}_{现状} - \overline{E}_{天然} \tag{1-9}$$

由于$\overline{W}_{天然}$与$\overline{W}_{现状}$之差即为还原水量，故有

$$\overline{W}_{还原} = \overline{E}_{现状} - \overline{E}_{天然} \tag{1-10}$$

式(1-10)表明，多年平均年还原水量等于受人类活动前后多年平均年陆面蒸发量的差值；当可忽略流域储水量的逐年变化时，可用式(1-10)计算逐年的还原水量，若能估算得流域储水量的逐年变化量，则计算精度会高些。

二、降水量和蒸发量的计算

(一)降水量的计算

1.降水量的年内分配与多年变化

1)降水量的年内分配

降水量的年内分配可以采用以下两种方式来表示：

(1)降水量百分率及其出现月份分区图。选择资料质量较好、实测系列长且分布比较均匀的代表站，分析其多年平均连续最大四个月降水量占多年平均降水量的百分率及其出现时间，绘制连续最大四个月降水量占年降水量百分率等值线图。

(2)代表站典型年降水量年内分配的计算。在绘制连续最大四个月降水量占年降水量百分率等值线的基础上，可对不同降水类型的区域分区选择代表站，分析不同典型年年降水的月分配过程。

2)降水量的多年变化

年降水量变差系数 C_v 值表示某站年降水量的相对变化幅度，C_v 值等值线图则反映年降水量多年变化的地区分布。年降水量 C_v 值大的地区，其年变化幅度也大，对该处的水资源开发利用不利。

2.区域多年平均及不同频率降水量的计算

当特定区域面积较大时，可将该区域按行政分区、水资源分区或水利化区划再分为若干分区，分别计算分区和全区的多年平均及不同频率年降水量。具体步骤为：

(1)计算各分区的多年平均及不同频率的年降水量。将特定区域的分区界限，标绘在该区域降水量均值和 C_v 值等值线图上，采用面积加权法计算出各分区的年降水量多年平均值。然后，确定分区面积重心处的 C_v 值和 C_s/C_v 值，在查得各种频率的模比系数 K_p 值后，按下式计算各种频率的年降水量。

$$P_p = \overline{P} K_p \tag{1-11}$$

式中：P_p 为某一频率的年降水量，mm；$\overline{P}$ 为多年平均年降水量，mm；K_p 为某一频率的年降水量模比系数。

(2)计算全区的多年平均及不同频率的年降水量。全区多年平均年降水量等于各分区多年平均年降水量之和。但全区域不同频率的年降水量，不能用各分区不同频率年降水量相加来计算。这时，首先推求全区域年降水量系列，经频率计算后方得全区不同频率的年降水量。

(二)蒸发量的计算

1.水面蒸发量的计算

水面蒸发量的分析计算，旨在研究陆地的蒸发能力，探讨陆地蒸发量的时空分布规律，为水平衡要素分析和水资源总量的计算提供依据。

一个地区水分消耗的潜力，一般用蒸发能力来表示。在充分供水条件下，湿润土壤的蒸发能力 E_0 可以根据蒸发器观测的水面蒸发量 E 间接估算而得，即

$$E_0 = \alpha E \tag{1-12}$$

式中：E_0 为陆地蒸发能力，mm；E 为蒸发器测得的水面蒸发量，mm；α 为经验系数。

2.陆地蒸发量的计算

陆地蒸发量又称流域蒸发量，它是特定区域天然情况下的实际蒸发量。陆地蒸发量等于地表水体蒸发、土壤蒸发和植物散发量的总和。陆地蒸发量的大小一般受陆地蒸发能力与供水条件(降水量)的制约。在降水年内分配比较均匀的湿润地区，陆地蒸发量与陆地蒸发能力差别很小；但在干旱地区，陆地蒸发能力一般超过陆地蒸发量很多，陆地蒸发量的大小主要取决于降水量。陆地蒸发量的估算方法有以下两大类：

(1)在闭合流域内，根据水量平衡原理，由多年平均年降水量和年径流量的差值间接求得。即

$$\overline{E} = \overline{P} - \overline{R} \tag{1-13}$$

式中：$\overline{E}$ 为多年平均年陆地蒸发量，mm；$\overline{P}$ 为多年平均年降水量，mm；$\overline{R}$ 为多年平均年径流量，mm。

(2)根据水热平衡或热量平衡原理，通过对气象要素的分析，建立地区经验公式计算陆地蒸发量。

(三)干旱指数与旱涝分析

1.干旱指数

干旱指数是反映气候干湿程度的指标，通常以年蒸发能力与年降水量的比值来表示。若干旱指数小于 1.0，即表示该区域的降水量满足蒸发所需后还有剩余，一般称为湿润气候；干旱指数在 1.0～3.0 之间的地区，称为半湿润气候；干旱指数在 3.0～7.0 之间的地区，称为半干旱气候；干旱指数大于 7.0 的地区，称为干旱气候。

2.旱涝分析

开展旱涝分析，对于深入认识水资源的变化规律和指导农业生产，都具有极其重要的作用。进行农业旱涝分析，首先要确定旱涝标准。我国常采用的标准大体有两类：一类以受灾程度作指标，另一类以水分条件与作物生长状态作指标。举例如下：

(1)湿润度与蒸散度法。以降水量与同期无降水时的最大可能蒸发量之比作为湿润

度,以实际可能蒸发量与同期有效降水量之比作为蒸散度,借此表示干旱情况。

(2)旱涝指数指标法。即标准差法,旱涝指数 β 用下式表示:

$$\beta = \frac{P - \overline{P}}{\sigma} \tag{1-14}$$

式中:β 为某年(或季、月)旱涝指数;P 为某年(或季、月)降水量,mm;$\overline{P}$ 为多年平均(或季、月)降水量,mm;σ 为均方差,$\sigma = \sqrt{\dfrac{\sum\limits_{i=1}^{n}(P-\overline{P})^2}{n}}$;$n$ 为年数。

一般规定,当 $\beta < -2$ 时为大旱;$-2 < \beta < -1$ 时为旱;$-1 < \beta < 1$ 时为正常;$1 < \beta < 2$ 时为涝;$\beta > 2$ 时为大涝。

(3)供需比指标法。该方法以某一生长期内总有效供水量与总需水量之比 r 作为指标,即

$$r = \frac{P + G + W - R}{Y + W_m} \tag{1-15}$$

式中:r 为某一生长期内总有效供水量与总需水量的比值;P 为生长期降水量,mm;G 为生长期地下水对根系活动层的补给量,mm;W 为生长期根系活动层含水量,mm;R 为无效降水量,包括径流量、深层渗漏量和其他损失量,mm;Y 为生长期作物正常生长的需水量,mm;W_m 为生长期作物必须的其他水量,mm。

一般规定,当 $r < 0.5$ 时为旱;$0.5 \leqslant r \leqslant 0.8$ 时为偏旱;$0.8 < r \leqslant 1.3$ 时为正常;$r > 1.3$ 时为偏涝。

三、河川径流量的计算

(一)代表站法

在评价流域(或区域)内,选择一个或几个基本能够控制全区、实测径流资料系列较长并具有足够精度的代表站,从径流形成条件的相似性出发,把代表站的年径流量,按面积比或综合修正的方法移用到评价流域范围内,从而推算区域多年平均及不同频率的年径流量,这种方法叫做代表站法。

1. 计算逐年及多年平均年径流量

如代表站的年径流量和集水面积分别用 $W_{代}$ 和 $F_{代}$ 表示,评价流域(或区域)的年径流量和面积分别用 $W_{评}$ 和 $F_{评}$ 表示。假定评价流域(或区域)与代表流域的面积相差不大,自然地理条件也相近,则可认为评价流域与代表流域的平均径流深是一致的,即 $R_{评} = R_{代}$,则

$$W_{评} = \frac{F_{评}}{F_{代}} W_{代} \tag{1-16}$$

算得评价流域逐年径流量以后,其算术平均值即为多年平均年径流量。当 $W_{代}$ 取多年平均值时,也可采用式(1-16)直接算得评价区域多年平均年径流量。

依据式(1-16)推求评价区域逐年径流量,通常要视代表站个数及其自然地理条件等而采取不同的途径。

(1)当区域内可选择一个代表站并基本能够控制全区,上下游产水条件差别不大时,则可根据代表站逐年实测径流量,经还原计算后得天然年径流 $W_{代}$,已知代表流域集水面积 $F_{代}$,量算评价区域面积 $F_{设}$,代入式(1-16)便可求得全区相应的逐年径流量。

若代表站不能控制全区大部分面积,其上下游产水条件又有较大的差别时,则应采用与评价区域产水条件相近的部分代表流域的径流量及面积(如区间径流量与相应的集水面积),代入式(1-16)推求全区逐年径流量。

(2)当区域内可选择两个(或两个以上)代表站时,全区逐年径流量可采用下列方法来推求。

a.若评价区域内气候及下垫面条件差别较大,则可按气候、地形、地貌等条件,将全区划分为两个(或两个以上)的评价区域,每个设计区域均按式(1-16)计算分区逐年径流量,相加后得全区相应的年径流量。

$$W_{评} = \frac{F_{评1}}{F_{代1}}W_{代1} + \frac{F_{评2}}{F_{代2}}W_{代2} + \cdots + \frac{F_{评n}}{F_{代n}}W_{代n} \tag{1-17}$$

b.若评价区域内气候及下垫面条件差别不大,仍可将全区作为一个区域看待,其逐年径流量按下式推求。

$$W_{评} = \frac{F_{评}}{F_{代1} + F_{代2} + \cdots + F_{代n}}(W_{代1} + W_{代2} + \cdots + W_{代n}) \tag{1-18}$$

(3)当评价区域与代表流域的自然地理条件差别过大,其产水条件也势必存在明显的差异。这时,一般不宜采用简单的面积比法计算全区年径流量,而应选择能够较好地反映产水强度的若干指标,对全区年径流量进行修正计算。

a.用区域平均年降水量修正。在面积比方法的基础上,再考虑评价区域与代表流域降水条件的差别,其全区逐年径流量的计算公式为:

$$W_{评} = \frac{F_{评}\overline{P}_{评}}{F_{代}\overline{P}_{代}}W_{代} \tag{1-19}$$

式中:$\overline{P}_{评}$、$\overline{P}_{代}$ 分别为评价区域和代表流域的区域平均年降水量,mm。

b.用多年平均年径流深修正。采用式(1-19)计算全区逐年径流量,虽然考虑了评价区域与代表流域年降水量的不同,但尚未考虑下垫面对产水量的综合影响,于是,可引入多年平均年径流深,将式(1-19)改写为:

$$W_{评} = \frac{F_{评}\overline{R}_{评}}{F_{代}\overline{R}_{代}}W_{代} \tag{1-20}$$

式中:$\overline{R}_{评}$、$\overline{R}_{代}$ 分别为评价区域和代表流域的多年平均年径流深,mm,一般可由平均年径流深等值线来量算。

应当指出的是,采用多年平均年径流深修正计算区域河川径流量,计算方法简便,其结果也有一定的精度。但是,这种方法实质上只考虑了评价区域与代表流域历年产水条件(降水、下垫面)的平均情况。对某些年份的全区径流量有时影响较大,以致给全区年径流系列及计算的不同频率年径流量带来一定误差。

(4)当设计区域内实测年降水、年径流资料都很缺乏时,可直接借用与该区域自然地理条件相似的典型流域的年径流深系列,乘以评价区域与典型流域多年平均年径流深的比值,再乘以设计区域面积得逐年年径流量,其算术平均值即为多年平均年径流量。这时,设计区域的多年平均年径流深可采用等值线图量算值。

2.计算区域不同频率年径流量

用代表站法求得的设计区域逐年径流量,构成了该区域的年径流系列,在此基础上进行频率计算,即可推求评价区域不同频率的年径流量。

(二)等值线法

在区域面积不大并且缺乏实测径流资料的情况下,可以借用包括该区在内的较大面积多年平均年径流深及年径流变差系数等值线,计算区域多年平均及不同频率的年径流量。采用等值线图推求区域多年平均年径流量的方法步骤如下:

(1)在本区域范围内,用求积仪分别量算相邻两条等值线间的面积 f_i。

(2)计算相应于 f_i 的平均年径流深 $\overline{R_i}$,$\overline{R_i}$ 可取相邻两条等值线的算术平均值。

(3)依据公式

$$\overline{R} = \frac{\overline{R}_1 f_1 + \overline{R}_2 f_2 + \cdots + \overline{R}_n f_n}{F} \tag{1-21}$$

计算出区域多年平均年径流深,再乘以区域面积即为多年平均年径流量。

(三)河川径流量的年内分配

在一般情况下,径流年内分配的计算项目、方法和时段,应当根据国民经济各部门对水资源开发的不同要求、实测资料情况、区域面积大小和河川径流量变化的幅度来确定。

1.具有充分径流资料时河川径流量年内分配的计算

1)正常年径流年内分配的计算

正常年河川径流量的年内分配近似于多年平均情况,一般可用年径流的月分配过程、连续最大四个月径流量占年径流百分率或枯水期径流量占年径流量的百分率等来反映。

(1)年径流的月分配过程。选择区域分析代表站,计算各月径流量的多年平均值,它与多年平均径流量的比值,即为相应月份的年内分配的相对值,其分配过程可用柱状图或过程线来表示。

(2)最大四个月径流量百分率等值线及其出现月份分区图。为了反映较大区域内径流的集中程度和出现时间的地区变化特点,可以选用资料质量好、分布均匀、资料系列较长的分析站,逐站逐月推求多年平均月径流量,再在月值中选取连续最大四个月的径流量,并推求其占多年年均年径流量的百分率,将其数值连同出现月份都标注在流域重心处,绘制多年平均连续最大四个月径流量占年径流量百分率等值线图,并按出现月份分区。

多年平均连续最大四个月径流量出现月份的分区,应当尽量使同一分区内出现月份相同、同一分区内径流的补给来源相同,并且要保持天然流域的相对完整性。

(3)枯水期径流量占年径流百分率等值线图。根据灌溉、养鱼、发电、航运等部门的不同需要,枯水期可分别选取不同时段,例如 3~5 月、5~6 月、9~10 月或 11 月至翌年 4 月,用前述方法绘制相应时段径流量占年径流百分率等值线图,以供生产部门应用。

2)不同频率年径流年内分配的计算

在水资源计算中,设计年径流的年内分配,一般采用典型年的年内分配形式,即从代表站实测资料中选出某一年作为典型年,以其年内分配形式作为设计年径流的年内分配形式。指定频率年径流年内分配的具体计算办法,可以分为以年水量为控制和以水库供水期水量为控制两种同倍比缩放法。

一般地,用年水量与供水期水量控制的典型年径流的年内分配是不一致的,由于供水期水量控制同倍比缩放法考虑了直接与工程规模有关的洪水期水量,因此要比年水量控制同倍比缩放法更为适用。

2.缺乏径流资料时河川径流量年内分配的计算

在缺乏径流资料时,可应用水文比拟法来确定设计年径流的年内分配。这时,需选择与特定区域自然地理条件相似的代表流域,将其典型年各月径流量占年径流量的百分比,作为待定区域年径流的年内分配过程。

当代表流域较难选定时,可以直接查用各省、市、自治区编制的水文手册、水文图集中典型年径流年内分配分区成果。

(四)河川径流量的多年变化

在区域水资源分析计算中,河川径流量的多年变化一般可用年径流变差系数来反映,也可选择径流资料质量好、实测系列较长的代表站,通过丰、平、枯水年的周期分析和连丰、连枯变化规律分析等途径;深入研究河川径流量的多年变化情况。

1.年径流变差系数分析

一般说来,年径流变差系数愈大,年径流多年之间变幅也就愈大,反之亦然。以降雨补给为主的河流,年径流变差系数有随着多年平均年径流深的增大而减小的趋势。我国长江以南诸河年径流变差系数一般在0.5以下,淮河、海河可达1.0以上,其中平原区又大于山区。干旱地区、盆地周围间歇性河流也在0.8以上,内蒙古中部和阴山北地间歇性河流的变差系数可达1.2以上。但在我国西北、东北部分地区,特别是以冰雪融水或地下水补给为主的河流,年径流的年际变化较小,变差系数一般在0.1~0.3之间,西北地区以冰川、雨雪补给为主的河流,还具有干旱高温年份多水、湿润多雨年份少水的特点。

2.年径流的周期变化规律分析

大量研究成果表明,我国主要江河的年径流存在着一定的丰、枯连续交替出现的周期性变化特点。这种周期并不像数学周期函数那样规则,周期长度并不固定,振幅往往也有变动。这是因为年径流的多年变化除受各种周期性作用外,还受到多种随机性因素的影响。在一般情况下,年径流多年变化周期分析可采用差积分析、方差分析、累积平均过程线分析和滑动平均过程线分析等方法。

3.年径流连丰、连枯变化规律分析

选择实测资料系列较长的代表站,对年径流系列进行频率计算,并将年径流分为丰($P < 12.5\%$)、偏丰($P = 12.5\% \sim 37.5\%$)、平($P = 37.5\% \sim 62.5\%$)、偏枯($P = 62.5\% \sim 87.5\%$)和枯水($P > 87.5\%$)5级,进而分析年径流丰、枯连续出现的情况。

当缺乏长系列径流资料时,也可借用年降水量的多年变化分析成果,近似代替河川径流量的多年变化情况。有条件时,还应结合历史旱涝记载进行综合分析与论证。

(五)入境与出境水量的计算

入境与出境水量,是针对特定区域边界而言的。对任何一个分析区域,几乎都有入境和出境水量。

入境水量是天然河流经区域边界流入区内的河川径流量;出境水量则是天然河流经区域边界流出区外的河川径流量。过去,有些单位将过境河流的入境、出境水量称为过路水量或客水量,这种提法容易使人误解为过境河流的入境水量与出境水量相等,从而采取以任意断面水量代替入境、出境水量的计算方法,给计算结果带来较大的误差。事实上,河流流入特定区域以后,一般都存在河道渗漏、水面蒸发等损失。有的河流流经岩溶区,一部分河水转化为地下水;有的河流流经沼泽区,大量水分消耗于蒸发,甚至变成无尾河;当区域内人工引、提水量较大时,流入区内的水量更不能全部流出区外,这就说明,入境水量和出境水量是不相等的。

入境水量是区域内可利用水资源的重要组成部分,在河流中下游地区,区域内当地产水量可能不大,但入境水量却可能十分丰富,这些地区的工业、城市和大型灌区的用水,在很大程度上要依靠入境水量供给。特定区域的入境水量和当地产水量,经本区开发利用、损失消耗后流出境外,即为出境水量。本区域的出境水量,又成为下游区域的入境水量。

入境与出境水量的计算,必须在实测径流资料已经还原的基础上进行。在区域水资源分析计算中,一般应当分别计算多年平均及不同频率年(或其他时段)入境、出境水量,同时要研究入境、出境水量的时空分布规律,以满足水资源供需分析的需要。

1. 多年平均及不同频率年入境、出境水量的计算

不同区域过境河流的分布往往是千差万别的,有时只有一条河流过境,有时则有几条河流同时过境;过境河流的水文测站又可能位于区域不同位置上。因此,计算区域多年平均及不同频率年入境、出境水量时,应当根据过境河流的特点和水文测站分布情况采用不同的计算方法。

1)用代表站法计算

当区域内只有一条河流过境时,若其入境(或出境)处恰有径流资料年限较长且具有足够精度的代表站,该站多年平均及不同频率的年径流量,即为计算区域相应的入境(或出境)水量。

在大多数情况下,代表站并不恰好处于区域边界上。例如,某区域入境代表站位于区内,其集水面积与本区面积有一部分相重复,这时,需首先计算重复面积上的逐年产水量,然后从代表站对应年份的水量中予以扣除,从而组成入境逐年水量系列,经频率计算后得多年平均及不同频率年入境水量。若入境代表站位于区域之上游,则需在代表站逐年水量系列的基础上,加上代表站以下至区域入境边界部分面积的逐年产水量,按同样方法推求多年平均及不同频率年入境水量。多年平均及不同频率年出境水量,也应根据代表站所处位置的不同,参照上述原则进行计算。

2)用水量平衡法计算

河流上、下断面的年水量平衡方程式可以写成:

$$W_下 = W_上 + W_支 - W_蒸发 - W_渗漏 + W_地下 - W_引·提 + W_回归 \pm \Delta W_槽蓄 \quad (1-22)$$

式中:$W_下$、$W_上$ 分别为上、下断面的年水量,亿 m^3 或万 m^3;$W_支$、$W_蒸发$、$W_渗漏$、$W_地下$、$W_引·提$、$W_回归$、$\Delta W_槽蓄$ 分别为年区间加入水量、河道水面蒸发量、河道渗漏量、地下水补给量、引提水量、回归水量和河槽蓄水变量,亿 m^3 或万 m^3。

当过境河流的上下断面恰与区域上、下游边界重合时,式(1-22)便可改写为:

$$W_出 = W_入 + W_支 - W_蒸发 - W_渗漏 + W_地下 - W_{引、提} ± W_回归 ± \Delta W_槽蓄 \quad (1\text{-}23)$$

式中:$W_出$、$W_入$ 分别为区域年出境、入境水量,亿 m^3 或万 m^3;其他符号意义同前。

当已知 $W_入$(或 $W_出$)和式(1-23)右端其他各分量时,由式(1-23)便可求得 $W_出$(或 $W_入$)。计算步骤大体如下:

首先,在过境河流上选定入(出)境代表站,由水文年鉴上查得逐年入(出)境水量;其次,按本节前面的有关方法分别推求年区间加入水量、河道水面蒸发量、河道渗漏量、地下水补给量、区间引提水量和回归水量,河槽蓄水变量可根据代表站时段始末的水位差,乘以河段长度和平均水面宽近似求得。依据式(1-23)计算逐年出(入)境水量,经频率计算后即可求得多年平均及不同频率年出(入)境水量。

当区域内有几条河流过境时,需逐年将各河流的年入(出)境水量相加,组成区域逐年总入(出)境水量系列,经频率计算后得多年平均及不同频率的入(出)境水量。

根据各用水部门的不同要求,有时需要推求多年平均及不同频率的季(月)入(出)境水量,其计算方法与前类同。

2.入境与出境水量的时空分布

当计算求得入(出)境水量以后,可参照本节前面介绍的有关方法,分析入(出)境水量的年内分配、年际变化及其空间变化规律。

在一般情况下,入(出)境水量的年内分配可用正常年水量的月分配过程或连续最大四个月、枯水期水量占年水量的百分率等来反映,也可分析指定频率年入(出)境水量的年内分配形式。有的单位根据实际需要,以典型年不同时段的最大入(出)境水量反映其年内分配特点。

(六)河川径流分析计算提供的主要成果

根据我国水资源评价工作的要求与资料条件,河川径流分析计算提供的主要成果有:

(1)水文测站分布图;

(2)多年平均径流深等值线图;

(3)年径流变差系数 C_v 等值线图;

(4)年径流偏差系数 C_s 与变差系数 C_v 比值分区图;

(5)多年平均连续最大四个月径流占全年径流深的百分率图;

(6)主要测站年径流量及特征值表;

(7)主要测站典型年天然径流量月分配表;

(8)其他。

四、区域地表水资源

国民经济的发展常以行政区域为单元,故水资源评价也要提供区域水资源报告。一个行政区域内有闭合流域,也有区间,有山丘区,也有平原,比单一的小流域更为复杂。大的流域水系如长江、黄河等,因其范围很大,各处的气候、下垫面相差极大,估算水资源也很复杂。

区域地表水资源估算的主要内容有区域面积的确定、区域年径流系列的组成及统计参数的计算等。估算时要注意不同来源数据的协调。

(一)区域地表水资源的估算

1. 径流系列的组成

在较大的区域内，径流的地区分布是不均匀的，其中各个小流域(或区间)在同一年出现的径流量，在它们各自的系列中占有的经验频率也不相同；反之，各部分具有相同频率的年径流量也不可能恰好在同一年同步出现。因此，估算区域地表水资源时不能简单地将各个小流域和区间同频率的年径流量相加而得，必须设法先求出各部分同步的区域年径流系列，再进行频率分析，计算出各种频率的年径流量。

区域径流系列的组成，有以下一些方法：

(1)如区域内河流上、下游的自然地理条件较一致，且有一个或几个代表性较好的水文站控制本区域的大部分面积，可按面积比求出历年的年径流量，组成径流量系列。

(2)区域内仅有一个控制站，其上游与下游的降水量相差较大，但下垫面却相差不大，可以降水量为权重计算区域的年径流量。计算公式为：

$$W_{ab} = W_a \left(1 + \frac{P_b f_b}{P_a f_a} \right) \tag{1-24}$$

式中：W_{ab} 为全区或某年的径流量；W_a 为控制站以上的实测年径流量；P_a、f_a 分别为控制站以上面平均年降水量和集水面积；P_b、f_b 分别为控制站以下面平均年降水量和集水面积。

(3)区域内的水文站控制面积很小，或区域由几个独立的水系组成，且仅个别水系有水文站时，建立年降水径流关系，由历年的降水量推算出历年的径流量。

(4)区域内无控制站，降水资料也缺乏时，在年径流量均值等值线上查算得区域的均值，再在邻近地区寻找有实测径流资料的相似流域，用均值比法修正相似流域的历年径流量系列后移用至无资料区域，作为本区域的径流量系列。

(5)西北及内蒙古的内陆河流，年径流深小于 5mm，一般不再估算地表水资源，但在计算全省(自治区)的径流深时，应计入这部分面积。若水文站的控制面积已包括这部分地区时，应注意不要重复。

2. 山丘区的地表水资源分析

在天然条件下，山丘区的河川径流通常就是总水资源(闭合流域，潜流 $UG = 0$)，地表水资源即地表径流量。如将历年的河川径流过程分割为地表径流 RS 和地下径流 RG，使得到 RS 和 RG 两个系列，分别对 R、RS、RG 进行统计分析，求出统计参数，就可推求各种频率年份的总水资源、地表水资源和地下水资源量。但分析中不论是插补展延系列还是频率计算，都要注意三者之间的关系。由于包气带蓄水容量具有极限值，因而各次降水所产生的地下径流量和它占洪水径流量的比例也有极限值，对一年来讲，也是如此，年地下径流量随着年径流量的增加而增加，到一定程度后不再增加。

河川径流 R、地表径流 RS、地下径流 RG 均可用年降水量插补展延系列。年的 R—P 关系和 RS—P 关系，通常都可以用下述数学模型拟合：

$$R = A e^{Bp} \tag{1-25}$$

式中的 A、B 均为经验性参数；e 为自然对数的底。在定相关线时，要注意其坡度的合理性。RG 与 P 的关系线呈 S 形。由于径流资料常比降水的少,故上述展延系列的方法具有较大的实用价值,但 3 条关系曲线必须协调,即有 $RS + RG = R$。

RG 的经验频率点据分布有两个特点:上部点据接近水平分布,所有点据的分布呈 S 形;选配 P–Ⅲ型曲线时 $C_s/C_v < 2$。因此,从理论上讲,P–Ⅲ型曲线未必能适用。现在常规的做法是对原系列进行转换后选配 P–Ⅲ型曲线,具体做法:RG 系列按递减次序排列,其排序系列为 $RG_i(i = 1,2,\cdots,n)$,称为原系列,各项对应的经验频率为 P_i;引进常量 A,其值大于原系列的最大值 RG_l,令新系列 $RG' = A - RG$,并以 $P'_i = 1 - P_i$ 作为新系列中各项的经验频率;然后对新系列作频率分析,得统计参数为 $\overline{RG'}$、C'_v、C'_s,再用下列各式把它们转换成原系列的统计参数:

$$\overline{RG} = A - \overline{RG'} \tag{1-26}$$

$$\sigma = \sigma' \tag{1-27}$$

$$C_v = \frac{\sigma'}{A - \overline{RG'}} \tag{1-28}$$

$$C_s = -C'_s \tag{1-29}$$

推求频率为 P 的地下径流量 RG_P 时,先按 $(1-P)$ 在新系列的频率曲线上得到相应值 $RG'_{(1-P)}$,再按 $RG_P = A - RG'_{(1-P)}$ 计算得出。

显然,同一频率在 3 条频率曲线上求得的 R、RS 和 RG 不一定恰好满足 $R = RS + RG$ 的关系,此时需通过协调频率曲线解决,或者仅绘出 R 和 RS 的频率曲线,同频率的 R 和 RS 之差即为同频率时的 RG。或者先由实测流量过程线分析出各种频率年份的 RG/R 之值,研究其规律,据以推求各种频率时的 RG。

3. 平原地区的水资源分析

平原地区的水资源总量由下式计算表示:

$$\overline{W} = \overline{P} - \overline{ES} = \overline{RS_平} + \overline{PG_平} \tag{1-30}$$

式中:$\overline{W}$ 为多年平均水资源总量;$\overline{P}$ 为总降水量;$\overline{ES}$ 为总蒸发量;$\overline{RS_平}$ 为地表径流总量;$\overline{PG_平}$ 为降水入渗补给量。

在"三水"转化强烈的地区,还有地表水以河渠渗漏、田间渗漏的形式转化为地下水;同时,有地下水向河川径流补给的基础。此时,总的水资源为

$$W = RS' + PG' \tag{1-31}$$

式中:RS' 为扣除渗漏量后的地表径流量;PG' 为一年中地下水得到的总补给量,包括降水入渗补给量 PG、地表水体的渗漏补给量 $Q_水$、渠系和田间渗漏补给量 $Q_灌$。

式(1-31)可写为

$$W = RS' + (PG + Q_水 + Q_灌) \tag{1-32}$$

若由降雨入渗补给量 PG 所单独产生的地下径流量为 RG,则上式可写为

$$W = RS' + RG - RG + Q_水 + Q_灌 + PG = (R' + Q_水 + Q_灌) + PG - RG \tag{1-33}$$

式中:R' 为有渗漏时的河川径流量,即进行渗漏还原前之值。

上式中 $(R' + Q_水 + Q_灌)$ 就是经过渗漏还原后,即天然条件下的河川径流。但 RG 仅

是所有地下径流RG'中的一部分,设它与RG'之比等于降雨入渗补给量PG与所有入渗补给量PG'之比,即

$$\frac{RG}{RG'} = \frac{PG}{PG'} \tag{1-34}$$

则可以得到

$$RG = RG'\frac{PG}{PG'} \tag{1-35}$$

根据PG'的概念,可得

$$PG = PG' - Q_水 - Q_灌 \tag{1-36}$$

将式(1-35)和式(1-36)代入式(1-32),得到总水资源量为

$$W = R + PG - RG'\frac{PG}{PG'} \tag{1-37}$$

当流域内河水位始终高于地下水位时,不产生地下径流RG',上式变为$W = R + PG = RS + PG$;当流域内没有地表水补给地下水时,$RG = RG'$,$PG = PG'$,故$W = R + PG - RG$。

4.区间水资源分析

区间两端开口、上端接受上一个计算单元的输入,下端又向下一个计算单元输出。区间可利用的水资源由本地产水量和入境水量两部分组成。

入境水量,一般指流入本区的非本地产生的河川径流,但在地表水、地下水多次转化的地区,上游的河川径流转化为潜流,再流入本区,也是入境水量。它们都不是本地降水形成的产水量。一般在估算区间水资源时不计入,但在进行水资源供需分析时,可考虑作为可利用的水资源。

本地产水量的分析,因没有独立的本区间的流量过程线,不能采用以上介绍的方法。对山丘区,下断面和上断面河川径流量之差即区间的总水资源,故从理论上讲,将每年的下断面径流量减去上断面径流量,得到区间的径流量系列,即可做频率分析,但误差很大。如缺乏径流资料,需要用水文比拟法,例如在本区间有独立闭合的小流域水文资料,可参照其分析成果确定整个区间的水资源。

平原型的区间,水文比拟法是主要的分析工具。在本区间内或邻近地区,寻找代表流域或水平衡计算区,分析流域模型的结构和参数,建立水文模型,或者分析重复水量系数$\alpha(\alpha = RG/R)$、降雨径流关系、河渠渗漏经验公式等,把它们移用到整个区间。

5.区域水资源的汇总

水资源评价时,先根据水系和流域划分大区,称为Ⅰ级区,在Ⅰ级区内再视支流等情况划分为若干Ⅱ级区,又继续往下划分Ⅲ级区,最末一级称为计算单元。最上游的各计算单元和区间的水资源估算出来后,再向高一级水资源分区汇总,即分析估算更大区域的水资源。在一个较大的区域内,各个计算单元同一年出现的年径流量(年降水量)在各自的系列中占有的经验频率往往是不同的,即各个单元具有相同频率的年径流量不大可能在同一年发生。因此,不能把各个单元同频率的年径流量相加作为整个地区这一频率的年径流量。推而广之,总水资源、地表水资源和地下水资源也都是如此。必须先设法求出整个地区的水资源量系列,再进行频率计算,以推算各种频率年份的水资源量。

在汇总过程中,还要计算水资源的转化,此部分内容可参考有关文献。

(二)主要江河年径流量的估算

分析的内容基本上如前所述,但要注意干流、支流各站统计参数的合理协调。一般情况下径流的均值、上下游、干支流应取得平衡,同一条河流的 C_v 值一般上游大于下游,支流的 C_v 值一般大于干流。但也有例外。

1. 入境水量

区域并不一定闭合,可能有一条或几条河流穿越本区,带来客水。对它进行分析后要加以说明,以避免与上游地区产生重复估算。

2. 入海水量

入海水量是指一个流域直接注入海洋的水量。任何一个完整闭合的流域,最下游的控制站不可能控制全流域,从它以下至入海口这一区间的水量无法被控制。因此,控制站的径流量还要加上其下游区间的径流量才是真正的入海水量。其中,前者即上述的江河年径流量。

由入海水量的概念,可引伸出不直接入海的各级江、河支流的出境水量。

五、地下水资源的计算与评价

地下水资源评价是针对某一特定区域进行的。如果这个区域内的水文气象条件、地质构造条件、地貌条件、水文地质条件、岩性条件等比较相近,就可把整个区域作为一个计算单元进行计算。如果在区域内的上述条件差异较大,为准确计算地下水资源量,就要进行分区。分区指标的确定与评价精度有关。例如,以流域规划为目的的区域性资源评价,按评价精度的不同,分区指标可以是水文气象条件、地质构造条件或地貌条件等;以实际开采为目的的资源评价,按评价精度的不同,分区指标可以是水文地质条件、岩性条件、开采条件等。计算区是各项资源量的最小计算单位。

(一)地下水资源量计算

1. 平原区地下水资源量计算

在平原区,通常以地下水的补给量作为地下水资源量。平原地区的补给量有:降水入渗补给量、河道渗漏补给量、渠灌入渗补给量(包括渠系渗漏补给量、渠灌田间入渗补给量与井灌回归补给量)、越流补给量以及闸坝蓄水渗漏补给量,还有人工回灌补给量等。

1) 降水入渗补给量

降水是自然界水分循环中最活跃的因素之一,地下水资源形成的最重要的方式之一就是降水入渗。降水入渗补给量是指降水渗入到包气带后在重力作用下渗透补给潜水的水量,它是浅层地下水重要的补给来源。降水入渗补给量的确定方法主要有下列两种。

(1)系数法。我国水利部门通常采用降水入渗补给系数法估算降水入渗补给量。即:

$$P_r = \alpha P \qquad (1\text{-}38)$$

式中:P_r 为降水入渗补给量,mm;α 为降水入渗补给系数;P 为降水量,mm。

这种方法概念清楚,应用方便,易于区域综合。

(2)地下水动态分析法(升幅法)。在平原地区,地势平坦,地下径流微弱,在一次降雨后,水平排泄和垂直蒸发都很小,地下水位的上升是降雨入渗补给所引起的结果,可用下式表示:

$$P_r = \mu \cdot \Delta h \qquad (1\text{-}39)$$

式中：μ 为给水度；Δh 为降雨入渗引起的地下水位上升幅度，mm。

2）河道渗漏补给量

当河水位高于两岸地下水位时，河水在重力作用下，以渗流形式补给地下水，这种现象称河道渗漏补给。常年出现这种现象的：一是河流出山后，在山前倾斜平原上的河段；二是某些大河的下游，由于河床淤积而填高，从而产生河水补给地下水，有些河道只在汛期才补给地下水，汛后则排泄地下水，因此应对每条河道的水文特性和两岸地下水动态进行分析后才能确定河水补给地下水的河段，然后逐段进行渗漏补给量的计算。河道渗漏补给量的确定方法如下：

（1）断面测流法。在河道上选择一定距离的上下两个测流断面，通过流量的测定，计算河道渗漏补给量的方法称为断面测流法。

$$Q_{河渗} = (Q_{上} - Q_{下}) - E_0 \beta L \qquad (1\text{-}40)$$

式中：$Q_{河渗}$ 为计算区内的河道渗漏补给量，m^3/s；$Q_{上}$、$Q_{下}$ 分别为河道上、下断面实测流量，m^3/s；E_0 为水面蒸发量，m/s；β 为水面宽，m；L 为实测流量段距离，m。

断面测流法简单易行，是一种常用的方法。这个方法的关键是测流精度问题。在实际工作中，应针对不同情况，分别采用不同的测流方法，例如枯季径流宜用堰测流。

（2）单位长度渗漏量法。计算公式为：

$$Q_{河渗} = \frac{Q_{上} - Q_{下}}{L'} \cdot L(1 - \lambda) \qquad (1\text{-}41)$$

式中：$Q_{上}$、$Q_{下}$ 分别为测流段上、下断面的实测流量（扣除区间加入的水量），m^3/s；L' 为测流段长度，m；L 为计算河段长度，m；λ 为修正系数，根据两测流断面间水面蒸发、两岸地下水浸润带蒸发量之和占（$Q_{上} - Q_{下}$）之比率而定。

测流段长度 L' 不宜过短，否则，$Q_{上}$ 和 $Q_{下}$ 相差无几，甚至由于测流时，$Q_{上}$ 为负误差，而 $Q_{下}$ 又为正误差，使得（$Q_{上} - Q_{下}$）可能出现负值。因此，测流量的长度 L' 不宜小于 1km。

测流段区间来水，应从 $Q_{下}$ 中减去（扣除）；而区间引出的水量，应还原到 $Q_{下}$ 中（加入）计算。

该方法的精度取决于测流断面向上或向下外推距离的远近。如果外推距离较远，则误差必大，反之，误差较小。所以 L' 和 L 两者愈接近，愈能取得令人满意的结果。

3）灌溉水入渗补给量

灌溉水经由土壤层下渗补给地下水的水量称为灌溉入渗补给量。它是灌区地下水的主要来源之一。

（1）渠系渗漏补给量。渠系渗漏补给量是指干、支、斗、农、毛各级渠道在输水过程中对地下水的渗漏补给量。斗渠以下，渠系分布密度很大，可并入渠灌田间入渗补给量中。渠系渗漏补给量可按渠系渗漏补给系数法或经验公式法计算，这里只介绍渠系渗漏补给系数法。

$$Q_{渠系} = mQ_{渠首引} \qquad (1\text{-}42)$$

式中：$Q_{渠系}$ 为渠系渗漏补给量，亿 m^3/a；$Q_{渠首引}$ 为渠首引水量，计算时可用实测水文资料和调查资料,计算多年平均渠系渗漏补给量时,$Q_{渠首引}$ 可选用平水年资料,亿 m^3/a;m 为渠系渗漏补给系数,为渠系渗漏补给地下水的水量与渠首引水量的比值。

(2)渠灌田间入渗补给量。渠灌田间入渗补给量是指灌溉水进入田间后,渗漏补给地下水的水量,包括田间渠道(斗渠和斗渠以下的各级渠道)的渗漏。田间入渗的机制和降雨入渗相似,灌溉入渗补给量的大小与灌水量、岩性、地下水埋深以及土壤含水量等有关。

田间入渗补给量确定方法常用的是系数法,即

$$Q_{渠灌} = \beta_{渠} \cdot Q_{净} \tag{1-43}$$

式中:$Q_{渠灌}$ 为渠灌田间入渗补给量,万 m^3/a;$Q_{净}$ 为田间净灌水量,通常根据渠首引水量乘以渠系有效利用系数 η 求得,或用灌水定额(即灌水一次每公顷净灌水的数量,在全生长期要进行多次灌水,各次灌水定额之总和为灌溉定额)与灌溉公顷数的乘积求得,万 m^3/a;$\beta_{渠}$ 为渠灌入渗补给系数,即某一时段田间灌溉入渗补给量和相应的灌水量之比。

计算评价区多年平均 $Q_{渠灌}$ 时可用平水年份的 $\beta_{渠}$ 和 $Q_{净}$ 实际资料。

(3)井灌回归补给量。井灌回归补给量是指井灌区引地下水灌溉后,回归地下水的数量,其计算公式为:

$$Q_{井灌} = \beta_{井} \cdot Q_{井} \tag{1-44}$$

式中:$Q_{井}$ 为井泵出水量,一般采用地下水实际开采量,也有的地区采用井灌水定额乘以井灌面积求得,万 m^3/a;$\beta_{井}$ 为井灌回归系数(无因次);$Q_{井灌}$ 为井灌回归补给量,万 m^3/a,计算评价区多年平均 $Q_{井灌}$ 时,可用平水年份的 $\beta_{井}$ 和 $Q_{井}$ 的实际资料。

4)越流补给量

如果某一含水层的上覆或下伏岩层为弱透水层(如亚黏土或亚砂土),并且该含水层的水头低于相邻含水层的水头,则相邻含水层中的地下水可能穿越弱透水层而补给该含水层,这种现象称为越流(见图1-1)。

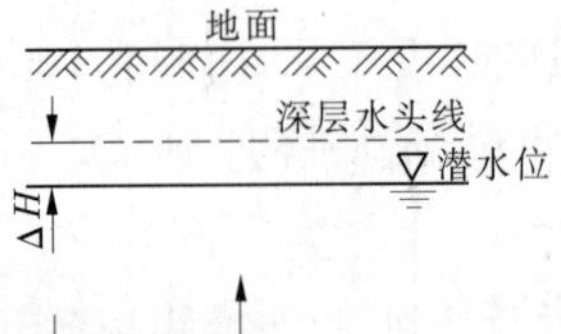

越流量可按达西定律近似计算。即:

$$Q = K'F \cdot \frac{\Delta H}{M'} \tag{1-45}$$

在 Δt 时段内的越流总量 W 为

$$W = K'F \cdot \frac{\Delta H}{M'} \cdot \Delta t \tag{1-46}$$

或写成

$$W = K_e F \cdot \Delta H \cdot \Delta t \tag{1-47}$$

图 1-1 越流补给

式中:K_e 为越流系数,$K_e = \dfrac{K'}{M'}$,$m/(d \cdot m)$;F 为过水面积,m^2;M' 为弱透水层的平均厚度,m;K' 为弱透水层的渗透系数,m/d;ΔH 为相邻两个含水层的水头差,m。

5)山前侧向补给量

山前侧向补给量是指山丘区的地下水通过侧向径流补给平原区地下水的水量。它在区域地下水资源量中占有较大的比重。它的重要性仅次于降水入渗补给量,具有长期供水的利用价值。

山前侧向补给量的主要计算方法是沿补给边界切剖面,分段按达西公式进行计算(见图1-2):

$$Q_{侧补} = KI \cdot BH \qquad (1\text{-}48)$$

式中:$Q_{侧补}$为山前侧向补给量,m³/d;K为渗透系数,m/d;I为垂直于剖面方向上的水力坡度(无因次);B为计算断面宽度,m;H为含水层计算厚度,m。

潜水流的过水断面,在自然界常常是不规则的,可能呈某种曲线轮廓。因此,在补给边界处布设钻孔,作为地下水位的观测孔,观测地下水位后绘制潜水等水位线图(见图1-2)。然后,沿某一等水位线垂直向下,切出过水断面。如果计算的过水断面宽度 B 值很大,而且岩性、含水层厚度都有变化时,可分段进行计算(见图1-3)。

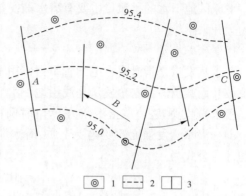

图 1-2　分段侧流等水位线图
1—潜水等水位线;2—钻孔;3—过水断面分段线

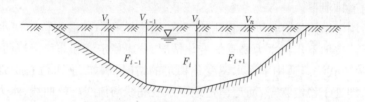

图 1-3　分段计算时过水断面

分段计算时,首先,在每一分界线上(见图1-3),按下式计算渗透流速 v_i:

$$v_i = K_i I_i \qquad (1\text{-}49)$$

然后,计算分段的平均渗透流速 $\overline{v_i}$,即

$$\overline{v_i} = \frac{v_{i-1} + v_i}{2} \qquad (1\text{-}50)$$

对于边缘分段断面上的平均渗透流速,取 $\overline{v_1} = v_1$ 和 $\overline{v_n} = v_n$。进而,计算各分段的流量为

$$q_i = \overline{v_i} F_i \qquad (1\text{-}51)$$

式中:F_i 为各分段的渗流断面面积。

则通过全断面的总流量为

$$Q_{侧补} = \sum_{i=1}^{n} q_i \qquad (1\text{-}52)$$

式(1-48)中,水力坡度 I 和过水断面宽度 B 均是实测值,含水层厚度应是山前侧向补给地下水的渗透有效带深度,一般来说,它包括松散堆积物全部含水岩层,即颗粒大于粉砂的全部含水层均应列入渗透有效带范围内,我国以往有些地区只取其70%~80%作为含水层厚度 H 值,造成山前侧补量偏小。

2.半原区地下水排泄量

平原区地下水的排泄量主要有潜水蒸发量、河道排泄量、侧向流出量、越流排泄量以及人工开采量等。

1)潜水蒸发量

潜水蒸发量是指潜水在毛细管引力作用下，向上运动造成的蒸发量。包括棵间蒸发和植被叶面蒸腾。潜水蒸发量是浅层地下水消耗的主要途径。

潜水蒸发强度 ε 是指潜水在单位时间内从单位面积上蒸发的水量体积（m/d 或 mm/d）。潜水蒸发强度的变化受土质、潜水埋深、气象、植被等因素的影响，年潜水蒸发量的计算公式为

$$E = 10^{-5} \varepsilon_0 CF \tag{1-53}$$

式中：E 为年潜水蒸发量，亿 m^3/a；ε_0 为水面蒸发量，mm/a；C 为潜水蒸发系数（无因次）；F 为计算面积，km^2。

2)河道排泄量

平原区地下水排入河道的水量称河道排泄量，当河流水位低于两岸地下水位时，河道排泄地下水。计算方法为河道渗漏量之反运算，目前我国水利部门大多采用地下水动力学方法计算河道排泄量。

该方法适用于岸边设有长期观测孔的河道，根据钻孔中的潜水位与河水位资料用动力学公式计算。按地下水流水力要素的变化情况，分成稳定流和非稳定流两类。

(1)稳定流公式法。适用于河水位变化稳定的情况，例如，河水位自正常水位下降 h 后，不再波动，即处于稳定状态，河道岸边地下水浸润线与流线均呈曲线，水力坡度是变化的。在稳定流情况下，宜采用裴布依公式计算，即

$$Q = K \cdot B \cdot \frac{H^2 - h^2}{2b} \tag{1-54}$$

式中：Q 为地下水（单侧）侧向渗流量，m^3/d；K 为含水层渗透系数，m/d；B 为地下水水平排泄带长度，m；b 为补给边界（地下水分水岭）到排泄基准点的水平距离，即补给带长度，m；H 为分水岭处含水层渗透有效带厚度（从平均稳定水位起算），m；h 为排泄基准点处渗透有效带厚度，一般为平均河水位至渗透有效带底线的垂直距离，m。

(2)非稳定流公式法。当河道水位骤然下降，处于非稳定流状态时，一侧单宽河道排泄量计算公式：

$$q = 1.128 \frac{v_0 t}{\sqrt{t}} \sqrt{\mu t} \tag{1-55}$$

式中：q 为非稳定流单宽流量，$m^3/(d \cdot m)$；μ 为给水度；$v_0 t$ 为时段河沟水位下降值（即平均潜水位与河沟水位之差），常用 s 表示，m；v_0 为河沟水位下降速度，m/d；t 为河沟水位从开始下降经历的时间，d。

式(1-55)也可写成：

$$q = 1.128 \mu \cdot s \sqrt{\alpha t} \cdot L \tag{1-56}$$

式中：q 为 t 时段内一侧流入河道地下水排泄量，m^3；α 为压力传导系数，m^2/d，$\alpha = \dfrac{T}{\mu}$，T

为导水系数，m^2/d；L 为河道长度，m。

3）侧向流出量

地下水侧向流出量一般指的是以地下潜流形式流出均衡单元的水量，有时称为地下径流量。其计算方法与山前侧向补给量的相同，只是前者是流出均衡单元，而后者是流入均衡单元，故前不再赘述。

3. 山丘区地下水资源量计算

山丘区水文、地质条件复杂，研究程度相对较低，资料短缺，直接计（估）算地下水的补给量往往是有困难的，就地下水的循环来说，无论补给方式多么复杂，补给量总会转化成排泄量，尤其是山丘区，地形起伏、高差悬殊、河床深切、底坡陡峻、调蓄较差、接受大气降水入渗补给后，形成径流，通过散泉很快溢出地面，排入河流。补排机制比较简单，正是这样，按地下水均衡原理，总排泄量等于总补给量，所以，山丘区的地下水资源量可用各项排泄量之和来计算。

（二）地下水资源评价

地下水资源评价，就是要求摸清在当地（或评价区）水文地质条件下，地下水的开采和补给条件及其之间的相互关系，分析其变化情况，从而据之以制定地下水开发利用的规划。地下水资源评价，最主要的是计算地下水允许开采量（亦称可开采量）。允许开采量的计算方法因拟计算区的研究程度不同而不同，下面介绍几种最主要的计算方法。

1. 水均衡法

1）适用条件

水均衡法实质上是用"水量守恒"原理分析计算地下水允许开采量的通用性方法。它是计算地下水允许开采量的其他许多方法的指导思想。从理论上讲，只要均衡要素可以求得，它可用于任何地区。但实际上经常用于范围较大的区域性地下水资源评价中，由于水文地质条件和影响因素的复杂性，采用其他方法常有困难。水均衡法需要参数较多而且资料比较齐全。

2）基本原理

对一个均衡区的含水层来说，在补给和消耗的不平衡发展过程中，在任一时段 Δt 内的补给量和消耗量之差，恒等于这个含水层中水体积（严格说是质量）的变化量。据此，可建立如下水均衡方程式：

$$\left.\begin{aligned} Q_{补} - Q_{消} &= \pm \mu F \frac{\Delta h}{\Delta t} \quad （潜水）\\ Q_{补} - Q_{消} &= \pm \mu_e F \frac{\Delta H}{\Delta t} \quad （承压水） \end{aligned}\right\} \tag{1-57}$$

式中：$Q_{补}$ 为各种补给的总量，m^3/a；$Q_{消}$ 为各种消耗的总量，m^3/a；μ 为给水度，以小数计；μ_e 为弹性释水（贮水）系数，无因次；F 为均衡区的面积，m^2；Δh 为均衡期 Δt 内的潜水位变化，m；ΔH 为均衡期 Δt 内承压水头的变化，m；Δt 为均衡期，a。

为了求允许开采量，以潜水为例，通过分析开采量的组成，写出它在开采条件下的具体形式。人工开采形成降落漏斗，使天然流场发生变化，令天然消耗量减小而天然补给量增大。开采状态下的水均衡方程式为：

$$\left(Q_{补} + \Delta Q_{补}\right) - \left(Q_{消} - \Delta Q_{消}\right) - Q_{开} = -\mu F \frac{\Delta h}{\Delta t} \tag{1-58}$$

式中：$Q_{补}$ 为开采前的天然补给总量，m^3/a；$\Delta Q_{补}$ 为开采时的补给总增量，m^3/a；$Q_{消}$ 为开采前的天然消耗总量，m^3/a；$\Delta Q_{消}$ 为开采时天然消耗量的减少量总值，m^3/a；$Q_{开}$ 为人工开采量，m^3/a；μ 为含水层的给水度，以小数计；F 为开采时引起水位下降的面积，m^2；Δh 为在 Δt 时段，开采影响范围内的平均水位下降值，m；Δt 为开采的时段，a。

由于开采前的天然补给总量与消耗总量在一个周期内是接近相等的，即 $Q_{补} \approx Q_{消}$，所以式(1-58)可简化为

$$Q_{开} = \Delta Q_{补} + \Delta Q_{消} + \mu F \frac{\Delta h}{\Delta t} \tag{1-59}$$

式(1-59)表明开采量是由下列三部分组成的：

(1)增加的补给总量($\Delta Q_{补}$)，也就是由于开采而夺取的额外补给总量，可称为开采补给量。

(2)减少的消耗量总值($\Delta Q_{消}$)。如由于开采而引起的蒸发消耗减少、泉流量减小甚至消失、侧向流出量减少等，这部分水量实质上是取水构筑物截取的天然消耗量的总值，可称为开采截取量，它的最大极限等于天然消耗总量，即接近于天然补给总量。

(3)可动用的储存量($\mu F \frac{\Delta h}{\Delta t}$)，是含水层中永久储存量所提供的一部分。

明确了开采量的组成后，就可以按各个组成部分来确定允许开采量。开采量中的 $\Delta Q_{补}$ 只能合理地夺取，不能影响已建水源地的开采和已经开采含水层的水量，地表水的补给增量也应考虑是否允许利用；我们把合理的开采夺取量用 $\Delta Q_{允补}$ 表示。可动用储存量用 $\mu F \frac{S_{max}}{\Delta t}$ 表示，其中 S_{max} 为最大允许降深，以 m 计，即天然低水位至最大允许降深动水位这段含水层的厚度；T 为开采年限，以 a 计。这样，当开采量 $Q_{开}$ 为允许开采量 $Q_{允开}$，而且 $\Delta Q_{允补}$、$\Delta Q_{允消}$、$\mu F \frac{S_{max}}{\Delta t}$ 的单位均用 m^3/a 表示时，式(1-59)就可改写为允许开采量的计算公式。即

$$Q_{允开} = \Delta Q_{允补} + \Delta Q_{允消} + \mu F \frac{S_{max}}{\Delta t} \tag{1-60}$$

通常将式(1-60)表示的开采动态称为合理的消耗型开采动态，因为这种开采动态类型要消耗永久储存量。当不消耗永久储存量时，$S_{max} = 0$，式(1-60)变为

$$Q_{允开} = \Delta Q_{允补} + \Delta Q_{允消} \tag{1-61}$$

式(1-61)表示的开采动态通常称为稳定型开采动态。

2.开采系数法

1)适用条件

在水文地质研究程度较高，并有开采条件下地下水总补给量、地下水位、实际开采量等的长系列资料地区，可用开采系数法确定多年平均可开采量。

2)基本原理

可开采系数法确定开采量的一般计算式为：

$$Q_{可采} = \rho \cdot Q_{总} \qquad (1-62)$$

式中：$Q_{可采}$ 为地下水年可开采量，万 m³/a；ρ 为可开采系数，以小数计；$Q_{总}$ 为开采条件下的年总补给量，万 m³/a。

3. 相关分析法

1）适用条件

该法适用于对已开采的潜水和承压水的旧水源地扩大开采时的评价，对新水源地不适用。旧水源地扩大开采时，在边界条件和开采条件变化不大时，用该法进行水位或开采量预报，结果较为可靠。开采量同许多自变量，如水位、开采时间、开采面积和水文气象因素等，是相互关联而又相互制约的，它们之间在数量关系上有三种：函数关系、近似关系和没有关系。前一种称完全相关，后一种称零相关，是相关中的两种极限情况；介于这两种关系之间，称为统计相关。相关分析法是根据地下水的两个或多个主要相关变量的大量实际观测数据得出它们之间相互关系的表达式，然后用外推法进行预报，故又称为相关外推法。

在统计相关中，如果自变量只有一个，称为一元相关或简单相关，如果自变量有两个以上，则称为多元相关或复相关。自变量为一次式称线性相关，是高次式称非线性相关。

2）基本原理

（1）一元回归方程。一般地讲，一口井的开采量和降深的关系为完全相关。但具体到一个开采区，因井数很多，影响因素复杂，加上观测误差，开采量和降深的关系通常是近似的统计相关；设有若干组观测值 Q_i 和 S_i，表示开采量和某点水位降，如将这些观测点绘在 $Q-S$ 坐标上（见图1-4），可发现各点的位置比较分散，并不处于某一圆滑曲线的轨迹上。因而不能用某种函数反映它们的规律性。但从展布的状态看，它们具有一定的分布趋势，直线趋势或曲线趋势。如按分布趋势，用最小二乘法求出一个近似的但又最接近所有观测值的直线方程或曲线方程，就可用来外推未来某一降深时的开采量或预测某一开采量条件下，将能出现的降深值。这样的方程也称回归方程。

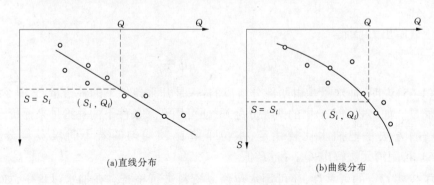

(a) 直线分布　　　　　　　　　　　(b) 曲线分布

图 1-4　$Q-S$ 分布趋势图

（2）多元回归方程。一般情况下，影响开采量的自变量不只一个，而是多个，所以需用多元回归方程进行外推。这种方程的原理和一元回归方程基本相同，但在计算上要复杂得多。

多元线性相关时，方程的一般形式为

$$Q = a_0 + a_1x_1 + a_2x_2 + \cdots + a_mx_m \qquad (1\text{-}63)$$

式中:$a_0,a_1,a_2,\cdots,a_m$ 为待定系数;$x_1,x_2,\cdots,x_m$ 为影响开采量的自变量,如水位、降深、降雨量、蒸发量、开采时间、开采面积和其他因素等。

4. 开采试验法

1)适用条件

在水文地质条件复杂的地区,如一时难以查清水文地质条件,主要是补给条件,而又要急需做出评价时,可打勘探开采井,并按开采条件(开采降深和开采量)进行抽水试验,根据试验结果可以直接评价开采量。这种评价方法,对潜水或承压水,对新水源地或旧水源地扩建都适用。但主要是适用于水文地质条件比较复杂、岩性不均一的中小型水源地。

2)基本原理

在进行按开采条件或接近开采条件进行抽水试验时,一般是从旱季开始的,一直延续数月。从抽水开始到水位恢复,进行全面观测,结果可能出现两种情形:

(1)在长期抽水过程中,水位降深达到设计降深后一直保持稳定状态。这时的抽水量大于或至少满足需水量要求,停抽后水位又能较快恢复到原始静止水位。这说明抽水量小于开采条件下的补给量。所以,按需水量开采是有补给保证的。这时的实际抽水量就是要求的开采量。

(2)在长期抽水过程中,水位降深达到设计降深后并不稳定,一直持续下降。停抽后,水位虽然也有恢复,但长时间达不到原始静止水位。这说明抽水量已经超过开采条件下的补给量,如按需水量开采是没有补给保证的。这时可按下述方法评价开采量。

在水位连续下降的过程中,只要大部分漏斗开始等幅下降,降速大小同抽水量成比例,则任一时段的水量均衡关系应满足下式

$$\mu F\Delta S = (Q_{抽} - Q_{补})\Delta t \qquad (1\text{-}64)$$

式中:μF 为水位下降 1m 时储存量的减少量,简称单位储存量,m^2;ΔS 为 Δt 时段的水位降深,m;Δt 为水位持续下降的时间,d;$Q_{抽}$ 为平均抽水量,m^3/d;$Q_{补}$ 为开采条件下的补给量,m^3/d。

由上式解出 $Q_{抽}$,得

$$Q_{抽} = Q_{补} + \mu F \frac{\Delta S}{\Delta t} \qquad (1\text{-}65)$$

式(1-65)说明,抽水量是由两部分组成的:一是开采条件下的补给量,二是含水层中消耗的储量。如将式(1-65)中的两部分分开,便可用开采条件下的补给量来评价开采量。

分解的方法是把抽水比较稳定、水位下降比较均匀的若干时段资料分别代入式(1-65),再用消元法解出 $Q_{补}$ 和 μF 值。

为了校核 $Q_{补}$ 的可靠性,还用水位恢复资料进行检查。在抽水过程中,如果抽水量小于补给量,则水位应产生等幅回升。这时,式(1-65)中的 $\frac{\Delta S}{\Delta t}$ 应取负号,则得补给量计算公式为:

$$Q_{补} = Q_{抽} + \mu F \frac{\Delta S}{\Delta t} \qquad (1\text{-}66)$$

式中：μF 为应取已求得的平均值；$\dfrac{\Delta S}{\Delta t}$ 为等幅回升速度。

当停止抽水时，$Q_{抽}=0$，则又得

$$Q_{补} = \mu F \frac{\Delta S}{\Delta t} \qquad (1\text{-}67)$$

根据上面求得的 $Q_{补}$，结合水文地质条件和需水量即可评价开采量。但应注意，用上述方法所求得的 $Q_{补}$ 评价是偏于保守的。因为旱季抽水只能确定一年中最小的补给量。所以在开采过程中还应继续观测，逐步采用年平均补给量来进行评价。

5. 开采强度法

1）适用条件

一般含水层是均质各向同性，水文地质条件简单、规则，且不考虑边界条件的情况下，在含水层分布广、距补给区较远的平原区或大型自流盆地的中部，井数很多、井位分散时（为农业供水的特点）采用开采强度法计算开采量比较方便，而计算补给量和评价原则同上。

2）基本原理

所谓开采强度法就是在井群分布范围内，将井位分布较均匀、各井开采量相差不大的区域概化成一个或几个规则形状的开采区，如矩形开采区或圆形开采区。然后将分散井群的总开采量化成开采强度（即单位面积上的开采量）。再利用开采强度和水位之间的变化规律来推算设计降深时的开采量和保证开采量所必须的回灌或补给量，此即称为开采强度法（也称解析法）。

现以无界承压含水层的矩形开采区为例，说明这种方法的原理（见图1-5）。

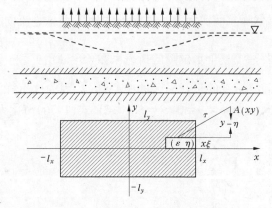

图1-5 概化矩形开采区

在矩形开采区内，以(ξ, η)点为中心取一微分面 $dF = d\xi \cdot d\eta$，并将它看成开采量为 dQ 的井点。

在此井点作用下，开采区内外将形成水位降的非稳定场，对任一点 $A(x, y)$引起的水位降 dS 可用点函数表示

$$dS = \frac{dQ}{4\pi T} \int_0^t \frac{e^{\frac{r^2}{4a\tau}}}{\tau} d\tau \qquad (1\text{-}68)$$

式中：T 为导水系数，m^3/d；a 为导压系数，m^3/d；t 为时间，d；r 为井点到 $A(x,y)$ 点的距离，m。

由图 1-5 知 $r^2 = (x - \zeta)^2 + (y - \eta)^2$。如设开采强度为 ε，则有 $dQ = \varepsilon d\zeta d\eta$ 同时置换 $T = a\mu_e$，μ_e 为弹性释水系数。将这些关系代入上式，并在矩形区内积分，即得 A 点的总水位降：

$$S(x,y,t) = \frac{\varepsilon}{4\mu_e a} \int_0^t \left(\int_{-l_x}^{l_x} \frac{e^{\frac{(x-\zeta)^2}{4a(t-\tau)}}}{\sqrt{\pi(t-\tau)}} d\zeta \cdot \int_{-l_y}^{l_y} \frac{e^{\frac{(y-\eta)^2}{4a(t-\tau)}}}{\sqrt{\pi(t-\tau)}} d\eta \right) d\tau \qquad (1-69)$$

对 ζ 和 η 做变量置换后，可以完成括弧内的积分，再用相对时间 $\bar{\tau} = \dfrac{\tau}{t}$ 置换，即得开采强度公式：

$$S(x,y,t) = \frac{\varepsilon t}{4\mu_e} [S^*(\alpha_1 \cdot \beta_1) + S^*(\alpha_1 \cdot \beta_2) + S^*(\alpha_2 \cdot \beta_1) + S^*(\alpha_2 \cdot \beta_2)]$$

$$(1-70)$$

式中：$\alpha_1 = \dfrac{l_x - x}{2\sqrt{at}}$；$\alpha_2 = \dfrac{l_x + x}{2\sqrt{at}}$；$\beta_1 = \dfrac{l_y - y}{2\sqrt{at}}$；$\beta_2 = \dfrac{l_y + y}{2\sqrt{at}}$；系数 $S^*(\alpha,\beta) = \int_0^1 \phi\left(\dfrac{\alpha}{\sqrt{\tau}}\right) \phi\left(\dfrac{\beta}{\sqrt{\tau}}\right) d\tau$ 数值可查阅有关水文地质手册。

如令 $\bar{S} = \dfrac{1}{4}[S^*(\alpha_1 \cdot \beta_1) + S^*(\alpha_1 \cdot \beta_2) + S^*(\alpha_2 \cdot \beta_1) + S^*(\alpha_2 \cdot \beta_2)]$，则式(1-70)表明，流场中任一点的水位降，等于 $\dfrac{\varepsilon t}{\mu_e}$ 乘以一个小于 1 的系数，而 $\dfrac{\varepsilon t}{\mu_e}$ 表示了无侧向流动时的水位降。如果开采过程中开采区外的地下水并不向开采区流动的话，则经过 t 时间，开采区内就形成 $\dfrac{\varepsilon t}{\mu_e}$ 大小的水位降。而实际上开采区外的地下水总是流向开采区，减缓降速使水位降变小。所以，$\dfrac{\varepsilon t}{\mu_e}$ 要乘上一个水位降的折减系数($\bar{S} < 1$)。

在资源评价中，最需要重视的是开采区的中心部位，因为这里降深最大，最易超过允许降深而引起吊泵停产，故令 $x = y = 0$，$\bar{S} = S^*(\alpha\beta)$，式(1-70)简化为

$$S(t) = \frac{\varepsilon t}{\mu_e} S^*(\alpha \cdot \beta) \qquad (1-71)$$

式中：$\alpha = \dfrac{l_x}{2\sqrt{at}}$；$\beta = \dfrac{l_y}{2\sqrt{at}}$。

当潜水含水层厚度 H 较大，而水位降 S 相对较小，即 $\dfrac{S}{H} < 0.1$ 时，则式(1-70)和式(1-71)可以直接近似用于无界潜水层，计算结果与实际不会出入太大。

如果 $0.1 < \dfrac{S}{H} < 0.3$ 时，要用 $\dfrac{1}{2h_c}(H^2 - h_0^2)$ 代替 S，用给水度 μ 代替 μ_e，结果得

$$H^2 - h_0^2 = \frac{\varepsilon t}{4\mu} h_c [S^*(\alpha_1 \cdot \beta_1) + S^*(\alpha_1 \cdot \beta_2) + S^*(\alpha_2 \cdot \beta_1) + S^*(\alpha_2 \cdot \beta_2)]$$

$$H^2 - h_0^2 = \frac{2\varepsilon t}{\mu} h_c S^*(\alpha\beta)$$

其中
$$h_c = \frac{1}{2}(H + h)$$

式中：h_c 为开采漏斗内潜水层的平均厚度，m；h 为任一点的动水位，m；h_0 为开采区中心的动水位，m。

6.数值法

1）适用条件

随着计算机技术的迅速发展，数值法作为一种求近似解的方法被广泛用于地下水位预报和水资源评价中。特别是在含水层是非均质、变厚度、隔水底板起伏不平，边界条件和地下水补给及排泄系统较为复杂，解析法求解很困难，甚至在无能为力的情况下，它便能显示其优越性。

2）基本原理

数值法是指把刻画地下水运动的数学模型离散化，把定解问题化成代数方程，解出区域内有限个节点上的数值解。

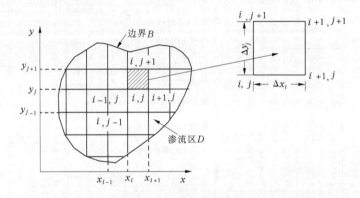

图 1-6　用于数值解的网格

数值法的基本思想：①连续变量离散化，把整个渗流区域削分成若干小的单元，即化整为零，经过近似处理后再积零为整。这与读者熟知的求积分的思想很类似。②逐步逼近，使近似值逐渐接近其真值，用简单函数逼近高等复杂函数，用初等运算代替高等运算，由此而决定数值法必须与计算机相结合。

地下水资源评价中常用的数值法有有限差分法和有限单元法。它们各有利弊。有限差分法，特别是交替方向隐式差分法，计算速度快，占用内存少，比较直观，简单易懂，在数学理论上，它比有限单元法成熟。但这种方法的时间步长受到较大的限制。有限单元法对第二类边界条件不必作专门处理，可以自动满足，单元大小和形状视需要取用，比有限差分法有较大的灵活性，一般情况有限单元法比有限差分法有更高的精度。但是，有限单元法占用的内存较多，在编排结点号码，编制程序和选用求解线性方程组方法时，应加以考虑。

六、水资源总量计算

水资源总量计算的目的是分析评价在当前自然条件下可用水资源量的最大潜力，从而为水资源的合理开发利用提供依据。

(一)水资源总量的概念

水资源主要指与人类社会生产、生活用水密切有关而又能不断更新的淡水,包括地表水、土壤水和地下水。地表水主要有河流水和湖泊水,由大气降水、高山冰川融水和地下水所补给,以河川径流、水面蒸发、土壤入渗的形式排泄。地下水为储存于地下含水层中的水量,由降水和地表水的下渗所补给,以河川径流、潜水蒸发、地下潜流的形式排泄。土壤水为存在于包气带中的水量,上面承受降水和地表水的补给,下面接受地下水的补给,主要消耗于土壤蒸发和植物蒸腾,只是在土壤含水量超过田间最大持水量的情况下,才下渗补给地下水或形成壤中流汇入河川。因此,它具有供给作物水分并连通地表水和地下水的作用。由此可见,大气降水、地表水、土壤水和地下水之间存在着一定的转化关系。这种关系在国外称为地表水与地下水的相互作用或地表水与地下水的内在联系,在我国,20世纪80年代初才被引入水资源评价及开发利用研究。大气降水、地表水、土壤水和地下水之间相互联系和相互转化关系可用区域水循环概念模型(见图1-7)表示。

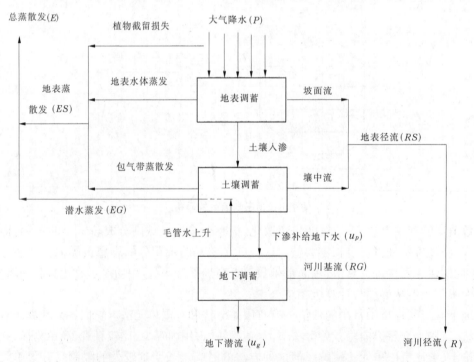

图1-7 区域水循环概念模型

在一个区域内,如果把地表水、土壤水和地下水作为一个系统,则天然条件下的总补给量为降水量,总排泄量为河川径流量、总蒸散发量和地下潜流量之和。根据水量均衡原理,总补给量和总排泄量之差为区域内地表水、土壤水和地下水的蓄水变量。某一时段内的区域水量平衡方程为:

$$P = R + E + u_g \pm \Delta V \tag{1-72}$$

式中:P 为降水量,m^3;R 为河川径流量,m^3;E 为蒸散发量,m^3;u_g 为地下潜流量,m^3;

ΔV 为地表水、土壤水和地下水的蓄水变量,m^3。

在多年平均情况下,蓄水变量可忽略不计,则式(1-72)变为:

$$P = R + E + u_g \tag{1-73}$$

如图 1-7 所示,可将河川径流量 R 划分为地表径流量 RS(包括坡面流、壤中流)和河川基流 RG,将总散发量 E 划分为地表蒸散发量 ES(包括植物截流损失、地表水体蒸发和包气带蒸散发)和潜水蒸发量 EG。相应式(1-73)可写成:

$$P = (RS + RG) + (ES + EG) + u_g \tag{1-74}$$

根据地下水多年平均补给量和多年平均排泄量相等的原理,在没有外区来水的情况下,区域内地下水的降水入渗补给量 u_p,应等于河川基流量、潜水蒸发量和地下水潜流量之和,即

$$u_p = RG + EG + u_g \tag{1-75}$$

将式(1-75)代入式(1-74),则得区域内降水量与地表径流量、地下径流量(包括垂向运动)、地表蒸散发量的平衡关系。即

$$P = RS + ES + u_p \tag{1-76}$$

我们将区域内水资源总量 W 定义为当地降水形成的地表和地下的产水量,则有

$$W = RS + u_p = P - ES \tag{1-77}$$

或

$$W = R + u_g + EG \tag{1-78}$$

式(1-77)和式(1-78)是将地表水和地下水统一考虑时区域水资源总量计算的两种公式。式(1-77)把河川基流量归并在地下水补给量中,式(1-78)把河川基流量归并在河川径流量中,这样可以避免重复水量的计算。潜水蒸发可以由地下水开采而夺取,故把它作为水资源的组成部分。

在实际水资源评价中,由于试验观测资料所限,目前对于大区域的地表水、土壤水和地下水相互转化的定量关系还难以准确把握。因此,我国现行的水资源评价,只考虑与工程措施有关的地表水和地下水,用河川径流量与地下水补给量之和扣除重复水量后作为水资源总量。这虽然在理论上还不够完善(对农业区而言),但基本上能满足生产上的需要,比国外用河川径流量表示水资源量前进了一大步。

(二)水资源总量计算

在水量评价中,我们把河川径流量作为地表水资源量,把地下水补给量作为地下水资源量,由于地表水和地下水相互联系和相互转化,河川径流量中包括了一部分地下水排泄量,而地下水补给量中又有一部分来自于地表水体的入渗,故不能将地表水资源量和地下水资源量直接相加作为水资源总量,而应扣除相互转化的重复水量。即

$$W = R + Q - D \tag{1-79}$$

式中:W 为水资源总量,m^3;R 为地表水资源量,m^3;Q 为地下水资源量,m^3;D 为地表水和地下水相互转化的重复水量,m^3。

由于分区重复水量 D 的确定方法因区内所包括的地下水评价类型区而异,故分区水资源总量的计算方法也有所不同。下面分 3 种类型予以介绍。

1. 单一山丘区

这种类型的地区包括一般山丘区、岩溶山区、黄土高原丘陵沟壑区。地表水资源量为

当地河川径流量,地下水资源量按排泄量计算,相当于当地降水入渗补给量,地表水和地下水相互转化的重复水量为河川基流量。分区水资源总量(W)为:

$$W = R_m + Q_m - R_{gm} \tag{1-80}$$

式中:R_m 为山丘区河川径流量,m^3;Q_m 为山丘区地下水资源量,m^3;R_{gm} 为山丘区河川基流量,m^3。

1)山丘区河川径流量的计算

山丘区河川径流量计算见前面河川径流量的计算方法。

2)山丘区地下水资源量的计算

由于直接计算山丘区地下水补给量的资料尚不充分,故可用排泄量近似作为补给量来计算地下水资源量(Q_m)。即

$$Q_m = R_{gm} + u_{gm} + Q_{km} + Q_{sm} + E_{gm} + Q_{gm} \tag{1-81}$$

式中:R_{gm} 为河川基流量,m^3;u_{gm} 为河床潜流量,m^3;Q_{km} 为山前侧向流出量,m^3;Q_{sm} 为未计入河川径流的山前泉水出露量,m^3;E_{gm} 为山区潜水蒸发量,m^3;Q_{gm} 为实际开采的净消耗量,m^3。

据分析,u_{gm}、Q_{km}、Q_{sm}、E_{gm}、Q_{gm} 一般所占比重很小,如我国北方山丘区,以上5项之和仅占其地下水总补给量的8.5%,而 R_{gm} 占91.5%。

3)山丘区河川基流量的计算

山丘区河流坡度陡,河床切割较深,水文站得到的逐日平均流量过程线既包括地表径流,又包括河川基流,加之山丘区下垫面的不透水层相对较浅,河床基流基本是通过与河流无水力联系的基岩裂隙水补给的。因此,河川基流量可以用分割流量过程线的方法来推求,具体方法有直线平割法、直线斜割法等。

在北方地区,由于河流封冻期较长,10月份以后降水很少,河川径流基本由地下水补给,其变化较为稳定。因此,稳定封冻期的河川基流量,可以近似用实测河川径流量来代替。

在冬季降水量较小的情况下,凌汛水量主要是冬春季被拦蓄在河槽里的地下径流因气温升高而急剧释放形成的,故可将凌汛水量近似作为河川基流量。

2. 单一平原区

这种类型区包括北方一般平原区、沙漠区、内陆闭合盆地平原区、山间盆地平原区、山间河谷平原区、黄土高原台塬阶地区。地表水资源量为当地平原河川径流量。地下水除由当地降水入渗补给外,一般还有外区来水的补给,用总补给量减去井灌回归补给量后作为地下水资源量。地表水和地下水相互转化的重复水量有地表水体渗漏补给量、平原区河川基流量和侧渗流入补给量。分区水资源总量(W)为:

$$W = R_P + Q_P - (Q_s + Q_k + R_{gp}) \tag{1-82}$$

式中:R_P 为平原区河川径流量,m^3;Q_P 平原区地下水资源量,m^3;Q_s 为地表水体渗漏补给量,m^3;Q_k 为侧渗流入补给量,m^3;R_{gp} 为平原区降水形成的河川基流量,m^3。

1)平原区河川径流量的计算

平原区河川径流量计算方法见前面河川径流量的计算。

2)平原区地下水资源量的计算

平原区的地下水资源量(Q_P)计算公式如下：

$$Q_P = P_r + Q_k + Q_r + Q_L + Q_c + Q_f + Q_e - Q_{wT} \tag{1-83}$$

式中：P_r 为降水入渗补给量，m^3；Q_k 为侧渗流入补给量，m^3；Q_r 为河道渗漏补给量，m^3；Q_L 为水库(湖泊、闸坝等)蓄水渗漏补给量，m^3；Q_c 为渠系渗漏补给量，m^3；Q_f 为渠灌田间入渗补给量，m^3；Q_e 为越流补给量，m^3；Q_{wT} 为井灌回归量，m^3。

降水入渗补给量是平原区地下水的重要来源。据统计分析，我国北方平原区降水入渗补给量占平原区地下水总补给量的53%，而其他各项(未考虑 Q_e)之和占47%。

3)平原区重复水量的计算

平原区地表水和地下水之间重复水量中的地表水体(包括河道、湖泊、水库、闸坝等地表蓄水体)渗漏补给量和侧流渗入补给量前已述及。平原区降水形成的河川基流量与潜水埋深和降水入渗补给量有关，当潜水位高于河水位时，则有一部分降水入渗补给量排入河道，故在其他各项补给量很小的情况下，可用水文分割法近似估算平原区降水形成的河川基流量；而在其他各项补给量占较大比重时，排入河道的地下水量既有降水入渗补给量，也还有其他补给量，因此需要将这两个量分开。一般采用的计算方法有：

(1)根据平原排涝河道的流量资料，用逐次洪水分割法推求平原基流量。

(2)用降水入渗补给量与总补给量之比值，乘以河道排泄量(排入河道的地下水量)，来估算平原区的河川基流量。即

$$R_{gp} = Q_R \cdot \frac{P_r}{U} \tag{1-84}$$

式中：Q_R 为排入河道的地下水量，m^3；P_r 为降水入渗补给量，m^3；U 为地下水总补给量，m^3。

(3)在侧渗流入补给量和井灌回归量很小的情况下，可用下式估算：

$$R_{gp} = Q_R \cdot \frac{P_r}{Q_s + P_r} \tag{1-85}$$

式中符号的意义同式(1-82)和式(1-84)。

(4)对于大江大河干流的两岸平原区，河水与地下水的补排关系非常密切，也可用河道排泄量与地表水体渗漏补给量之差，近似作为降水形成的河川基流量(河道排泄量一般用水文分割法推求)。

3.多种地貌类型混合区

在多数水资源分区内，往往存在两种以上的地貌类型区。如上游为山丘区(或按排泄项计算地下水资源量的其他类型区)、下游为平原区(或按补给项计算地下水资源量的其他类型区)，在计算全区地下水资源量时，应先扣除山丘区地下水和平原区地下水之间的重复量。这个重复量由两部分组成，一是山前侧渗量；二是山丘区河川基流对平原区地下水的补给量。后者与河川径流的开发利用情况有关，较难准确定量，一般用平原区地下水的地表水体渗漏补给量乘以山丘区基流量与河川径流量之比($k = R_{gm}/R_m$)估算。全区地下水资源量(Q)按下式计算：

$$Q = Q_m + Q_P - (Q_k + k \cdot Q_s) \tag{1-86}$$

式中：Q_m 为山丘区地下水资源量，m^3；Q_P 为平原区地下水资源量，m^3；Q_k 为山前侧渗量，m^3；Q_s 为地表水体对平原区地下水的补给量，m^3。

由于在全区地下水资源量计算时已扣除了一部分重复量，因此地表水资源量和地下水资源量之间的重复量（D）为：

$$D = R_{gm} + R_{gp} + Q_s \cdot (1 - k) \tag{1-87}$$

式中：R_{gm} 为山丘区河川基流量，m^3；R_{gp} 平原区降水形成的河川基流量，m^3；其余字母意义同式(1-86)。

全区水资源总量（W）按下式计算：

$$W = R + Q - [R_{gm} + R_{gp} + Q_s \cdot (1 - k)] \tag{1-88}$$

式中：R 为全区河川径流量，m^3；Q 为全区地下水资源量，m^3；其余符号的意义同式(1-87)。

以上针对不同的地貌类型区介绍了区域水资源总量的计算方法。区域水资源总量代表在当前自然条件下可用的水资源的最大潜力，由于技术、经济等方面的原因，其中有相当大一部分是在现实条件下不能予以充分利用的。当然，在以上水资源总量的计算中，也没有考虑通过专门的人为措施可更多地使降水转化为可用水量的情况。

第三节 微观区域水资源分析与评价实例

随着全球气候变化和厄尔尼诺现象出现周期的缩短，世界范围内的干旱加剧及水资源的日趋紧缺，特别是淡水资源的紧缺，使得开发利用水资源的问题，已成为缺水国家和地区解决用水危机的新途径，受到普遍重视。世界各地都有收集利用雨水解决生活、生产用水的范例，发达国家更是将雨水资源的收集利用与自然及人类生态系统联系起来，进行更广泛深入的综合开发利用。

我国是一个水资源十分短缺的国家，被联合国列为世界 13 个贫水国之一。我国水资源量 2.8 万亿 m^3，人均水资源量为 2 000m^3，不足世界平均水平的 1/4。我国特别是黄土高原地区水资源不但紧缺，而且时空分布不均，往往造成干旱、洪涝、水土流失等自然灾害，进而引发一系列的生态环境问题。这一点在我国西北尤其是黄土高原地区尤为突出。

20 世纪 80 年代，我国甘肃省率先在全国开展了雨水集蓄利用研究，实施"121"工程，随后陕西、山西、内蒙古等省(自治区)也相继开展了类似的雨水利用工程。这不但为我国旱区农业发展开辟了新途径，也为世界水资源利用提供了宝贵的经验。但是，对于水资源的利用还缺乏系统性研究，更缺乏小面积(以村为单位)水资源的计算和优化配置的实地范例。对于年降水量 560mm 的西峰区，从总量上看，这个降水量适合乔木的生长，但由于降水年际分布和年内分布的不均匀性，使得降水的自然利用率很低，无法满足生产需求，特别是农业生产需求。由此可见，开展本项研究，人为调节降水资源的年际、年内分配，研究意义重大。可以利用黄土高原有利地形和降水特点，将水土保持与集雨补灌结合起来，既可实现对自然降水的有效保持与充分利用，又有利于发展高效农业，有望成为改善生态环境与提高土地生产力的一个新途径。

一、研究区概况

(一)地理位置

研究区域设在甘肃省庆阳市西峰区董志镇的崔沟村,地理位置为东经107°43′,北纬35°41′。总土地面积10.83km²。

(二)气候条件

本区属干旱、半干旱气候,具有明显的大陆季风性气候特征,冬季干旱多风,夏季炎热,降雨集中且多暴雨。年降水量为561mm,7~9月降水量为330mm,年蒸发量1 527mm,年平均气温8.5℃,1月份平均气温-5.6℃,7月份平均气温22.4℃,≥10℃积温2 700~3 300℃,干燥度1.1,年均风速2m/s,大风日数7d,无霜期160d,年日照时数2 400h。

(三)水文地质

董志塬呈长条形,中间高,四面低。塬面无地表水系。崔沟村处于董志塬塬边、现代侵蚀沟沟头位置,无过境河流,沟道只有泉水出露。

1.地层构造

沿河床出露的塬区地层,自下而上为:白垩系砂岩,砂页岩(K_1),棕红色新第三系砂质泥岩(N_2)厚10~20m,浅棕红色午城黄土(Q_1)厚40m左右,离石黄土(Q_2)厚150m,马兰黄土(Q_3),古土壤与粉土质亚砂互层厚50m。离石黄土与马兰黄土均具有大孔隙与垂直裂隙发育的特征。

2.含水特性

塬区潜水的主要含水层为离石黄土层,该含水层分布于广大塬区,在该含水层上部覆盖有一层具有大孔隙和垂直裂隙透水性较好的黄土状亚砂土,垂直方向的渗透性远大于水平方向。在该含水层下部为一层透水性极差的亚黏土夹礓石层,因为离石黄土层的渗透性小于上层的马兰黄土层,又远远大于下层午城黄土层,因此上覆的上更新统早期洪积的黄土状亚砂土就成为透水而不含水的岩层,下部中更新统早期洪积的亚黏土夹礓石层就成为塬区相对隔水层。由于含水层被沟谷切割呈树枝状分布,地下水就近水平方向呈下降泉的形式向沟谷排泄。潜水就形成了塬心高向水位较低的塬边流动。

(四)地形地貌

崔沟村位于董志塬中部。董志塬,南北长87km,东西宽36.5km,塬面是西北黄土高原保存最完整的塬面。崔沟村有塬、坡、沟三大地貌类型,相对高差255m左右,海拔1 104~1 359m。塬心高,由塬心向沟边地势逐渐降低。

塬面地势平坦开阔,坡度一般1°~5°;塬边坡度5°~8°。主要为农作物种植区和居民点。

沟坡是塬与沟的过渡带,坡度较陡(10°~30°),一部分为坡耕地,大部分为牧荒地或林地。

沟谷(即现代侵蚀沟)切割较深,是在原来的沟谷中由土壤侵蚀发育而成的,呈"V"字形,平均沟壑密度为2.68km/km²,主沟道平均比降2.8%,侵蚀剧烈。

(五)土壤

村内土壤分布具有明显的地带性特征,塬面全部为黑垆土,坡面是黄绵土,沟谷有少量红胶土、老马兰黄土、塌积土。

(六)植被

塬面林木以庄前屋后零星的经济林和用材林为主,主要树种有苹果、杏、李、桃、核桃、楸树、泡桐、国槐;坡面以刺槐为主;沟谷以旱柳、刺槐为主。

(七)土壤侵蚀特征

崔沟村土壤侵蚀具有典型的黄土高塬沟壑区的特点。以水力侵蚀为主,无风力侵蚀。塬面以面蚀为主,沟头延伸,沟底下切,沟岸扩张活跃,年径流模数 8 994 万 m^3/km^2,年侵蚀模数 5 500t/km^2。

据西峰水土保持科学试验站多年的水土流失观测资料,塬面径流占流域总径流量的 67.4%,泥沙冲刷占流域总输沙量的 12.3%。其中,村庄、道路是径流、泥沙的主产区,径流占塬面径流的 87%,泥沙占塬面的 92%,其他部位侵蚀较轻。

坡面径流占流域径流的 8.6%,坡面泥沙占流域泥沙的 1.4%,是最少的部位。

沟谷部位泥沙占流域总量的 86.3%,径流占流域的 24%,在沟谷中沟床和红土泻溜是泥沙的主要产区,占沟谷部位泥沙的 96%,占流域总量的 83%。

(八)社会经济状况

崔沟村有人口 1 862 人、425 户,大牲畜 240 头,小牲畜 1 500 头,无村办或私营企业。苹果种植业是该村的优势产业。农业年均产值 95 万元。

(九)土地利用现状

崔沟村总土地面积为 1 083hm^2,其中塬面面积 383.5hm^2,占总面积的 35.41%;坡面面积 194.7hm^2,占总面积的 17.98%;沟道面积 504.8hm^2,占总面积的 46.61%。土地利用类型主要有:农地,304 hm^2;果园,61hm^2;林地,295hm^2;荒地,398hm^2;居民点用地,23hm^2;道路及难利用地,2hm^2。

三、水资源构成与地表径流

(一)水资源构成

传统的水资源概念只强调径流部分,一般指由降水产生的地表水加地下水,构成该地区的水资源总量。近年来,许多学者从资源定义本身及国际上对水资源的定义出发,认为雨水本身就是资源。一个地区的降水量就是该地区的水资源总量,而径流只是其中的分量。

目前,我国"雨水资源化"研究从理论到实践都已取得丰硕成果,把降水作为水资源总量的提法和开发利用雨水资源的理论与技术路线对雨水利用发挥了巨大的促进作用。

本研究采用"降水作为水资源总量"的新概念。确定了水资源构成与相互关系(见图 1-8)。

(二)地表径流与地下水(泉水)

本研究地表径流量专指降水经过田面拦蓄、作物吸收利用、下渗、蒸发后,如果不采取水土保持拦蓄措施,将通过地表径流方式被全部排泄掉的这部分径流资源的利用(如果不

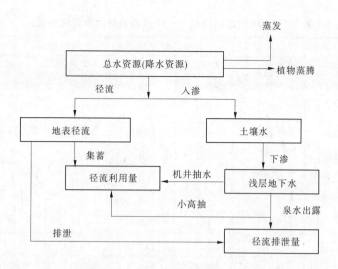

图 1-8 水资源构成及转化关系

利用将产生大量的水土流失和自然灾害)。所得的地表径流和地下水(泉水)利用率变化值,是专指新增水土保持措施对这部分地表径流和地下水(泉水)利用的贡献率(注意与传统水资源的区别)。示范前后计算的利用率同样是指水土保持措施对这部分地表径流和地下水(泉水)的利用率,有别于一般概念上的水资源利用。

四、降水特性分析成果的移植借用

由于崔沟村没有雨量观测资料,只有移植借用距离最近(10km)的西峰气象站(1937~1984 年)48 站年降水资料和南小河沟(20km)的雨量资料。根据黄河水利委员会西峰水土保持科学试验站(以下简称西峰水保站)和陕西机械学院(现西安理工大学)在1985 年完成的试验报告(执笔人:范荣生、宋小军),降水特性分析成果如下。

(一)降水的年际变化

据 48 年的降水统计资料分析,多年平均降水量 557.7mm,年最大降水量 805.2mm(1964 年),年最小降水量 309.7mm (1942 年)。年降水量≥600mm 的年份出现 17 次,占36.2%;年降水量 400~600mm 之间的年份出现 26 次,占 55.3%;年降水量≤400mm 的年份出现了 4 次,占 8.5%。年际变化特点如下:

(1)前后衔接的年份中,降水变化十分复杂。前后年降水比较接近的概率很小。降水差值小于 100mm 的占总数的 33.4%,降水差值在 100~200mm 的占总数的 31.1%,降水差值大于 200mm 的占总数的 35.5%。

(2)每当少水年(年降水量少于 450mm)出现后,最长 3~4 年就会出现多水年。换句话说,3~4 年一干旱(当地谚语说"三年一小旱、十年一大旱")。

(3)在年际变化上,存在着 4~5 年的小周期及 30 年左右的大周期变化。

(二)降水的年内变化

通过初步分析知道,年降水量主要取决于 5~10 月的降雨量。因此,降水的年内变化只分析了 5~10 月的降雨变化(见表 1-1)。

表 1-1 西峰气象站历年 5～10 月各月降雨量变化情况

项目		时间(年内月份)内出现年数(a)					
		5 月	6 月	7 月	8 月	9 月	10 月
雨量划分等级(mm)	0～50	30	24	5	7	12	32
	51～99	13	18	16	20	13	14
	100～150	4	4	18	9	14	
	151～199	1		6	6	7	1
	200～250		2	2		1	
	251～299			1			
合计年数		48	48	48	47	47	47
月平均值		55.8	63.7	112.3	107.1	93.0	39.2
月最大值		168.0	233.5	289.3	233.2	249.1	148.7
占多年平均雨量的百分比(%)		30.1	41.9	51.9	41.8	44.7	26.7
月最大值出现的年份		1946	1959	1966	1945	1975	1961
月最小值		17.2	6.0	19.3	9.4	18.8	1.7
月最小值出现的年份		1945	1960	1939	1951	1956	1940

由表 1-1 可知,历年各月的平均降雨量 7 月份最大,其值为 112.3mm,7 月份降雨 100～150mm 出现的频率较高(18 年),占总年数(48 年)的 37.5%;月雨量在 151～199mm 之间的年份出现了 6 次,仅占总年数的 12.5%,超过 200mm 的只有 3 年。历年来 7 月份的最大降雨量为 289.3mm,占历年平均年降水量的 51.9%,其次是 8 月份,平均值为 107.1mm,占平均年降水量的 19.2%。

5、6 月降雨多年变化趋势基本相似,多数前后两年的降雨量值变化不大,从 1964～1980 年降雨连续长达 17 年平稳变化(雨量小于 100mm),5、6 月降雨超出 100mm 的占总年数的 10% 左右。

7 月降雨多以大于 100mm 的雨量出现,共 27 年,占总年数的 56.3%,大于 199mm 的降雨出现周期为 9～10 年。

8、9 月变化幅度较大,前后两年月雨量之差较大,规律不明显。

10 月变化平稳,降雨几乎均在 100mm 以下变化。

(三)次降雨的时空分配特性

一次降雨过程在 10 小时以上,其降雨过程的雨峰个数多为单峰,一次最大降雨常发生在 5～9 月,尤以 7 月最多,占 40%,发生在 6 月最少,仅占 6%,历年次降雨最大值为 201mm(1960 年 8 月 1～2 日),最小值为 19.9mm,平均值为 57.1mm。

(四)沟底与塬面降雨的关系

沟底与塬面相对高差 200m 左右,通过分析次、月、汛期降雨的关系,二者呈 45° 相关。说明沟底与塬面的降雨在 200m 高差内不存在差别,可以相互采用。

五、年平均径流系数的确定

年径流(产流、集水)系数宜采用多年平均值,因为塬面小型拦蓄工程(水窖、涝池)的目的是保障正常偏旱年份(保证率为75%)的用水(含牲畜饮水、部分果园菜地灌溉)和控制一定频率降水条件下的塬面水土流失(沟头前进、塬水下沟)的发生。

(一)农田

按照技术规范和初步设计标准,梯田的拦蓄标准为20年一遇最大3~6h降水。通过历史调查,一般情况下,农田产流量较小,西峰水保站对农田的径流系数观测结果见表1-2,代表作物有冬小麦、玉米、马铃薯、糜子、高粱、小豆。

(二)道路

崔沟村的道路按集水材料划分为两种形式,一种是石子主干道,另一种是黄土压实生产路。西峰水保站在1963年就设立了黄土道路(旧大车道、架子车道、人行道)的马家集、叶家坡、羊崖队3个代表径流场,监测成果见表1-2。

(三)庄院

西峰水保站在1964~1966年就设立了观测庄院径流的马家集、叶家坡、羊崖队3个庄院径流场,监测成果见表1-2。

表1-2 多年平均径流系数

集雨面		径流系数或集雨效率		平均含沙量
		平均值	范围	(kg/m³)
农地	冬小麦	0.103 5	0.005 4~0.226	10.61
	玉米	0.028 3	0.001~0.060 9	7.07
	小豆	0.123 0	—	2.86
	高粱	0.071 8	0.002 9~0.186	9.35
	糜子	0.090 2	0.019~0.149	7.22
	马铃薯	0.075 1	0.065 3~0.084 9	46.00
林地		0.002 8	0.000 1~0.041 9	3.84
人工草(紫花苜蓿)地		0.029 8	0.000 3~0.183	5.52
天然荒坡		0.051 5	0.000 4~0.359	118.13
乡间土路		0.287 7	0.122~0.382	7.17
庄院		0.303 3	0.264~0.368	2.95

注:表中资料来源于西峰水保站。

六、蒸发因素的考虑

蒸发从降水开始到拦蓄利用和排泄的全过程都存在。从图1-8可以明确看出,本研究的地表径流为扣除了蒸发和植物蒸腾后的径流。另外,西峰水保站研究得出的径流系数,本身已扣除了降水到产生径流过程的蒸发影响,其计算方法为收集到的径流量(清水)与降雨量的比值。本研究的径流利用过程主要为:窖水的直接饮用和利用水泵补灌,补灌方式有低压管灌、滴灌等方式,过程的蒸发量较小或无蒸发;淤地坝蓄水后进行小高抽进行人畜饮水和灌溉,水面存在大量蒸发和渗漏,但不是本研究的研究范围。本研究的径流利用量是指把泵水通过管道抽取的那部分径流,已扣除了径流拦蓄后的损失。土壤含水率也是经过蒸发和植物消耗后的土壤水分,浅层地下水本身无蒸发影响,利用过程为管道,无蒸发影响。

七、水资源总量的计算

(一)理论水资源量

依据上述概念,崔沟村理论水资源量(有的文献叫雨水资源潜力)的计算公式为:

$$R_t = P \times A \times 10^3 \tag{1-89}$$

式中:R_t 为区域水资源理论总量,m^3;P 为区域不同频率对应的降水量,mm;A 为区域集水面积,km^2。

区域不同频率对应的降水量 P 的计算有两种方法,一是利用当地降水观测资料,采用经验频率方法分别求得不同保证率条件下的水资源量(见表1-3);二是当地缺乏降水观测资料时,参照水文学中的理论频率计算方法,当已知多年平均降水量时,查找计算区所在地的水文手册,得 C_v、C_s 值,根据省或当地的 $C_v = 3C_s$ 关系,求得不同频率下的模比系数 K_p,即可计算出设计频率下的降水量,进一步求得水资源量。

应用式(1-89)计算的崔沟村多年平均理论水资源总量(雨水资源潜力)为 603.08 万 m^3/a。

表1-3 崔沟村采用经验频率计算的水资源量

地形	面积 (km²)	保证率 5%		保证率 50%		保证率 75%		保证率 90%	
		降水量 (mm)	水资源量 (万 m³)	降水量 (mm)	水资源量 (万 m³)	降水量 (mm)	水资源量 (万 m³)	降水量 (mm)	水资源量 (万 m³)
塬面	3.83	740	283.68	557	213.53	435	166.76	370	141.84
沟坡	1.95	740	144.09	557	108.45	435	84.7	370	72.04
沟道	5.05	740	373.45	557	281.10	435	219.53	370	186.73
合计	10.83	740	801.22	557	603.08	435	470.99	370	400.61

(二)有效水资源量

采用同样的方法将区域多年平均降水量 P 用多年平均有效降水量 P'(次降水大于5mm的年有效降水量)代替计算得到崔沟村平水年(保证率50%时)的有效水资源量为 478.57 万 m^3。并计算了其他保证率对应的水资源量(见表1-4)。

表1-4 崔沟村经验频率下计算的有效水资源量

地形	面积 (km²)	保证率 5%		保证率 50%		保证率 75%		保证率 90%	
		降水量 (mm)	水资源量 (万 m³)	降水量 (mm)	水资源量 (万 m³)	降水量 (mm)	水资源量 (万 m³)	降水量 (mm)	水资源量 (万 m³)
塬面	3.83	592	226.95	442	169.45	348	133.4	296	113.47
沟坡	1.95	592	115.27	442	86.06	348	67.76	296	57.63
沟道	5.05	592	298.76	442	223.06	348	175.63	296	149.38
合计	10.83	592	640.98	442	478.57	348	376.79	296	320.48

八、地表水资源量的计算

该区地表水资源量就是地表径流量。地表径流量的计算采用径流系数法。

(一)崔沟村天然汇集水单元的划分

汇集水单元的划分采用两种方法,第一种为传统的方法,在1/10 000地形图上结合GPS定位仪人工现场勾绘汇集水单元,用求积仪量算面积;第二种是以卫星影像图为底片,在计算机上直接勾绘汇集水单元,利用计算机软件计算汇集水面积。

利用上述两种方法相互验证,将崔沟村按自然的产、汇流规律划分为25个相对独立的汇集水单元。在每个汇水单元中包含冬小麦、果树(苹果、葡萄)、谷类、饲料作物、道路、庄院等土地利用类型。

(二)崔沟村集水单元产流量的计算

水资源利用的重点是道路、庄院的天然径流,机井开采的地下潜水和小高抽提供的沟底泉水以及淤地坝拦蓄的地表径流。

(1)单元产流量计算公式。即

$$R_i = \frac{P_s}{1\,000} \cdot F_i \cdot a_i \tag{1-90}$$

式中:R_i 为单元产流量,m³;P_s 为不同保证率对应的降水量,mm;F_i 为单元汇水面积,m²;a_i 为对应的径流系数。

(2)单元产流量的计算。采用式(1-90)和卫星影像图划分的单元面积成果得到25个汇水单元的径流量。采用西峰水保站15年的观测资料,多年平均有效降水为442mm(1970~1985年杨家沟资料,约占总降水量的80%)。多年平均(保证率50%)有效总径流量为25.15万 m³。

(三)崔沟村按塬、坡、沟地貌类型分类时径流量的计算

在1:10 000地形图和卫星影像图上直接勾绘塬、坡、沟分界,然后与图斑比对,求出塬、坡、沟对应的图斑面积,乘以径流系数和降雨量,得到对应图斑的径流量,累加得到塬、坡、沟各自的径流量。

(1)计算公式。即

$$R = \sum_{i=1}^{n} R_i \tag{1-91}$$

(2)塬面径流量的计算。年平均径流量为14.46万 m³,占57.49%。

(3)坡面径流量的计算。年平均径流量为2.44万 m³,占9.69%。

(4)沟道径流量的计算。年平均径流量为8.25万 m³,占32.82%。

(5)全村年径流量。崔沟村年径流量为25.15万 m³。其中,塬面径流量为14.46万 m³,占57.49%;坡面径流量为2.44万 m³,占9.69%;沟道径流量为8.25万 m³,占32.82%。

九、地下水资源量的评估与计算

(一)地下水分布特点

地下水(潜水)是埋藏在地面以下第一个连续不透水层之上的具有自由水面的重力

水。崔沟村地处高塬沟壑区，潜水类型是塬区黄土层孔隙裂隙潜水。潜水主要分布在离石黄土（Q_2）中，午城黄土为潜水的相对隔水层。由于塬面被周围沟谷所切割，塬区潜水面均高于河水面，因此该区黄土潜水无侧向补给，全靠降水入渗补给。由于塬面地势平坦，接受降水入渗补给面积较大，降水落到地面后，有相当数量通过土壤孔隙裂隙入渗到地下，遇到相对隔水层便蓄集起来，并在塬边沟谷陡坡下以下降泉的形式向沟道排泄，塬两侧的沟道为潜水的排泄带。塬区潜水的主要特征是：塬中心地下水埋藏较浅（最小埋深18m），含水层厚度大（可达80m），单井出水量大（1 000m³/d）；塬边地下水埋藏较深（35～60m），含水层厚度变薄，单井出水量小。该区黄土潜水属排泄型地下水资源。地下水的水平流向为西北向东南，水力比降5‰，潜水面平缓，到塬边水力比降增大至4%。

(二)泉水排泄量的监测

在对崔沟村进行全面水资源调查的基础上，对村内的7处出露的泉水进行了定期的监测，结果表明，全年的泉水排泄量为10.6万 m³（见表1-5）。这一结果与地下水（潜水）的补给量接近，符合本地区水资源平衡的规律和特点。

表1-5　崔沟村泉水监测结果（2004 年）

序号	监测点名称	水位 （m）	流量 （m³/s）	日出水量 （m³）	年出水量 （m³）
1	郭堡子沟	0.022	0.000 1	8.64	3 153.6
2	毛家堡子沟东南	0.041	0.000 48	41.47	15 136.6
3	毛家水沟	0.074	0.002	172.80	63 072.0
4	沟畔南头队	0.011	0.000 017	1.47	536.6
5	沟畔北头队	0.043	0.000 54	46.65	17 027.2
6	庙前老水沟	0.027	0.000 17	14.69	5 361.8
7	老庄沟	0.019	0.000 07	6.05	2 208.3
合计				291.77	106 496.1

注：量水采用直角三角形薄壁堰。$Q = 1.4H^{2.5}$，其中：Q 为流量，m³/s；H 为水位，m。

(三)塬面机井的实际开采量监测

崔沟村现有机井2眼，分别在老庄、毛家村民小组，采用承包经营。老庄机井1998年成井，井深150m，85m开始见水（地下潜水埋深85m），年平均出水量 3 000m³；毛家机井1975年成井，井深120m，85m开始见水，年平均出水量 2 880m³。

因此，崔沟村机井年平均开采水量为 5 880m³，从调查的实际情况看，机井多年来并未增加抽水管道和增加水泵扬程，地下水位比较稳定。可见，现状的开采量并未超出允许的合理开采量。

(四)地下水资源量的计算

该区地下水的唯一补给源是大气降水，因此大气降水入渗补给系数和给水度数值的准确程度，直接影响到对地下水资源计算的准确性。

1.参数的确定

1)降雨入渗补给系数 α

补给系数是决定地下水储量的一个重要参数。常用的推求塬区地下水入渗的计算方法较多，有人工入渗法、抽水试验法、切割基流法等。本次是充分利用西峰水保站砚瓦川水文观测站(距示范村 10km)30 多年的实际观测资料,采用切割基流法计算的。其基本原理是,把一个流域的产水量分成两部分,一部分是由大气降雨地表产流汇集直接补给河流的,这种径流量的补给条件是区域内地下水无河流补给,而且多年保持均衡状态下,地下水只有一个补给源(降水);另一部分是由降水入渗地下补给的。按照这种条件形成汇集的河流径流总量减去洪水量的基流量即为地下水补给量。求得地下水补给量后,再与流域内总降水量相比,便可计算出地下水补给系数。具体做法是:利用年日平均流量过程线,割去洪水部分,剩下的是基流量。其公式为:

$$\alpha = \frac{Q_1}{P \cdot F} \cdot 10^{-3} \tag{1-92}$$

式中:α 为降雨入渗补给系数;Q_1 为地下水径流量,m^3/a,$Q_1 = Q_{基} + X_{蒸} + Q_{人畜}$(其中,$Q_{基}$ 为切割基流量,$X_{蒸}$ 为河道沿程水面蒸发量,$Q_{人畜}$ 为流域内人畜饮水量,m^3/a);P 为相应产生径流量的年降水量,mm;F 为降雨入渗面积,km^2。如果排泄量由塬边测得数据,可直接用塬面面积;如果排泄量由沟口测得数据,其排泄量中包括了沟坡面侧向补给量,则要用沟口以上的面积。

补给量及补给系数计算:按上述公式计算的砚瓦川流域地下水年补给量结果,见表 1-6。

表 1-6　砚瓦川流域降雨入渗补给系数计算结果

年份	年降水量 (mm)	年径流总量 (万 m³)	年径流深 (mm)	基流量 (万 m³)	基流深 (mm)	基流占总径流 比率(%)	补给系数
1976	469	750.3	22.81	482.63	14.61	64.32	0.049
1977	421.8	820.8	24.95	310.6	9.44	37.84	0.042
1978	617.03	1 335	40.58	413.25	12.56	30.96	0.034
1979	343.21	510.9	15.53	376.01	11.42	73.6	0.057
1980	483.14	660.2	20.07	326.16	9.91	49.4	0.037
1981	585.71	936.1	28.45	371.26	11.28	39.66	0.033
1982	443.89	718.3	21.83	374.37	11.38	52.16	0.044
1983	678.54	942.3	28.6	536.37	16.30	56.92	0.036
平均值	505.29	834.24	25.35	398.83	12.13	47.81	0.042

2)补给量分析

(1)崔沟村多年大气降雨平均年补给系数为 0.042,其值是很小的,$1km^2$ 每年的补给量只有 1.86 万 m^3。其主要原因是大部分降雨直接变成了地表径流。

(2)补给系数的年际变化与前期降雨量有关,呈正相关关系。

(3)结合崔沟村地下水调查,多年均处于不变状态(几处机井多年未增加上水管和变化水泵扬程),所谓升降其范围在 1~2m 之间变化,因此崔沟村的地下水在没有完全开采条件下,补给量也就是排泄量。

3)给水度计算方法

给水度也是影响和决定崔沟村地下水储量的一个重要参数。这个参数通常通过多种方法求解,常用的方法是进行多孔抽水试验。本研究采用直接利用董志塬前人大量的试验分析成果,在附近的地区进行大量的机井水位下降(一定开采范围内)与开采量的实际监测工作,调查了西峰城区和西峰新水源地五里铺,共调查机井 164 眼,运用实采法做分析。其基本原理是通过在已知岩石体中提取的实际水量,反算其所占比值,求出给水度。这一方法简单实用。具体方法是:首先选一均衡单元,建立水量均衡方程式,即

$$Q_{侧补} + Q_{入渗} = Q_{侧排} + Q_{开采} \pm \mu \cdot F \cdot \Delta H \tag{1-93}$$

式中:$Q_{侧补}$ 为分析区在某一时段的侧向补给量;$Q_{入渗}$ 为分析区在某一时段的降雨入渗量;$Q_{侧排}$ 为分析区在某一时段的侧向排泄量;$Q_{开采}$ 为分析区在某一时段的机井开采量;μ 为给水度;F 为分析区面积;ΔH 为分析时段初与分析时段末地下潜水位的升降,如上升取加号,反之取减号。

上述公式中,侧向补给量与侧向排泄量对于无侧向补给的董志塬来说,意义不大。因为当机井开采的水量未能影响到塬边的泉水排泄量时,可以假定侧向流入均衡单元中的水量与流出均衡单元的水量持平,则均衡单元的水量均衡公式简化为:

$$Q_{入渗} = Q_{开采} \pm \mu \cdot F \cdot \Delta H \tag{1-94}$$

(1)降雨入渗量。计算公式为:

$$Q_{入渗} = 0.1\alpha \cdot P \cdot F$$

式中:α 取 0.042;P 取 945.6mm(分析地新水源五里铺 1990 年 6 月~1991 年 11 月降水量);F 取调查地面积 5.83km^2。

计算得到调查地降雨入渗量为 23.15 万 m^3。

(2)开采量。调查新水源地五里铺机井分析时段内开采量为 116.4 万 m^3。

(3)给水度。解式(1-94),得给水度 μ 为 0.041(调查地水位 ΔH 平均下降 3.94m)。

应用西峰城区水源地调查资料进行验证,ΔH 年平均下降 2.73m,开采量为 890 万 m^3,降雨入渗量为 143.12 万 m^3,给水度为 0.043。

因此,崔沟村的给水度取 0.042(调查地距崔沟村 5~10km,地质构造完全一致,具有可比性)。

4)含水层厚度

利用庆阳市地下水工作队地质勘探资料和地下水动态观测成果,崔沟村的含水层厚度为 35~65m,结合崔沟村机井的调查,85m 出水,扬程为 120~150m,说明崔沟村的含水层厚度为 35~65m,取平均值 50m。

2.地下水(潜水)资源量的计算

1)补给量

利用 $Q_{入渗} = 0.1\alpha \cdot P \cdot F$ 计算,其中,α 取 0.042、P 取 442mm(多年平均有效降水值)、F 取泉眼以上面积 5.87km^2,计算得出崔沟村的降雨入渗补给量为 10.9 万 m^3/a,即 1.86 万 m^3/(a·km^2)。

2)地下水(潜水)静储量

依据含水层厚度和分布面积及给水度参数利用式(1-95)进行计算:

$$Q_{储} = \sum_{i=1}^{n} 100\mu \cdot F_i \cdot h_i \tag{1-95}$$

式中:$Q_{储}$ 为潜水的天然储存量,万 m^3;μ 为含水层的给水度,取 0.042;h_i 为第 i 层含水层的厚度 m;F_i 为第 i 区含水层的分布面积(用塬面面积 3.834),km^2。

计算得出崔沟村地下水静储量为 805 万 m^3(折 210 万 m^3/km^2)。

3. 地下水(潜水)资源量的评价

地下水按开采性质分为合理开采和疏干开采。

1) 合理开采条件下的资源量

合理开采是指在一定技术经济条件下,抽水设备能从含水层中取出的水量,并在预定的期限内不发生水量减少或水质恶化的不良现象,也就是说,年开采量不能大于年补给量,即开采常以该范围内的补给量为极限。由水量均衡方程式(1-94)确定合理开采条件下的资源量。

可以看出,当 ΔH 为零时,$Q_{开采} = 2.339$ 万 $m^3/(a \cdot km^2)$,崔沟村 3.834km^2 塬面年合理开采量为 8.97 万 m^3。

2) 疏干开采条件下的资源量

大量消耗静储量,长期超采,会造成地下水枯竭,地面发生不均匀沉降。其资源总量为地下水的静储量 805 万 m^3。开采年限为总静储量除以年开采量。

十、土壤水资源的计算

本研究的范围属半湿润半干旱农业区,在观测时间的选择上,按照年内大、中、小土壤水分代表性要求,结合本区农业生产多年经验,一般 4 月代表干旱,7 月降水较多代表湿润,11 月属于中等水分时间。

经调查有关农业和果树专家,本区主要农作物和果树利用的土壤水分一般为 0~2m 深度范围的,个别特旱年份,作物和乔木树种才会吸收到 2m 以下的土壤水。所以本研究计算的土壤水为 0~2m 范围内的水分,但由于受到取土仪器本身 2m 的限制,只能取到 1.8m 深的土壤水。

(一)土壤水年内时空分布特征

2004 年 4 月、7 月、11 月,分别对崔沟村塬、坡、沟不同地形 0~1.8m 土层范围内进行了土壤水监测,其结果表明,土壤水有塬面大、坡面小、沟底大的特点(见表 1-7);时间上,塬面土壤水具有 4 月大、7 月小、11 月大的特征,坡面土壤水 4 月小、7 月大、11 月大。沟道土壤水 4 月小、7 月大、11 月大。

塬面虽然全面修建了梯田,但由于塬边土壤水的渗漏和蒸发较快,所以塬面土壤水从塬心到塬边呈现逐渐衰减的特征。塬心 151.8kg/m^3,塬边 121.4kg/m^3。

坡面土壤水从立地上具有由坡上到坡底逐渐增大的特点,坡顶 113.2kg/m^3,坡中部 124.9kg/m^3,坡脚 163.2kg/m^3。

沟道土壤水呈现出与坡面相同的特点,即由沟上部到沟底逐渐增大。沟上部 77.9kg/m^3,沟中部 79.4kg/m^3,沟底 123.1kg/m^3。

表 1-7　塬、坡、沟土壤水分分布　　　　（单位:kg/m³）

项　目	塬面	坡面	沟道
年均土壤水分	151.8	117.6	160.7
4 月份的土壤水分	169.6	83.3	101.2
7 月份的土壤水分	123.9	124.9	163.2
11 月份的土壤水分	161.8	144.6	217.8

注:塬面为小麦地、果园、玉米地的算术平均值;坡面和沟底为林地和荒草地的算术平均值。

(二)土壤水总量的计算

1.计算方法

采用不同土地利用方式的面积乘以土壤水计算深度,再乘以对应的土壤容积含水率得到土壤水储量,然后汇总得到总的土壤水储量。

2.计算结果

1)塬面土壤水储量

经计算得出:农地,75.98 万 m³;经济作物地和果园,14.29 万 m³;荒地,3.16 万 m³;林地,6.5 万 m³。

2)坡面土壤水储量

经计算得出:林地,27.33 万 m³;荒草地,13.97 万 m³。

3)沟道土壤水储量

经计算得出:林地,39.55 万 m³;荒草地,39.98 万 m³。

4)土壤水总储量

土壤水总储量为 220.76 万 m³。其中,塬面 99.93 万 m³,占 45.27%;坡面 41.3 万 m³,占 18.71%;沟道 79.53 万 m³,占 36.02%。

十一、径流高效利用状况

(一)径流利用现状

1.实际用水量的计算

崔沟村现状人畜饮水的实际用量,按不同保证率条件下的用水定额(见表 1-8),采用以下公式计算:

$$V_{P\text{生活}} = 0.365 \times (M_{P1} S_1 + M_{P2} S_2 + M_{P3} S_3) \tag{1-96}$$

式中:$V_{P\text{生活}}$ 为保证率 P 时的生活用水量,m³;M_{P1}、M_{P2}、M_{P3} 为保证率为 P 时的人、大牲畜、小牲畜日饮水定额,L;S_1、S_2、S_3 为现状人、大牲畜、小牲畜数量。

表 1-8　人畜饮水用水定额

保证率(%)	人[L/(人·d)]	大牲畜[L/(头·d)]	小牲畜[L/(头·d)]
50	10	30	4
75	8	25	3
95	6	20	2

依据式(1-96)计算的崔沟村治理前生活用水量多年平均为 11 614m³(见表 1-9)。

表 1-9　崔沟村示范前生活用水量统计情况

保证率 (%)	人		大牲畜		小牲畜		每天 用水量 (L/d)	全年 用水量 (m³)
	用水定额 [L/(人·d)]	数量 (人)	用水定额 [L/(头·d)]	数量 (头)	用水定额 [L/(头·d)]	数量 (头)		
50	10	1 862	30	240	4	1 500	31 820	11 614
75	8	1 862	25	240	3	1 500	25 396	9 269
95	6	1 862	20	240	2	1 500	18 972	6 924

2.地表水利用现状

治理前全村共有水窖 227 眼,容积 6 810m³;涝池 3 座,容积 600m³。

利用现状与方式为:对于塬面地表水,利用水窖、涝池拦蓄,供牲畜饮用、灌溉菜地或小片果园;坡面水利用属于自然方式,除了造林利用外,没有其他拦蓄雨水资源的措施;沟道无任何拦蓄工程,拦蓄利用泉水和雨洪径流资源。

治理前地表径流的利用率:

关于示范前地表径流利用率的研究,本次只进行新增水土保持拦蓄措施的地表径流利用率在治理前后的变化。即新增水土保持治理措施(梯田、水窖、涝池、淤地坝、小高抽)通过径流利用技术体系,对地表径流利用的影响。由于研究内容和经费的限制,本项目没有进行农作物利用地表径流和水土保持林、荒草地等类型的地表径流利用研究。

治理前的地表径流利用率用下式计算:

$$W_{利用率} = W_{利用水量} / W_{地表水总量} = \frac{(1.161 - 0.588)}{25.15} \times 100\% = 2.27\%$$

其中,$W_{利用水量}$是人畜用水总量(无其他用水项目)减去机井的供应水量(考虑水窖、涝池有时拦蓄不满,所以不能按水窖、涝池的设计容积计算),$W_{地表水总量}$是研究区地表水资源量,为 25.15 万 m³。

3.地下水(潜水)利用现状

治理前全村共有机井 2 眼,年开采水量 5 880m³,仅供人畜饮用,无灌溉用水,出露泉水没有利用。

利用方式:机井直接采地下水,供人畜饮用。

地下水治理前的利用率:

$$W_{利用率} = W_{利用水量} / W_{地下水年补给量} = \frac{0.588}{10.9} \times 100\% = 5.39\%$$

式中,$W_{利用水量}$是机井的供应水量,为 5 880m³;$W_{地下水年补给量}$是塬面地下水多年平均年降雨补给量,为 10.9 万 m³。

4.土壤水利用现状

土壤水利用量是:农地 38.27 万 m³,果园 5.69 万 m³,荒地 55.45 万 m³,林地 69.47 万 m³。按塬、坡、沟分,塬面 48.08 万 m³,坡面 41.3 万 m³,沟道 79.53 万 m³,合计为

168.87万m^3。

土壤水利用率＝利用量/土壤水总量＝168.87/220.76＝0.765×100%＝76.5%

(二)治理后地表径流和泉水利用率

1.地表径流利用率

治理后全村共有水窖377眼,容积14 300m^3;涝池9座,容积12 600m^3;淤地坝2座,容积40万m^3。其中,新增水窖150眼,容积4 500m^3;涝池9座,容积9 000m^3;淤地坝2座,库容40万m^3。

利用方式:塬面地表径流,利用新修梯田、水窖、涝池拦蓄供牲畜饮用、滴灌果园和灌溉菜地。坡面径流利用,采用集水造林的方式,拦蓄雨水资源;沟道径流利用,采用骨干坝拦蓄,采用小高抽工程提水上塬利用泉水和雨洪径流资源。

治理后地表径流利用率用下式计算:

$$W_{利用率} = W_{利用水量}/W_{地表水总量} = 4.75/25.15 = 18.89\%$$

$W_{利用水量}$的数量为:小高抽实际年均上水量4万m^3,加上水窖涝池年均拦蓄量1.35万m^3,再加上沟道2座骨干坝拦蓄2万m^3,总共为7.35万m^3;但是,在4万m^3上水量中应扣除人畜用泉水水量为2.6万m^3(无其他用水项目),地表水实际年利用量为4.75万m^3。其中,水窖377眼,涝池9座,按每年蓄满计算,为13 500m^3(考虑水窖、涝池有时拦蓄不满,涝池还有渗漏和蒸发,所以不能按水窖、涝池的设计容积计算,只取50%的容积)。

$W_{地表水总量}$是研究区地表径流量,为25.15万m^3。

2.地下水(潜水和泉水)利用率

治理后全村共有机井2眼,年开采水量1 000m^3。泉水利用量按实测供水量计算为2.6万m^3。

利用方式:机井直接采地下水,泉水采用小高抽方式取水,供人畜饮用。

治理后地下水利用率用下式计算:

$$W_{利用率} = W_{利用水量}/W_{地下水年补给量} = 2.7/10.9 = 24.8\%$$

$W_{利用水量}$包括机井的供应水量(1 000m^3)和泉水供应量(2.6万m^3),共2.7万m^3。$W_{地下水年补给量}$即塬面地下水多年平均年降雨补给量10.9万m^3。

3.土壤水利用率

治理后全村共有果园1.28km^2(新增67hm^2),菜地和经济作物等农地2.92km^2,林地3.39km^2(新增43hm^2)。

土壤水利用量是:农地38.26万m^3,果园5.75万m^3,荒地55.16万m^3,林地69.58万m^3。按塬、坡、沟分,塬面48.09万m^3,坡面41.13万m^3,沟道79.53万m^3,合计为168.74万m^3。

土壤水利用率＝利用量/土壤水总量＝168.74/220.71＝76.45%。

治理后土壤储水量为220.71万m^3。

4.治理前后地表径流和地下水平均利用率的变化

治理后用水量发生了变化,地表径流和地下水(泉水)利用量大增,机井用水量减少。

地表径流平均利用率,治理前为 2.27%,治理后提高到 18.89%;地下潜水平均利用率,治理前为 5.39%,治理后提高到 24.8%;土壤水治理前后没有明显变化。说明治理前后地表水和地下水利用率变化较大,地表水净增 16 个百分点,地下水净增 19 个百分点,治理效果极其显著。

变化的原因主要有:地表径流利用方面,增加了水窖 150 眼、涝池 6 座、骨干坝 2 座;地下水利用方面,增加了小高抽,并将原来没有利用的泉水 10.3 万 m³ 初步利用了 2.6 万 m³。土壤水变化不大的原因还有待进一步研究。

第四节　崔沟村径流高效利用技术体系建设

甘肃省庆阳市西峰区董志镇崔沟村作为黄河水土保持生态工程齐家川示范区建设中的径流高效利用示范村,在 2001~2005 年进行重点建设,取得了显著成效。

一、崔沟村社会经济概况

崔沟村有人口 1 862 人、425 户;大牲畜 240 头,小牲畜 1 500 头;无村办或私营企业。苹果业是该村的优势产业,有果园的农户达到 410 户,有 50 人常年从事苹果储藏和销售工作。

崔沟村总土地面积为 1 083hm²,其中塬面面积 383.5hm²,占总面积的 35.41%;坡面面积 194.7hm²,占总面积的 17.98%;沟道面积 504.8hm²,占总面积的 46.61%。土地利用类型主要有:农地 304hm²,果园 61hm²,林地 295hm²,荒地 398hm²,居民点用地 23hm²,道路和难利用地 2hm²。

该村多年平均径流模数 8 994m³/km²,塬面年径流模数 9 206m³/km²。塬面是小流域径流的主要来源区域,其径流依次来自道路、庭院、农田,其径流量分别占塬面总径流量的 44.5%、42.7%、12.0%。全村现有水窖 227 眼,水窖容积大多在 20~40m³ 之间,多数采用砖箍,有涝池 3 座,机井 2 眼,单井出水量 10m³/h。坡面和沟道径流还没有得到有效开发利用。

二、崔沟村水资源状况

崔沟村多年平均水资源总量(理论潜力)为 603.08 万 m³。其中,塬面 213.53 万 m³,坡面 108.45 万 m³,沟道 281.10 万 m³。多年平均有效水资源量为 478.57 万 m³。其中,塬面 169.45 万 m³,坡面 86.06 万 m³,沟道 223.06 万 m³。总径流量 25.15 万 m³。其中,塬面径流量为 14.46 万 m³,占 57.49%;坡面径流量为 2.44 万 m³,占 9.69%;沟道径流量为 8.25 万 m³,占 32.82%。

崔沟村多年平均补给系数为 0.042,每平方公里每年的补给量只有 1.86 万 m³。该村的给水度也为 0.042。全年的泉水排泄量为 10.3 万 m³,机井年平均开采水量为 5 880m³。含水层厚度为 35~65m(结合机井调查,85m 出水,扬程 120~150m),取平均值 50m。崔沟村的降水入渗补给量为 10.9 万 m³/a(折 1.86 万 m³/(a·km²))。地下水静储量为 805 万 m³(折 210 万 m³/km²)。该村 3.834km² 的塬面年合理开采量为 8.97

万 m³。

崔沟村土壤水总储量为 220.76 万 m³。其中,塬面 99.93 万 m³,占 45.27%;坡面 41.3 万 m³,占 18.71%;沟道 79.53 万 m³,占 36.02%。

崔沟村生活用水量多年平均为 11 614m³。

三、崔沟村径流高效利用技术体系建设的总体目标与思路

崔沟径流高效利用示范村建设的总体目标是:通过该项目的实施,基本实现不出村民小组可以解决人畜饮水需求,同时采用节水灌溉方式将灌溉水直接灌到果园和农田中。

总体思路是:以建设径流收集和径流高效利用两大体系为核心,以卫星影像技术、GPS技术、节水灌溉、集水造林等高新技术为手段,以果园节水灌溉建设为重点,以实现水资源的合理配置和高效益为目标,建成具有黄土高塬沟壑区特色的径流高效利用技术示范基地。

选定庆阳市西峰区董志镇崔沟行政村作为径流高效利用示范村后,在对全村现有基础条件综合分析的基础上,以提高径流利用效率,通过采用有效调控措施,实现雨水资源的最佳配置和高效利用,进而解决人畜饮水,满足果园补灌需求为工程建设目标。

在对全村自然条件和社会经济条件全面分析的基础上,提出了工程总体框架,即本工程主要由沟道上水工程、径流蓄集工程、输水工程、果园节水灌溉工程和农田喷灌工程5项工程构成,从而形成了一个塬面径流、坡面径流、沟道径流全面蓄集,就近就地利用与补充水源再分配利用相结合,以节水灌溉为主要补灌手段的比较完整的径流高效利用技术示范体系,并依据此框架进行了工程的总体设计和建设。

(1)建设径流收集体系。在塬面区域,以道路集流为主线,修建具有较高集流效率的集流场12处,以377处庭院水窖集流和9处涝池集流为结点,以6处围埝蓄水式沟头防护工程作为控制,形成塬面径流集蓄体系;在坡面,以 3:1 的集蓄比,建设 40hm² 集水造林工程,实现坡面径流的就近就地拦蓄利用;在支毛沟,修建180道土谷坊,拦蓄从沟头下沟的塬水和坡面径流,在南北两条主沟道修建2座拦蓄水量达 83 万 m³ 的治沟骨干工程,形成完整的径流收集体系。

(2)建设径流高效利用体系。主要建设雨水集蓄高效利用系统和沟道径流高效利用系统。

径流高效利用模式:根据用水目标和途径,可以将径流高效利用模式分为以下8种模式。

雨水集蓄高效利用模式主要有 4 种类型:①庭院集雨—水窖蓄水—果园微灌系统;②道路集雨—涝池蓄水—低压管灌系统;③坡面集雨—集水造林;④坡面集雨—集水种草。

沟道径流高效利用模式也主要有 4 种类型:①泉水—小高抽提水—塬面输水—管理房配水—人畜饮水;②泉水和库水—小高抽提水—塬面输水—果园自压微灌系统;③泉水和库水—小高抽提水—塬面输水—管理房配水—果园低压管灌系统;④泉水和库水—小高抽提水—塬面输水—农田喷灌系统。

根据总体设计思路进行工程总体布设,采用一次规划到位,分年度实施,最终全部实

现建设目标。

四、崔沟村径流高效利用技术体系建设实践

根据对崔沟村水资源状况的全面分析,以天然降水资源作为总水资源,通过径流和入渗等转化为地表水、土壤水和地下水三部分。径流高效利用技术体系也以降雨径流和泉水出露形成的地表水作为水源,形成一套比较完整的包括径流收集体系和径流高效利用体系在内的径流高效利用技术体系。

(一)径流收集技术体系建设

1.梯田建设

该村塬面中心地形比较平坦,主要有两条胡同,在梯田建设中,对一条胡同进行填平整理,使之成为梯田;对另一条胡同道路进行改道,对胡同进水口进行封堵,改善塬面汇水通道。塬边的个别梁嘴不平整,采用机械和人工修筑梯田的方式,田坎沿等高线布设,大弯就势,小弯取直。坡度均匀且平缓的坡面梯田田块基本呈长方形,梁嘴部位的梯田田块多为新月状。田面长度依地形而定,宽度按坡度确定。田坎填方部分用橡绑堰夯筑,挖方部分削坡与填筑部分坡度一致。全村共新修梯田 40hm²。

2.集流场建设

塬面现有集流场的类型是庭院、道路、胡同等,充分利用并改造以后,重新进行塬面集流场规划和建设。新建示范集流场采用混凝土和铺砖集流场两种类型。一般庭院、道路集水到就近的水窖中;农田集水量比较大,含沙量高,就近拦蓄到涝池中,全村共新建示范集流场 12 处。

3.蓄水设施建设

蓄水设施分为水窖、涝池、治沟骨干工程等类型。根据地形、土质、产流方式、集流方式及用途进行规划和建设。用于解决庭院经济和生活用水相结合的蓄水设施,应选择在庭院内地形较低的地方,这样集水、利用都比较方便。利用道路集水的水窖距道路应大于5.0m,同时应符合道路建设中的排水、绿化、养护等有关要求。所有的蓄水设施位置必须避开填方或易滑坡的地段,设施外壁距崖坎或根系发达的树木的距离不小于 5.0m。全村新建水窖 150 眼,水窖容积为 50m³,均布设在塬面,水窖型式主要采用砖拱窖。新建涝池6座,圆形和长方形各 3座,涝池容积均按 2 000m³/座进行建设。

4.沟头防护工程建设

目前有溯源侵蚀的沟头 25 处,其中有 19 处经过修梯田、封胡同、建涝池、修沟头防护工程等措施后,沟头溯源侵蚀已经基本得到控制,剩余的 6 处沟头溯源侵蚀剧烈,均规划和新建了蓄水围埝式沟头防护工程。设计标准采用 20 年一遇 24 小时最大暴雨。

蓄水围埝式沟头防护工程:当沟头以上来水量单靠围埝不能全部拦蓄或变地形、土质条件限制时,在围埝以上附近的低洼处,根据来水量平衡分析计算,修建一定容积的涝池,配合围埝,拦蓄全部来水,防止径流泄入沟道。

5.集水造林工程建设

为充分利用坡面径流,改善坡面土壤水分,进一步提高造林的成活率及林木的生长速度,在项目规划和建设中,选定老院沟油松造林和底嘴侧柏造林中采用集水造林新技术,

共采用菱形微集水系统、"V"字形微集水系统、水平阶 3 种形式,集蓄比采用试验研究成果,取 3:1,全村共新建集水造林工程 40.0hm²。

6. 土谷坊建设

为配合新建的两座治沟骨干工程减缓淤积速度,提高工程使用寿命,保证灌溉利用,实现节节拦蓄,在 6 条修建沟头防护工程的支毛沟内,根据支毛沟沟底比降和土质因地制宜布设土谷坊,合理安排土谷坊高度与间距,共规划和建设土谷坊 180 道。土谷坊防御标准为 10 年一遇 3 小时最大暴雨。选择沟底比降大于 5%～10% 的沟段,从下而上拟定每座土谷坊位置。土谷坊高 2～4m。

7. 老院沟治沟骨干工程建设

在崔沟村北面的老院沟规划新建了一座治沟骨干工程,总库容 28.8 万 m³,拦泥库容 5.8 万 m³,坝控面积为 3.14km²,坝高 27m,工程等级为五级,相应的洪水设计标准为 20 年一遇,校核标准为 200 年一遇。设计淤积年限为 10 年。

8. 锁梁沟治沟骨干工程建设

在崔沟村南面的锁梁沟规划新建了一座治沟骨干工程,总库容 54.2 万 m³,拦泥库容 17.0 万 m³,坝控面积为 4.58km²,坝高 30m,工程等级为五级,相应的洪水设计标准为 20 年一遇,校核标准为 200 年一遇。设计淤积年限为 15 年。

(二)径流高效利用技术体系建设

1. 庭院集雨果园微灌系统建设

利用庭院集蓄的雨水,进行果园微灌。针对当地集雨节灌中存在的问题,果园微灌类型尽可能选用半固定式,该形式具有投资较小、抗堵塞、管理较方便的优点。果园微灌形式有滴灌和管道施药与微灌复合系统两种形式。滴灌毛管采用滴灌带。果园微灌系统管网布设形式,按照在使用要求满足的条件下管线最短、投资最小的原则布设,常用"1"、"干"、"王"形及梳子形等几种形式;干、支管埋深 1.0m。全村共实施庭院集雨果园微灌工程 22.7hm²,其中滴灌工程 68 处,20.7hm²;管道施药与微灌复合系统 5 处,2.0hm²。

2. 低压管灌工程建设

根据水源的不同,分为两种形式。一种是利用新建的 6 座涝池收集的径流,采用低压管灌方式灌溉附近 20.0 hm² 的果园、菜地或农田;另一种是利用庭院雨水集蓄工程修建了 107 处(22.6hm²)低压管灌工程,主要灌溉果园。

3. 小高抽工程建设

通过对崔沟村水资源的调查,选定利用毛家村民小组的沟道泉水进行集蓄,然后通过修建小高抽工程提水至塬面的水塔中,作为全村径流利用工程建设的灌溉用水和生活用水水源。据实测,沟道两处泉水流量达 11m³/h,通过拦蓄可以满足全村人的生活用水需要,灌溉用水不足部分可以利用老院沟治沟骨干工程蓄水作为补充水源。在沟道水库回水末端修建蓄水池,并通过卧管引水至竖井中,竖井顶部高于坝顶高程,在竖井中安装潜水泵,通过无缝钢管把水提到塬面的水塔中。

4. 输水工程建设

为了使全村生产和生活都能利用到小高抽工程水源,规划修建了输水工程。主干管从水塔处引出到村主干道边,沿村主干道一直延伸到底嘴村民小组,并修建了 3 条支管(1

条通到新庄村民小组,1条通到老庄村民小组,1条通到沟畔村民小组),使管网通到每个村民小组。管道长度达6 430m,管材选用UPVC。还修建了10个放水管理房。利用现有的机井提水到水塔,铺设2 200mUPVC管到老庄村民小组,主要解决人畜用水需要。

5.果园自压微灌系统建设

利用小高抽工程中塬边水塔作为水源,由于该水塔地处全村最高处,水塔高10m,可以提供足够的水量和压力,为主管线附近果园自压灌溉提供了条件。全村共选定4.6hm²(13处)果园,建设了果园自压微灌系统。

6.农田喷灌工程建设

根据小高抽工程的上水量和全村建设的总体思路,规划修建了两处喷灌工程。工程都以沟道骨干坝中的地表水作为灌溉水源,采用全固定式喷灌方式,干管和支管都埋入地下1.0m。一处布设于老庄村民小组,灌溉面积7.3hm²;另一处布设于毛家村民小组,灌溉面积3.8hm²。总灌溉面积为11.1hm²。

五、实施成效

经过5年的实施,崔沟村径流高效利用工程已经全面建成,形成了完整的径流高效利用技术体系,取得了显著成效。

(一)生态效益

(1)5年来,崔沟村林地面积由277hm²增加到356hm²,从占全村总面积的25.6%提高到32.9%,对当地自然环境向良性发展、美化生产生活环境起到了较大作用。

(2)提高地表径流和地下潜水的利用率比较明显。通过采取修水窖、建涝池、修建治沟骨干工程、建小高抽工程和节水灌溉工程等措施,崔沟村地表径流治理前利用率2.27%,治理后利用率18.89%;地下潜水治理前利用率5.39%,治理后利用率24.8%。使该村的水环境得到明显改善,用水保证率得到较大提高。

(3)有效保护了耕地资源。通过采取修梯田、封胡同、改道路、修沟头防护工程、修谷坊等措施,使塬面的基本农田得到有效的保护和利用,沟头前进和沟岸扩张等侵蚀现象已经得到有效控制。

(二)社会效益

通过修建梯田,使基本农田在农耕地中的比例由原来的77.0%提高到90.1%;农地面积由原来的294.3hm²增加到304hm²,所占比例由原来的27.2%提高到28.1%;林地面积由277hm²增加到356hm²,所占比例由原来的25.6%提高到32.9%;荒山荒坡得到有效利用,土地利用率提高,土地利用结构更加趋于合理。

果园实施节水灌溉后,年新增果品产量达28.1万kg;实施农田喷灌工程后,年新增粮食产量达1.3万kg。新建2座治沟骨干工程,新增蓄水库容60.2万m³,新增拦泥库容22.8万m³;新修的小高抽工程年提水4万m³,解决了生产和生活用水;新修水窖增加蓄水量1.2万m³;新修涝池增加蓄水量1.0万m³。通过径流高效利用示范村建设,使全村年节省劳动力1.8万工日。

农村剩余劳动力被利用。随着示范村工程措施的实施,修梯田、修水窖、建涝池、封胡同、改道路、修建沟头防护工程、建谷坊、建治沟骨干工程和造林等都需要大量的人工,剩余劳动力被利用,同时对提高村民的收入也有积极作用。

(三)经济效益

5年来,共修建果园微灌工程27.3hm²、果园低压管灌工程22.6hm²、农田喷灌工程11.1hm²。这些工程的建设,带来了显著的经济效益。年增加产值64万元,年平均净收益42.4万元,人均增加粮食7kg,人均增加果品150.9kg,人均产值可增加343.7元/a,人均纯收入可增加227.7元/a。全年采用提蓄、集蓄水量6.2万m³,总折价12.4万元。2座治沟骨干工程拦泥总量22.8万m³,拦泥总折价为59.3万元。经济效益十分显著。

六、对策及建议

(一)黄土高塬沟壑区水土环境整治应以水环境整治为核心

根据径流高效利用示范村的建设实践,结合黄土高塬沟壑区的地形地貌特征和水土流失特点,塬面主要产流、沟头集中下泄,沟坡主要产沙,沟道主要输移。因此,该区域水土环境整治必须以水环境整治为核心,通过采取入渗、覆盖、集蓄、改道、拦挡等措施,对水环境优化整治,使天然降水在地表水、土壤水和地下水之间以适宜的形式和规模进行合理转化,建立和谐的水土环境,满足社会经济可持续发展的需要。

(二)水环境整治应以地表水环境整治为重点进行综合整治

地表径流是水蚀区发生水土流失最具能动作用的因素,而塬面又是高塬沟壑区产生地表径流的主要区域,因此水环境的整治必须以地表水环境整治为重点,地表水环境整治必须以塬面地表水环境整治为重点。按照该思路对崔沟径流高效利用示范村进行水环境整治,既进行普通性的综合整治,也有选择性地进行重点整治,取得了最佳的整治效果。

(三)国家的大力持续投入是生态环境持续改善的保证

近年来,国家持续加大对生态环境建设的投入,使生态环境恶化的趋势得到初步遏制。在径流高效利用示范村崔沟村,多年来水土流失严重,地下水位下降,生态环境恶化,群众生产生活困难,先后实施黄土高原水土保持世界银行贷款项目和黄河水土保持生态工程项目后,由于国家的大力持续投入,地方群众的积极参与,使当地的生态环境趋于好转。

由于生态环境脆弱的地区一般都是资源相对富集、经济发展落后、当地财政困难,群众生产生活条件差、收入低而不稳的地区。因此,完全依靠当地政府和群众进行生态环境治理,治理速度赶不上破坏速度,造成生态环境不断恶化,进而影响经济的发展和社会的稳定。国家应在生态环境脆弱地区建立生态环境补偿机制,通过对开发建设项目、煤炭、石油、矿山等容易造成水土流失和生态环境恶化的企业征收生态环境补偿税,作为国家对生态环境整治的部分投入。对流域下游生态环境受益户征收生态环境补偿税,反哺流域中上游,作为流域中上游生态环境整治的部分投入。理顺生态环境整治投入和补偿机制是国家能够大力持续投入生态环境整治的重要保证。

(四)生态环境的持续改善支撑社会经济的可持续发展

根据径流高效利用示范村的建设实践,治沟骨干工程、谷坊、沟头防护工程、水窖和涝池的修建,使水土流失不断蚕食塬面的状况得到根本遏制;集水造林、防护林和种草措施使全村荒山得到绿化,由于村内砂石道路的铺设,小高抽和节水灌溉工程的建设,使崔沟村成为远近闻名的苹果生产、贩运专业村。因此,良好的生态环境是社会经济发展的基础条件,生态环境的持续改善支撑社会经济的可持续发展。

(五)水土保持生态工程建设是区域生态环境改善的有效措施

自从实施黄河水土保持生态工程齐家川示范区以来,该区域的水土流失明显减轻,林草覆盖率提高,生态环境明显改善。在径流高效利用示范村,水土流失得到根本控制,地下水位不再继续下降,山清水秀,当地生态环境显著改善,群众的生产生活条件得到根本改善。因此,水土保持生态工程建设极大地促进了当地生态环境的改善,应该作为重要建设项目纳入水利基建程序,深入持久地开展下去,为建设人与自然和谐的社会提供保障。

第五节 "3S"技术在区域水资源分析评价中的应用实例

以高分辨率卫星作为信息源,应用 RS、GIS 和 GPS(简称"3S")相结合的技术,进行区域水资源调查和分析评价,可改变传统工作方式,把大量艰苦的野外作业变成室内作业,不仅省时、省力、成本低,且客观性和科学性强,具有常规方法所不能比拟的优点,而且能及时、全面、准确地获得土地利用状况。土地利用状况分析是进行基于遥感技术的区域水资源分析评价的本底状况调查,也是进行评价分析的基础性成果。

本研究利用 2003 年 QuickBird 高分辨率卫星影像数据,采用"3S"技术方法,在 Erdas、ArcGIS 等软件的支持下,以崔沟村为例进行了区域土地利用状况调查、分析和建库等工作。主要从调查技术路线、影像处理技术、影像判读模式、土地利用状况数据库建立等几个方面内容进行了研究。

一、研究区域、信息源及运行平台

(一)研究区域位置

研究区域设在甘肃省庆阳市西峰区董志镇崔沟村,东经 107°43′,北纬 35°41′。该区域的土地利用类型主要包括农地、果园、林地、荒地、居民点用地和水面等。

(二)信息源

前期工作采用 1:10 000 地形图进行现场勾绘,工作量大,且勾绘精度无法满足试验要求。

1. 地形图

本研究采用崔沟最新 1:10 000 地形图。

2. 数字地图

试验区 1:10 000 全要素数字化地图。

3. 卫星影像

考虑到试验区面积较小,而且沟壑纵横,我们采用了高分辨率卫星影像(全色波段＋彩色多光谱)为主要信息源,其全色波段分辨率为 0.61m,彩色多光谱分辨率为 2.44m,幅宽为 16.5km。试验区的卫星影像接收时间为 2003 年 10 月,由于 10 月份在多雨的夏季之后,草类及部分植物仍处于生长期,树木未落叶,同时已有大量收割和耕翻过的裸地,因此在该卫星影像中各种地类和现状措施比较明晰。

(三)运行平台

根据研究需要,选用 Arc/Info 、Arcview 地理信息系统和 Erdas Imagine 遥感图像处理系统进行分析处理,运用 Arcview 软件制作输出专题图并建立 DEM,运用 Excel 软件进行统计及分析。

Arc/Info 采用一种称为地理关系模型的混合数据模型,在这种模型中,位置数据用矢量和栅格数据结构存储,每个地理特征对应的属性数据统一存储在一组数据库表格中。通过空间和描述属性的连接,实现对空间数据的查询、分析和制图输出。

Arcview GIS 是面向对象的桌面地理信息系统软件平台,它提供了强大的空间分析和可视化功能,不仅操作简单,而且界面友好。利用 Arcview 可以有效实现地图以及空间数据的查询、显示、分析和管理,并完全支持 Arc/Info、CAD、影像数据及 Dbase 和 Info 表格数据等数据格式。用 Arcview 平台可进行 DEM 数据的相关分析与提取工作。

Erdas Imagine 是一种遥感图像处理系统,它以其先进的图像处理技术,友好、灵活的用户界面和操作方式,面向应用领域的产品模块,服务于不同层次用户的模型开发工具以及高度的 RS/GIS 集成功能,为遥感及相关应用领域的用户提供了内容丰富而功能强大的图像处理工具。

二、研究方法

为了实时准确地掌握崔沟径流高效利用示范村措施布设面积、地点、规模等信息,我们利用 Arc/Info 地理信息系统和 Erdas Imagine 遥感图像处理系统,以接收到的高分辨率卫星影像为主要信息源,对崔沟径流高效利用示范村土地利用现状进行了解译,并对主要工程措施进行规划布置。

(一)遥感图像解译与处理

遥感图像是地物电磁波谱特征的实时记录。人们可以根据记录在图像上的影像特征,包括地物的光谱特征、空间特征、时间特征等,来推断地物的电磁波谱性质。不同地物,这些特征和性质不同,在图像上的表现不一,因而可根据它们的变化和差异来识别和区分不同的地物。也就是说,遥感图像的解译是通过遥感图像所提供的各种识别目标的特征信息进行分析、推理与判断,最终达到识别目标与现象的目的。

遥感图像的解译是从遥感影像特征开始。影像特征包括色和形两个方面,前者指影像的色调、颜色、阴影等,其中色调与颜色反映了影像的物理性质;后者指影像的图形结构特征,如大小、形状、纹理结构、图形格式、位置、组合等。它是色调、颜色的空间排列,反映了影像的几何性质和空间关系。遥感图像的解译,依赖于具体应用目的和任务。但是任何目的解译均要通过基本解译要素和具体解译标志来完成。

1.影像预处理

根据研究需要,按照崔沟村村界对图像进行分幅裁剪,首先利用 ERDAS 的 Vector 模块绘制精确的边界多边形(Polygon),然后在 ERDAS 中以 Arc/Info 的 Polygon 为边界条件进行图像裁剪。具体分为两步:

第一步:将 Arc/Info 多边形转换成栅格图像文件;

第二步:通过掩膜运算(Mask)实现图像的裁剪。

经过裁剪之后图像是一幅以崔沟村村界为界线的卫星影像图(彩页 5),便于我们进行分析和处理。

2.影像纠正

研究用的影像数据已经经过了辐射校正、传感器校正、几何校正处理。数据的投影方式为全球 UTM 投影,坐标系统为 WSG84。如果将原始数据用于面积量算,会产生一定的误差,因此需要对影像数据进行纠正、配准和正射纠正。正射纠正的过程是在 Erdas Imagine 系统中进行的,参考数据是崔沟 1:10 000 地形图。

3.影像融合

影像融合也即分辨率融合,是对不同空间分辨率遥感图像的融合处理,使处理后的遥感图像既具有较好的空间分辨率,又具有多光谱特征,从而达到图像增强的目的。为了提高目视解译分类能力和精度,充分利用影像数据的潜力,我们采取了影像融合技术。

QuickBird 多光谱影像进行色彩合成后颜色鲜艳,层次分明,目视解译效果好,空间分辨率为 2.44m;其全色波段空间分辨率为 0.61m,是多光谱影像的 4 倍,但它却是灰度影像,虽然地物界限明显,轮廓清晰,却不易判别地类性质,不适合目视解译。

我们在 ERDAS IMAGINE 系统中选择 Resolution Merge 命令对多光谱影像和全色波段影像进行融合。

融合后的影像既保留了多光谱影像的原始彩色,同时又具有高分辨率全色影像的处理细节,从而提高了影像的清晰度,增强了解译分类能力见前面插页。这样产生的影像比单一多光谱影像或全色波段影像更精确、可靠,保证了分类精度。

(二)外业调查和建立影像解译标志

外业调查是内业解译的基础。通过实地调查,了解试验区的自然、社会、经济状况和水土流失特点、水土保持治理措施等情况,并建立实际地类与影像的对应关系——影像解译标志。在进行每一个地类调查之前,首先对照 1:10 000 地形图在影像上找到该地类的位置,对该地类及其附近的土地利用及水土保持措施等进行预判读,对不能确定的地物依据点(样区)、线(路线)、面(示范村)结合的原则,及时考察确定。力争弄清影像上的每一地物。通过野外调查,建立了示范村的土地利用解译标志,主要为居民点、农地、林地、果园、道路、水库、涝池等土地利用类型。这些解译标志是内业解译的重要依据和参考。

(三)室内解译

1.勾绘图斑及图斑赋码

室内解译是在外业工作的基础上,根据野外调查建立的解译标志,以 Arc/Info 为工作平台,以卫星影像(经过预处理、纠正和融合之后的影像)为主要信息源,在新的图层叠加数字化的 1:10 000 地形图,结合其他信息源及工作经验综合分析,进行图斑勾绘。快鸟影像所包含信息丰富,根据项目研究内容的要求,我们只勾绘其中的土地利用现状信息,包括农地、果园、林地、荒地、居民用地、水域等(如前面插页)。崔沟径流高效利用示范村的土地利用现状和措施布设以图斑为单位,在进行图斑勾绘过程中,对每个图斑赋予相应的属性码(图 1-9)。

2.野外验证及查错修改

验证的主要内容是检查解译图各图斑的划分与地面实际情况的一致性和范围界限的

图 1-9　影像解译过程

准确性。解译过程结束后,将解译结果带到野外进行了实地验证,对解译有误的地方重新进行解译与修改。由于试验过程中采用的卫星影像空间分辨率高,所以塬面解译精度在95%以上,沟谷部位受山体阴影的影响,精度在90%左右。

最后在 Arc/Info 环境下,用 Clean 命令建立拓扑关系,用 Labelerrors 和 Nodeerrors 命令清理完所有假节点和悬节点。用 Createlabels 给空图斑加编码,确保一个 Polygon 里面有一个准确的属性码。

3.面积量算及土地利用现状数据库的建立

土地利用现状数据库包括土地利用现状的图形数据库和土地利用属性数据库,它是土地利用调查的成果,也是土地利用统计和土地利用图编制的基础。在建库之前,首先进行土地利用数据库的设计,包括数据采集分类编码、文件命名、分层及实体定义和确定属性数据结构等。之后,通过基于 Arcview 遥感影像判读系统对影像的判读,获得土地利用图斑数据,以及土地利用部分属性数据,并建立其属性结构表;最后在 ArcGIS 中将土地利用图斑和土地利用其他要素进行叠加分析,完成部分图斑属性的赋值,扣除线状地物的面积等。

在对解译的图形经过拓扑生成、查错、修改等步骤后,在 Arc/info 下产生 pat 文件,用 Tables 命令和 Additem 命令将图斑的编码分离,然后在 Excel 中进行分地类、分措施的土地面积汇总,建立土地利用现状面积和措施布设面积数据库。

(四)崔沟村地形 DEM 的制作

为了更加直观地模拟显示崔沟村地形和地貌情况,以崔沟村 1∶10 000 地形图作为数据源,对地形图进行扫描矢量化后,在 Arcview 中经过添加高程信息、进行光照模拟等步骤后制作完成崔沟村地形 DEM(如前面插页)。

三、研究结果

（一）崔沟村土地利用现状面积统计和措施布设面积统计

在面积量算的基础上生成崔沟径流高效利用示范村土地利用现状面积统计表（见表1-10）和崔沟径流高效利用示范村措施布设面积统计表（见表1-11）。根据土地利用现状面积和措施布设面积进行水资源分析和评价。

表 1-10　崔沟村土地利用现状面积统计

类型	面积（hm^2）	类型	面积（hm^2）
农地	303.9	涝池	0.1
果园	60.7	林地	295.9
居民用地	23.4		
荒地	298.8	总计	1 082.8

（二）土地利用现状图和崔沟径流示范村措施布设图的输出

土地利用现状图是土地利用调查和分析的重要成果之一。为保证成果的标准化，编制前必须进行地图设计，要严格按照土地利用图图式来设计符号、色彩及注记；然后按照地图设计要求建立标准的点、线、面符号库；再对各层数据进行符号化，并编辑修改；最后进行图面整饰和地图输出等。

表 1-11　崔沟村措施布设面积统计

类型	面积（hm^2）	类型	面积（hm^2）
果园	19.4	涝池节灌	3.9
现状涝池	0.1	集水造林	15.2
集流场	0.7	规划林	4.8
水体	2.5	新修涝池	0.5
滴灌果园	19.4	低压管灌果园	22.1
喷灌工程	11.1	总计	99.7

（1）建立符号库。在 ArcMap/Tools/Styles 下，按县级土地利用数据库成果图图式，建立土地利用图的专用点、线、面符号库。

（2）符号化。使用土地利用专用符号库，对各层数据进行编辑，以符合土地利用图图式要求。

（3）注记。需要输入的注记包括各地名、水系名称及宽度、道路名称及宽度、图斑编号等，这些内容都以属性的形式存储在对应的属性数据库中，通过应用工具将其标注出来。

（4）图幅整饰及输出。可按 1:1 万标准分幅或按乡分幅，整饰风格按照县级土地利用图图式要求进行。

经过以上 4 步后，在 Arcview 中绘制输出崔沟径流高效利用示范村土地利用现状图（如前面插页）和崔沟径流高效利用示范村措施布设图（如前面插页）。

四、结语

本研究突破传统模式，利用高分辨率卫星影像进行土地利用调查，以崔沟村为研究区，以高分辨率 QuickBird 卫星影像为主要数据源，主要从技术路线、影像处理技术、影像判读模式和土地利用数据库建立等几个方面，进行了试验和深入探讨，提出了一套有效的技术方案，获得的土地利用调查数据具有较高精度和实用性，能满足我们对区域水资源进行分析评价的应用。研究获得的土地利用现状和措施布设等数据具有较高的精度，能满足我们进行区域水资源分析评价的要求。

（1）利用高分辨率卫星影像数据进行区域水资源分析评价应用，能解决传统分析方法费工、费时以及精度低等问题，是获得区域水土保持措施的一种有效手段。

（2）本研究只是高分辨率卫星影像在水土保持分析、评价中的的一个应用，将高分辨率卫星影像应用于区域水资源分析评价中，一方面可弥补传统调查手段的不足；另一方面为土地利用现状的调查研究和措施的布设提供了新的途径与技术支持。

（3）研究的成果以数字地图形式表现，易于保存、携带、复制、修改和共享，同时还利于建立区域地理信息数据库。

参 考 文 献

[1] 贺伟程.水资源.见:中国资源科学百科全书·水资源学.北京:中国大百科全书出版社,东营:石油大学出版社,2000

[2] 贺伟程.世界水资源.见:中国水利大百科全书·水利.北京:中国大百科全书出版社,1992

[3] 陈家琦,王浩.水资源学概论.北京:中国水利水电出版社,1996

[4] 陈家琦,王浩,杨小柳.水资源学.北京:科学出版社,2002

[5] 笔谈:水资源的定义与内涵.水科学进展,1991,2(3)

[6] 孙广生,乔西现,孙寿松.黄河水资源管理.郑州:黄河水利出版社,2001

[7] 水利电力部水文局.中国水资源评价.北京:水利电力出版社,1987

[8] 陈家琦.中国的水资源.见:钱正英.中国水利.北京:水利电力出版社,1991

[9] 水利电力部水利水电规划设计院.中国水资源利用.北京:水利电力出版社,1989

[10] 李世明,张海敏.世界气象组织,联合国教科文组织.水资源评价——国家能力评估手册.朱庆平译.郑州:黄河水利出版社,2001

[11] 徐恒生.水资源开发与保护.北京:地质出版社,2001

[12] 黑龙江水文总站.区域水资源分析计算方法.北京:水利电力出版社,1987

[13] 冯国章.地表水资源评价.西北农业大学(校内教材),1997

[14] 杨诚芳.地表水资源与水文分析.北京:水利电力出版社,1992

[15] 雒文生.河流水文学.北京:水利电力出版社,1992

[16] 胡方荣,侯宇光.水文学原理(一).北京:水利电力出版社,1991

[17] 张顺联.地下水资源计算与评价.北京:水利电力出版社,1990

[18] 张瑞,吴林高.地下水资源评价与管理.上海:同济大学出版社,1997

[19] 张席儒,赵尔惠,霍崇仁,等.地下水利用.北京:水利电力出版社,1987

［20］全达人.地下水利用.北京:中国水利水电出版社,1996

［21］樊红,詹小国.Arc/info 应用与开发技术(修订版).湖北:武汉大学出版社,2002

［22］汤国安,张友顺,刘永梅,等.遥感数字图像处理 北京:科学出版社,2004

［23］党安荣,王晓栋,陈晓峰,等.ERDAS IMAGINE 遥感图像处理方法.北京:清华大学出版社,2003

［24］赵英时.遥感应用分析原理与方法.北京:科学出版社,2003

［25］王鸿斌.黄河流域宁夏片土壤侵蚀遥感普查实施过程及结果分析.中国水土保持,2003(4):35~36

第二章　塬面水资源的调控利用

第一节　苹果树耗水规律研究

黄土高塬沟壑区是我国优质苹果栽培的最适宜区和主产区,但该区苹果的产量和质量明显受资源性缺水的制约。全区在普及推广果园覆膜、覆草的基础上,充分利用现有水资源,积极推进了果园微灌工程的建设。为了深入探索苹果树的内在耗水规律,建立具有高塬沟壑区特色的科学合理的节水灌溉技术体系,实现微灌水在时间、空间、灌水量、灌水方式等方面的优化配置,在"苹果滴灌试验及节灌制度研究"和"覆盖制苹果园滴灌试验及节灌制度研究"的基础上,开展苹果树耗水规律方面的专项研究,对建立高塬沟壑区苹果园节水灌溉技术体系和指导当地果园水分管理具有十分重要的现实意义。

一、概　述

试验点位于黄河水土保持西峰治理监督局董志试验场。海拔1 300m,年均降水量561.5mm,年有效降水量442mm,年蒸发量1 527mm,干旱指数为2.7;年平均气温8.5℃,平均无霜期160d。果园土壤为黑垆土,土质为粉砂中壤土,土壤容重1.2~1.3 g/cm^3,pH值为7.88,最大田间持水量为27%,腐殖质层厚达50~80cm,土层深厚,土质疏松。试验场栽植8~12年生的苹果树5.7hm^2,主栽品种为红富士。试验树树势健壮、树姿开张、树相整齐、管理规范。园内有机井1眼。1996年建成了半固定式滴灌工程。1997年建成滴灌试验小区1.3hm^2,采用大开挖方式建成面积各为10.0m^2、深度为2.0m的地下全封闭试验测坑4个,在其中2个测坑内移植7年生长富2苹果树各1株,对有树和无树的2组测坑分别采用清耕、覆草进行试验组合处理,共有有底植树清耕(A)、有底植树覆草(B)、有底无树清耕(C)和有底无树覆草(D)4种处理;采用埋设隔离墙的方法建成面积各为10.0m^2、无底的试验测坑2个,在每个测坑内栽植7年生长富2苹果树各1株,分别采用无底植树清耕(E)和无底植树覆草(F)2种处理;对A、B两个测坑的果树进行丰水高产型管理,对E、F两个测坑的果树进行节水优产型管理。共有6个测坑6种试验组合参与试验(见表2-1)。

表2-1　果树耗水规律试验组合

试验组合	有底清耕测坑	有底覆草测坑	无底清耕测坑	无底覆草测坑
有树	A	B	E	F
无树	C	D	/	/

二、材料与方法

(一)果树物候期的确定

选苹果主栽品种长富2号,1997～1998年两年观察记载其萌芽、新梢生长、落叶、休眠、开花、结果等物候期。有些物候期之间有交叉,为便于分析,将全物候期分为8个没有交叉的物候期,即萌芽期(18d)、花期(15d)、新梢旺长期(35d)、新梢停长期(38d)、新梢二次生长期(62d)、果实成熟期(30d)、落叶期(15d)、休眠期(152d)。

(二)试验期间降水量的确定

试验期的降水量采用距试验点500m左右的董志雨量站的降水资料。该降水资料根据自记雨量计和雨量筒监测得到。该雨量站多年从事降水量监测,操作规范,数据可靠。

试验中的月降水量根据逐日降水量表统计得到,月有效降水量是统计日降水大于5mm的降水量,并根据统计结果制成图表进行分析。

(三)试验期间土壤含水率分布规律研究

在苹果树8个物候期的初、末时,采用酒精烧干法,分别观测6个试验处理在10、20、40、60、100、150、200cm7个土层深度的土壤含水率,重复4次,根据观测结果分析6个试验处理在不同时间和不同深度土壤含水率的分布规律。

(四)果树全物候期耗水规律研究

苹果树的耗水量与品种、树龄、树冠、产量、当地气候状况、土壤因素等均有密切关系。覆草处理,每年春季对果树施肥后修整测坑树盘并覆草厚20cm;清耕处理,每年春季对果树施肥后修整测坑,地表常年中耕、锄草,保持疏松、无杂草状态。对有树测坑进行正常的施肥、灌水、修剪等果园管理工作。采用测坑试验的试验方法,具体地,是用水表计测灌水量,其中A、B坑分别灌水90mm,C、D坑分别灌水100mm,E、F坑分别灌水40mm;用酒精烧干法测定各坑各层土壤含水率,重复4次;用自记雨量计和雨量筒观测降水量,用测坑底部的排水口排出的水量确定深层渗漏量,其中A、B、C、D坑全物候期分别渗漏0.9、2.5、6.3、6.7mm;取得可靠的观测数据后依据水量平衡原理,分析确定苹果树各物候期耗水规律。

根据《灌溉试验规范》(SL13—90)中的水量平衡计算公式计算各物候期的耗水量。

$$ET_{1-2} = \pm \Delta h + M + P + K - C \tag{2-1}$$

式中:ET_{1-2}为时段耗水量,mm;M为时段内灌水量,mm;P为时段降水量,mm;K为时段内地下水补给量,用有底测坑条件下$K = 0$,mm;C为时段内下层排水量(测坑无地表排水),mm;Δh为测坑2.0m土层内时段始末土壤含水量变化值,"+"表示消耗,"−"表示增加,mm。

$$\Delta h = 0.1 \sum_{i=1}^{n} \gamma_i H_i (W_{i1} - W_{i2}) \tag{2-2}$$

式中:i为土壤层次号数;n为土壤层次总数目;γ_i为第i层土壤干容重,g/cm^3;H_i为第i层土层厚度,cm;W_{i1}、W_{i2}为第i层土壤在时段始、末的重量含水率,%。

(五)果树全物候期树体耗水规律研究

果树树体耗水量是指根系、主干、枝条、叶子、果实等在全物候期内被消耗的水分量。

选择与测坑果树同龄、大小基本一致的苹果树进行解析,测定解析树的根系、主干、枝条、树叶和果实的年生长量、含水率和耗水量,然后根据试验处理树的干周推算各试验树的根系、主干、枝条、树叶的年生长量、含水率和耗水量,根据各个试验树的产量和果实含水率确定果实的耗水量,进而确定各试验处理苹果树全物候期的树体年耗水量。

(六)果树全物候期蒸发耗水规律研究

试验中采取水量平衡原理,不考虑遮阴的影响,测坑地表处理和日常管理一致,以没有栽树的C、D测坑的耗水量分别模拟果树全物候期没有蒸腾耗水和树体耗水的情况下,作为果树全物候期的蒸发耗水量。

(七)果树全物候期蒸腾耗水规律研究

试验中采用果树耗水量减去蒸发耗水量和树体耗水量之后,作为果树蒸腾耗水量。并对果树耗水量、蒸腾耗水量、蒸发耗水量和树体耗水量之间的关系进行分析。

三、结果与分析

(一)试验期间的降水规律

根据表2-2可知,试验期间降水量为528.8mm,有效降水量为411.2mm,总体为平水年偏枯。但是降水时段比较集中,年内分配十分不均,7、8、9三个月有效降水量达335.0mm,占试验期间总有效降水量的81.5%;2004年1~4月仅有15.4mm的有效降水量,在2004年11月至2005年4月长达6个月没有有效降水,占62.5%的时段有效降水量仅占全部有效降水量的3.7%。为了保证果树基本的水分需求,在2004年春季,6个测坑都进行了灌溉。因此,果树每年春季灌溉是十分必要的。

表2-2 试验期间降水量和有效降水量

时间(年.月)	2004.1	2004.2	2004.3	2004.4	2004.5	2004.6	2004.7	2004.8
降水量(mm)	3.3	8	8.2	10.9	38.9	38.5	144.1	116.6
有效降水量(mm)	0	5.5	0	9.9	32.2	18.8	137.1	107.6
时间(年.月)	2004.9	2004.10	2004.11	2004.12	2005.1	2005.2	2005.3	2005.4
降水量(mm)	97.6	19.4	7.1	10.1	0.1	13.2	7	5.8
有效降水量(mm)	90.3	9.8	0	0	0	0	0	0

(二)试验期间各处理土壤含水率分布规律

1.试验期间各处理不同时间10cm深度土壤含水率分布规律

根据6种处理在10cm深度土壤含水率的变化(见表2-3、图2-1)分析,在苹果树萌芽前,A、B坑土壤含水率最大,E、F坑土壤含水率次之,C、D坑土壤含水率最小;在苹果树休眠期末,C、D坑土壤含水率最大,E、F坑土壤含水率次之,A、B坑土壤含水率最小。由此说明,覆盖处理比清耕处理更容易保持土壤水分,可以提高土壤含水率1.05~5.15个百分点。4月下旬至9月下旬,由于降水变幅大,果树时段耗水量大,加上灌溉、气温等因素,使土壤含水率的变幅很大;9月下旬至次年4月中旬,降水量小,果树时段耗水量也小,使土壤含水率的变幅也比较小。因此,加强4月下旬至9月下旬土壤水分管理是果园水分管理的重中之重。

表 2-3　各处理不同时段 10cm 土壤含水率　　　　　　　　　（%）

观测日期（年.月.日）	A	B	C	D	E	F
2004.4.2	22.23	19.05	13.08	12.43	13.35	16.05
2004.4.20	24.03	17.38	15.10	10.90	14.28	15.43
2004.5.5	24.18	20.23	21.50	21.50	16.50	18.30
2004.6.11	24.87	29.21	24.03	26.79	12.57	16.21
2004.7.19	18.67	15.08	18.85	26.38	16.89	19.45
2004.9.2	24.57	23.06	22.38	21.43	24.43	19.84
2004.10.2	17.95	15.12	20.62	21.42	18.73	19.66
2004.11.5	17.07	16.59	19.84	22.06	19.42	21.23
2005.4.2	17.28	15.82	18.50	23.00	17.68	21.43
平均	21.21	19.06	19.32	20.66	17.09	18.61

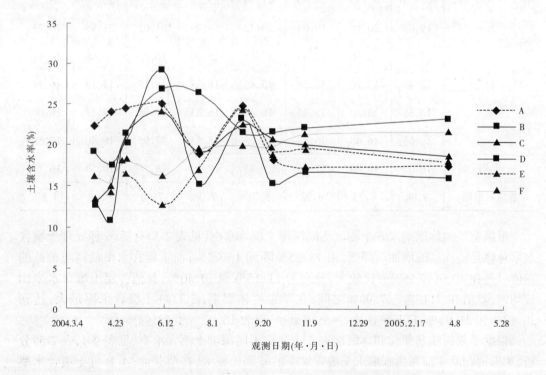

图 2-1　各处理 10cm 深土壤含水率变化

A、B 坑在 4 月中旬和 5 月中旬分别灌水 40mm 和 50mm，使土壤含水率总体比较高，由于 B 坑的覆盖节水作用，在苹果树萌芽前 B 坑土壤含水率比 A 坑低 3.18% 的基础上，到苹果树休眠期末仅比 A 坑低 1.46%。

C、D 坑在 5 月中旬灌水 100mm，使土壤含水率与 A、B 坑基本一致，但是，由于 C、D

坑中没有果树,无果树蒸腾耗水,因此使C、D坑土壤含水率由苹果树萌芽前的最小变为苹果树休眠期末的最大;由于D坑的覆盖节水作用,使D坑土壤含水率在苹果树萌芽前比C坑低0.65%,变为休眠期末比C坑高4.50%。

E、F坑在4月下旬灌水40mm,基本满足果树生长的水分需求,土壤含水率变幅比较小,基本保持了土壤水分的稳定。由于F坑的覆盖节水作用,在苹果树萌芽前F坑土壤含水率比E坑高2.7%的基础上,到苹果树休眠期末比E坑高3.75%。

2.各处理不同深度土壤含水率分布规律

根据苹果树萌芽前6个测坑不同深度土壤含水率(见表2-4)分析,6种处理土壤含水率总体是随深度的增加而提高,由16.03%提高到19.50%;而土壤含水率的差值在60cm以上随深度的增加而减少,在60cm以下随深度的增加而增加,6种处理在60cm土壤含水率最高与最低的差值最小,为5.75%;A、B坑土壤含水率最大,达到20.28%和23.23%,E、F坑土壤含水率次之,C、D坑土壤含水率最小,仅为15.41%和16.14%。

表2-4　苹果树萌芽前6个测坑不同深度土壤含水率　　　　　（%）

试验处理	10cm	20cm	40cm	60cm	100cm	150cm	200cm	平均
A	22.23	22.53	23.80	21.38	23.78	23.55	25.68	23.28
B	19.05	20.18	19.03	20.45	19.90	21.05	21.98	20.23
C	13.08	14.98	14.88	15.63	16.70	16.00	16.60	15.41
D	12.43	13.20	17.78	15.65	18.58	18.15	17.18	16.14
E	13.35	13.50	15.45	18.40	18.23	15.95	17.13	16.00
F	16.05	16.40	16.68	19.08	18.53	17.95	18.40	17.58
平均	16.03	16.80	17.94	18.43	19.29	18.78	19.50	18.11
最高－最低	9.80	9.33	8.92	5.75	7.08	7.60	9.08	7.87

根据苹果树休眠期末6个测坑不同深度土壤含水率(见表2-5)分析,6种处理土壤含水率总体是随深度的增加而降低,由18.95%降到16.72%;而土壤含水率最高与最低的差值只是在40cm和150cm比较大,分别为11.15%和10.40%,其他各层土壤含水率比较均匀,差值在7.18%～7.90%之间;在苹果树休眠期,C、D坑土壤含水率最大,达到20.12%和21.91%,E、F坑次之,A、B坑最小,仅为16.02%和13.74%。

根据苹果树在萌芽前和休眠期末6个测坑不同深度土壤含水率(见表2-4、表2-5)分析,苹果树在萌芽前和休眠期末土壤含水率的差别比较大,在萌芽前,A、B坑土壤含水率最大,E、F坑土壤含水率次之,C、D坑土壤含水率最小;在休眠期末,C、D坑土壤含水率最大,E、F坑土壤含水率次之,A、B坑土壤含水率最小。苹果树在休眠期末土壤平均含水率与萌芽前相比,A、B坑土壤平均含水率比萌芽前低6.49～7.26个百分点;C、D坑土壤平均含水率比萌芽前高4.71～5.77个百分点;E、F坑土壤平均含水率比萌芽前高1.04～2.15个百分点。

表 2-5 苹果树休眠期末 6 个测坑不同深度土壤含水率 （%）

试验处理	10cm	20cm	40cm	60cm	100cm	150cm	200cm	平均	初末差值
A	17.28	17.12	16.51	15.43	15.66	15.25	14.86	16.02	7.26
B	15.82	14.19	14.58	13.30	12.12	12.54	13.63	13.74	6.49
C	18.50	20.72	21.37	20.03	19.13	20.93	20.13	20.12	−4.71
D	23.00	19.86	25.73	21.15	19.63	22.94	21.03	21.91	−5.77
E	17.68	16.34	19.03	19.31	15.14	17.23	14.57	17.04	−1.04
F	21.43	22.09	19.59	20.09	19.91	18.91	16.12	19.73	−2.15
平均	18.95	18.39	19.47	18.22	16.93	17.97	16.72	18.09	/
最高−最低	7.18	7.90	11.15	7.85	7.79	10.40	7.40	8.17	/

(三)果树全物候期耗水规律

根据 6 种处理全物候期耗水试验结果(见表 2-6)分析,采取丰水高产型清耕的 A 坑耗水量最大,达 711.3mm,丰水高产型覆盖的 B 坑耗水量次之,比 A 坑耗水少 19.4mm,节水 2.8%;采取节水优产型清耕的 E 坑耗水量为 455.3mm,节水优产型覆盖的 F 坑耗水量比 E 坑耗水少 28.6mm,节水 6.7%;采取清耕的 C 坑耗水量为 408.3mm,覆盖的 D 坑耗水量比 C 坑耗水少 12.3mm,节水 3.1%。覆盖处理比清耕处理节水 2.8%～6.7%,采取节水优产型管理的果园,覆盖比清耕节水效果更好。总体上采取节水优产型管理的果树耗水量明显小于丰水高产型管理的果园,耗水量小 256.0～265.2mm,节水 56.2%～62.2%,管理节水比覆盖措施节水效果更显著。

表 2-6 6 种处理苹果树全物候期耗水情况

项目	A	B	C	D	E	F
Δh(mm)	200.9	183.1	−106.7	−118.6	−6.0	−34.6
灌水量(mm)	90.0	90.0	100.0	100.0	40.0	40.0
有效降水量(mm)	421.3	421.3	421.3	421.3	421.3	421.3
排水量(mm)	0.9	2.5	6.3	6.7	/	/
耗水量(mm)	711.3	691.9	408.3	396.0	455.3	426.7
耗水强度(mm/d)	1.95	1.90	1.12	1.08	1.25	1.17

(四)果树全物候期树体耗水规律

根据试验观测(表 2-7),4 株试验树干周基本一致、其他管理一致的条件下,由于采取了不同的果树水分管理方法,产量也各不相同,其中采用丰水高产型的试验树的产量明显高于节水优产型的试验树,株产高 9.7～15.5kg。

表 2-7 试验期间果树的干周和产量

试验树编号	被解析树	A	B	E	F
干周(cm)	47.5	53.5	55.0	51.5	58.0
产量(kg)	/	63.7	61.4	48.2	51.7

根据对解析树各器官含水率的测定(见表 2-8)分析,以果实的含水率最高,达到84.47%,以枝干的含水率最低,为 38.85%～44.79%,各器官含水率由高至低依次为果实＞叶片＞根系＞枝干。

表 2-8 试验果树各器官含水率 （%）

项目	枝干					根系			叶片	果实
	主干	主枝	侧枝	辅养枝	1年枝	主根	侧根	须根		
含水率	43.05	41.93	39.74	38.85	44.79	52.72	53.35	31.02	58.96	84.47

注:含水率在 24 小时内测定,须根含水率由于测定时已失水,所以比较低。

通过试验观测分析果树全物候期树体耗水规律的成果(见表 2-9),果实是树体耗水的主要器官,耗水量达 40.71～53.81kg,占树体总耗水量的 67.9%～73.9%;叶片也是树体耗水的重要器官,除了进行蒸腾作用消耗水分外,叶片本身耗水也比较大,占树体总耗水量的 11.5%～14.2%;枝干耗水比叶片稍小,占树体总耗水量的 11.2%～13.7%;根系的耗水量最小,仅占树体总耗水量的 3.4%～4.2%。果树全物候期树体总耗水量为 5.9～7.3mm,占果树总耗水量的 1.0%～1.5%,因此树体年耗水量相对于蒸发耗水和蒸腾耗水来讲只是很小的一部分。

表 2-9 苹果树全物候期树体耗水情况

项目		试验编号							
		A		B		E		F	
		kg	占%	kg	占%	kg	占%	kg	占%
耗水量	枝干	8.12	11.2	8.35	11.7	7.82	13.3	8.80	13.7
	根系	2.48	3.4	2.55	3.6	2.39	4.0	2.69	4.2
	叶片	8.40	11.5	8.63	12.1	8.08	13.7	9.10	14.2
	果实	53.81	73.9	51.86	72.6	40.71	69.0	43.67	67.9
	总计	72.81	100.0	71.39	100.0	59.00	100.0	64.26	100.0
总耗水(mm)		7.3		7.1		5.9		6.4	

(五)果树全物候期蒸发耗水规律

以 C 坑和 D 坑的耗水量分别代表清耕和覆盖条件下果树的蒸发耗水量,因此清耕条件下果树的蒸发耗水量为 408.3mm,占果树总耗水量的 57.4%～89.7%,覆盖条件下果树的蒸发耗水量为 396.0mm,占果树总耗水量的 57.2%～92.8%;覆盖比清耕蒸发耗水量减少

12.3mm,也就是比清耕节省蒸发耗水3.1%。因此,蒸发耗水是果树耗水的主要原因。

(六)苹果树全物候期蒸腾耗水规律

通过对果树全物候期耗水规律的观测和分析(见表2-10),果树采用不同的水分管理方法,对果树的蒸腾耗水量具有显著影响,采用丰水高产型管理的果树蒸腾耗水量达288.9~295.8mm,占果树总耗水量的42.0%,而采用节水优产型管理的果树蒸腾耗水量仅24.3~41.1mm,占果树总耗水量的5.7%~9.0%;由于采取覆盖措施,对蒸发耗水量具有明显的节水效果外,对蒸腾耗水量也产生间接影响,减少果树蒸腾耗水量6.9~16.8mm。

表 2-10　苹果树全物候期蒸腾耗水情况

项目	试验编号							
	A		B		E		F	
	mm	占%	mm	占%	mm	占%	mm	占%
总耗水量	711.4	100.0	692.0	100.0	455.3	100.0	426.7	100.0
树体耗水量	7.3	1.0	7.1	1.0	5.9	1.3	6.4	1.5
蒸发耗水量	408.3	57.4	396.0	57.2	408.3	89.7	396.0	92.8
蒸腾耗水量	295.8	41.6	288.9	41.8	41.1	9.0	24.3	5.7

无论采取哪种水分管理方式,蒸发耗水是果树耗水的主要形式,占果树总耗水量的57.2%~92.8%;蒸腾耗水量是果树耗水的重要形式,占果树总耗水量的5.7%~41.8%;树体耗水量差别比较小,只占果树总耗水量的1.0%~1.5%。

四、结　论

(1)试验期间降水总体为平水年偏枯,但是降水时段比较集中,年内分配十分不均,7、8、9三月有效降水量达335.0mm,占试验期间总有效降水量的81.5%,在每年11月至次年4月长达6个月有效降水稀少,在62.5%的时段,有效降水量仅占全部有效降水量的3.7%。因此,果树每年春季灌溉是十分必要的。

(2)在苹果树萌芽前,高水丰产型管理的测坑土壤含水率最大,节水优产型管理的测坑土壤含水率次之,无树的测坑土壤含水率最小;在休眠期末,无树的测坑土壤含水率最大,节水优产型管理的测坑土壤含水率次之,高水丰产型管理的测坑土壤含水率最小;覆盖处理比清耕处理更容易保持土壤水分,可以提高土壤含水率1.05~5.15个百分点;4月下旬至9月下旬土壤含水率的变幅很大;9月下旬至次年4月中旬土壤含水率的变幅也比较小。因此,加强4月下旬至9月下旬土壤水分管理是果园水分管理的重中之重。

(3)萌芽前6种处理土壤含水率总体是随深度的增加而提高,由16.03%提高到19.50%;休眠期末土壤含水率总体是随深度的增加而降低,由18.95%降到16.72%。

(4)采取丰水高产型清耕的A坑耗水量最大,达711.4mm,丰水高产型覆盖的B坑耗水量次之,比A坑耗水少19.4mm,节水2.8%;采取节水优产型清耕的E坑耗水量为

455.3mm,节水优产型覆盖的 F 坑耗水量比 E 坑耗水少 28.6mm,节水 6.7%;采取清耕的 C 坑耗水量为 408.3mm,覆盖的 D 坑耗水量比 C 坑耗水少 12.3mm,节水 3.1%。覆盖处理比清耕处理节水 2.8%~6.7%,采取节水优产型管理的果园,覆盖比清耕节水效果更好。总体上采取节水优产型管理的果树耗水量明显小于丰水高产型管理的果园,耗水量小 256.0~265.2mm,节水 56.2%~62.2%,管理节水比覆盖措施节水效果更显著。

(5)采用丰水高产型的试验树的产量明显高于节水优产型的试验树,株产高 9.7~15.5kg。

苹果树各器官以果实的含水率最高,达到 84.47%,以枝干的含水率最低,为 38.85%~44.79%,各器官含水率由高至低依次为果实>叶片>根系>枝干。

果实是树体耗水的主要器官,耗水量达 40.71~53.81kg,占树体总耗水量的 67.9%~73.9%;叶片也是树体耗水的重要器官,除了进行蒸腾作用消耗水分外,叶片本身耗水也比较大,占树体总耗水量的 11.5%~14.2%;枝干耗水比叶片稍小,占树体总耗水量的 11.2%~13.7%;根系的耗水量最小,仅占树体总耗水量的 3.4%~4.2%。果树全物候期树体总耗水量为 5.9~7.3mm,占果树总耗水量的 1.0%~1.5%,因此树体年耗水量相对于蒸发耗水和蒸腾耗水来讲只是很小的一部分。

(6)清耕条件下果树的蒸发耗水量为 408.3mm,占果树总耗水量 57.4%~89.7%,覆盖条件下果树的蒸发耗水量为 396.0mm,占果树总耗水量 57.2%~92.8%;覆盖比清耕蒸发耗水量减少 12.3mm,比清耕节省蒸发耗水 3.1%。

(7)无论采取哪种水分管理方式,蒸发耗水是果树耗水的主要形式,占果树总耗水量的 57.2%~92.8%;蒸腾耗水量是果树耗水的重要形式,占果树总耗水量的 5.7%~41.8%;树体耗水量差别比较小,只占果树总耗水量的 1.0%~1.5%。

第二节　清耕制苹果滴灌试验及节灌制度研究

黄土高塬沟壑区是我国优质苹果栽培的最适宜区。苹果业成为当地高效农业中的主导产业而得到较快发展。该区水资源十分缺乏,为了充分利用现有水资源,使果业生产再上新台阶,全区上下大力建设果园微灌工程。为了进一步提高滴灌水的有效利用率,使工程节水与管理节水相结合,建立具有高塬沟壑区特色的节水灌溉体系,实现滴灌水在时间、空间、灌水量、灌水方式等方面的优化配置,也就是采取适宜的灌水方式,将适宜的灌水量,在适宜的时间,灌到适宜的部位(即"四适宜"),我们进行了苹果滴灌试验及节灌制度方面的研究,为微灌工程提供理论参考。

一、试验点概况

试验点位于黄河水土保持西峰治理监督局董志试验场。该场栽植 4~8 年生的优质苹果 5.7hm²,主栽品种为红富士,树势健壮,树姿开张,树相整齐,管理规范。园内有机井 1 眼。1996 年建成半固定式滴灌工程。1997 年建成滴灌试验小区 1.3hm²,采用大开挖方式建成面积各为 10.0m²、深度为 2.0m 的地下全封闭试测坑 2 个,在每个测坑内移植 7 年生长富 2 号苹果树各 1 株。

二、材料与方法

(一)苹果耗水规律研究

苹果的耗水量与品种、树龄、当地气候状况、土壤因素等均有密切关系。通过测坑和大田相结合,以测坑为主的试验方法,采用水表计测灌水量,用9109-Ⅱ型查墒仪测定土壤含水率,用自记雨量计观测降水量,利用测坑下排水口排出的水量确定深层渗漏量等方法,取得可靠数据,然后依据水量平衡原理,分析确定苹果树各生育期耗水规律。

根据式(2-1)和式(2-2)计算各物候期的耗水量。

(二)苹果适宜灌水次数、灌水定额及最佳灌水期研究

根据苹果树枝条、果实生长发育特点及苹果需水规律,结合当地降水资料,以确定苹果滴灌的最佳灌水期、灌水次数、灌水定额等指标。

(三)苹果灌水最佳部位试验

试验采用半固定式燕山滴灌,共布设8条内径为Φ10mm的毛管,每条毛管58个Φ0.95mm微管滴头,滴头间距0.7m,布设在株行距为3m×4m的果园中,设计灌水定额330.0m³/hm²,滴头灌水定额50L/个。在0~40cm土层中,土壤含水率低于50%最大田间持水量时进行灌水,每个滴头滴水量分别达到2.5、5.0、7.5、10.0、15.0、20.0、25.0、30.0、40.0、50.0L等10个处理水平时,分别开挖5个滴头湿润剖面,求平均值,得到该滴水量时典型湿润剖面。同时选择3~7年生生长健壮、干周基本一致的4株长富2号果树,在树干南侧和东侧沿90°划线从外向主干附近挖土刨根,调查根系在水平与垂直方向的分布区域及根量。

三、结果与分析

(一)苹果耗水规律

1.苹果物候期的界定

选苹果主栽品种长富2号,从1997~1998年连续观察记载其萌芽、新梢生长、落叶物候期和开花、结果物候期。确定红富士苹果在陇东塬区从发芽到落叶为216~223d,为了计算方便,将全物候期分为萌芽期(16d)、花期(13d)、新梢旺长期(37d)、新梢停长期(29d)、新梢二次生长期(63d)、果实成熟期(39d)、落叶期(21d)等共7个物候期。

2.苹果各物候期耗水量及耗水规律

苹果从萌芽期到落叶期,在长达218d的全物候期中,总耗水量为416.3mm,平均耗水强度1.91mm/d。但各物候期的耗水量差异很大(见表2-11),其耗水规律如下。

(1)萌芽期。4月上中旬为萌芽期。由于果树还没有抽生枝条,地表土壤含水率较小,使果树的蒸腾蒸发量较小,耗水强度在全物候期内最小,仅为1.09mm/d,占全生育期平均耗水强度的63%;时段模数7.3%的萌芽期耗水模数为4.2%,耗水量明显较小。但由于萌芽前土壤含水率已很低,不论幼龄期或盛果期果树均应在萌芽前灌水,以有效地利用上年的贮藏营养,促进萌芽、开花、坐果,扩大叶面积,增强光合作用,预防抽条等自然灾害。

(2)花期。4月下旬至5月上旬为花期。树体已开始正常生长,特别是盛花期果树,耗水量明显增大,耗水强度为1.80mm/d,由于萌芽前已灌水,因而土壤墒情能满足花期

果树生长需要,此期可适当控制灌水。

表 2-11　苹果各物候期耗水量

物候期	时段水量变化值 Δh (mm)	时段灌水量 M (mm)	时段有效降水量 P (mm)	时段排水量 C (mm)	时段需水量 ET_{1-2} (mm)	时段天数	耗水强度 (mm/d)	耗水模数 (%)	时段模数 (%)
萌芽期	-9.6	0	27.2	0.1	17.5	16	1.09	4.2	7.3
花期	14.4	0	9.1	0.1	23.4	13	1.80	5.6	6.0
新梢旺长期	52.6	0	45.7	0.2	98.1	37	2.65	23.6	17.0
新梢停长期	-40.8	0	75.9	1.0	34.1	29	1.18	8.2	13.3
新梢二次生长期	-4.3	0	146.2	2.3	139.6	63	2.22	33.5	28.9
果实成熟期	34.3	5.0	39.8	0	79.1	39	2.03	19.0	17.9
落叶期	24.5	0	0	0	24.5	21	1.17	5.9	9.6
全生育期	71.1	5.0	343.9	3.7	416.3	218	1.91	100.0	100.0

(3)新梢旺长期。5月上旬至6月上旬为新梢旺长期。此期为苹果的需水临界期,生长旺盛,叶片蒸腾作用强烈,若供水不足,会引起大量落果及春梢生长量不足,也影响果实发育和花芽分化。果树耗水强度在全生育期内最大,为2.65mm/d,在时段模数17%的新梢旺长期耗水模数为23.6%。无论树龄大小,均应在新梢旺长前灌水,以保证春梢和果实正常生长。

(4)新梢停长期。6月中旬至7月上旬为新梢停长期。果树耗水明显减少,耗水强度为1.18mm/d,时段模数13.3%的新梢停长期耗水模数为8.2%。此期正处于花芽分化期,适度干旱有助于花芽分化,为翌年丰产创造条件。

(5)新梢二次生长期。7月中旬至9月上旬为新梢二次生长期,也是果实迅速膨大期。此期耗水强度2.22mm/d,由于正值伏期高温,叶面积大,蒸腾作用强烈,虽然进入集中降雨期,但降水时空分布不均,土壤蒸发量大,是果树需水量最大的时期。此期耗水量达139.6mm,在时段模数28.9%的新梢二次生长期耗水模数达33.5%。此期应根据墒情适量灌水,可增大果个和提高产量,有利于花芽分化,为果树丰产稳产创造条件。

(6)果实成熟期。9月中旬至10月中旬为果实成熟期。耗水强度为2.03mm/d,在时段模数17.9%的果实成熟期耗水模数19.0%。此期应控制灌水,提高果实的品质。

(7)落叶期。10月下旬至11月上旬为落叶期。这时耗水明显减少,耗水强度为1.17mm/d,在时段模数9.6%的落叶期耗水模数仅为5.9%。这时结合秋翻地和施基肥灌水,可促进有机肥料腐解,便于果树迅速吸收,提高肥效,增加冬季树体营养积累。此期灌水是保证长达5个月休眠期的水分需要,宜灌透、灌足。

(二)苹果适宜灌水次数、灌水定额及最佳灌水期

1.苹果新梢生长动态

选7年生生长健壮的长富2号苹果树,在树冠外围选定15个延长枝新梢,每10d测定一次枝条长度,到新梢停止生长为止,结果见表2-12。

表2-12 长富2号新梢、果实生长动态

观测项目	测定日期(月·日)															
	5.12	5.22	6.1	6.11	6.22	7.1	7.11	7.21	7.31	8.12	8.21	8.31	9.11	9.21	9.30	10.6
新梢长(cm)	11.8	18.9	26.5	34.6	40.7	46.3	52.0	58.9	64.5	68.6	71.1	72.9	74.7	75.7	76.3	76.7
果实纵径(cm)		1.97	2.63	3.39	3.77	4.13	4.65	5.13	5.51	5.82	6.21	6.28	6.61	6.72	6.79	6.69
果实横径(cm)		1.57	2.42	3.33	3.91	4.41	5.10	5.71	6.18	6.66	6.96	7.06	7.32	7.63	7.94	8.08
果形指数		1.25	1.09	1.02	0.96	0.94	0.91	0.90	0.89	0.87	0.89	0.89	0.90	0.88	0.86	0.86

长富2号苹果新梢加速生长期从5月12日到6月11日,一个月的生长量占年生长总量的一半;从6月11日到7月1日为缓慢生长期,而第二次加速生长期从7月2日到7月21日,但生长量小;7月22日以后渐呈缓慢生长趋势。

2.苹果果实生长动态

选7年生生长健壮长富2号苹果树1株,按距离法25cm疏果后在其外围选定果实15个,每10天测定一次纵径、横径,到采收时为止,结果见表2-12。

长富2号苹果果实生长速率呈单S曲线形式。6月11日至7月1日和7月下旬是果实的两个生长缓慢期,这与新梢的生长规律是基本一致的。而此时正是苹果花芽分化期,说明苹果花芽分化需要充足的营养和适量的水分供应。随着果实的生长发育,果形指数有降低的趋势,果形指数由最初的1.25降至采收时的0.86。因此,在生长前期创造适宜幼果生长的水、肥、气、热对提高果形指数具有重要作用。

3.苹果适宜滴灌次数、滴灌定额及最佳灌水期

根据苹果全物候期的需水规律和枝条、果实生长发育的特点分析,黄土高原沟壑区在降水保证率50%的平水年,幼龄树滴灌3次,盛果期树滴灌4次为宜。最佳灌水期为萌芽前、新梢旺长前、果实迅速膨大期和封冻前4个灌水期。幼龄果树全年灌溉定额570m³/hm²,盛果期树全年灌溉定额1 030m³/hm²(见表2-13)。在降水保证率75%的中等干旱年份,灌水定额增大10%～20%,灌水次数为4～5次,果实膨大期灌水2次;在降水保证率95%的特旱年份,灌水定额增大15%～30%,灌水次数为5～6次,新梢旺长期、果实膨大期各灌2次。

(1)萌芽前(3月下旬)灌水。幼龄树按计划湿润层0.4m,土壤湿润比40%进行滴灌,灌水定额160m³/hm²;盛果期树按计划湿润层0.5m,土壤湿润比40%进行滴灌,灌水定额200m³/hm²。此期灌水可有效利用先年贮藏养分,促进萌芽、开花、坐果、扩大叶面积,增强光合作用。

(2)新梢旺长前(5月初)灌水。幼龄树按计划湿润层0.4m,土壤湿润比40%进行滴

灌,灌水定额 160m³/hm²;盛果期树按计划湿润层 0.6m,土壤湿润比 40%进行滴灌,灌水定额 240m³/hm²。此期是苹果新梢旺长和幼果膨大并进的时期,叶片蒸腾作用强,是苹果的需水临界期,若水分不足,不仅影响春梢生长和果实发育,而且还会严重影响花芽分化,从而导致翌年产量的大幅度下降。

表 2-13　苹果滴灌灌水定额(平水年)

项目	幼龄树			盛果期树			
	萌芽前 (3月下旬)	新梢旺长前 (5月初)	封冻前 (10月下旬至 11月上旬)	萌芽前 (3月下旬)	新梢旺长期 (5月初)	果实膨大期 (7~8月)	封冻前 (10月下旬至 11月上旬)
计划湿润层 深度(m)	0.4	0.4	0.5	0.5	0.6	0.6	0.7
土壤湿润比 (%)	40	40	50	40	40	40	50
灌水定额 (m³/hm²)	160	160	250	200	240	240	350

(3)果实迅速膨大期(7~8月)灌水。幼龄树控制秋梢生长,此期除非特别干旱,一般年份可不灌水;盛果期树按计划湿润层 0.6m,土壤湿润比 40%进行滴灌,灌水定额 240m³/hm²。此期灌水能促进果实增大和提高产量,且有利于花芽分化,为翌年丰产创造条件。

(4)封冻前(10月下旬~11月上旬)灌水。幼龄树按计划湿润层 0.5m,土壤湿润比 50%进行滴灌,灌水定额 250m³/hm²;盛果期树按计划湿润层 0.7m、土壤湿润比 50%进行滴灌,灌水定额 350m³/hm²。封冻前灌水,能促进有机肥料腐解,满足果树休眠期的水分要求,增加冬季树体营养积累,防止冬季抽条。

(三)苹果最佳灌水部位

1.滴灌水分在土壤中移动规律

试验前首先对各层土壤含水率进行测定,地表 40cm 内土壤平均含水率降至 12%以下,然后进行滴灌湿润土体观察,记载水分在土壤中移动状况(见表 2-14)。

每个滴头在滴水量小于 5.1L 时,水分在 0~10cm 的土层内,水平方向的移动速度大大快于下渗速度,宽深比为 2.2:1。在滴水量 5.1~10.0L 时,由于犁底层的阻隔作用,水分下渗极为缓慢,而在 10~20cm 的耕作层内水平方向的滴灌扩展速度相当快。滴灌 10L 同 5.1L 相比,水分下渗仅增加 3cm,而土壤 10cm 处的湿润直径增加 21.6cm,土壤 20cm 处水平湿润直径由 22cm 增到 50.4cm;在滴水量由 10L 增加到 15.4L 时,水分渗透过坚实的犁底层(约 10cm)后,其下渗速度显著加快,下渗深度净增 19.6cm,而地表湿润直径仅扩大 6.8cm;当滴水量大于 15.4L 时,由于犁底层下的土壤含水率明显大于耕作层,水分在 0~40cm 的土体内快速扩展,地表湿润直径与下渗深度比为 1.8:1;滴头滴水量达到

50L 时,地表湿润直径为 110.0cm,下渗深度 68.6cm,宽深比为 1.6:1。总之,随着滴水量的不断增加,土壤湿润剖面也在不断扩大,地表湿润形状由最初的小圆斑发展成链状圆斑,最后形成宽度为 1m 左右、深度近 70cm 的湿润条带。

表 2-14　滴灌水分在土壤中移动状况

项目		灌水处理号									
		A	B	C	D	E	F	G	H	I	J
灌水量(L/个)		2.5	5.1	7.8	10.0	15.4	21.3	25.0	30.0	40.0	50.0
最大湿润深度(cm)		19.0	23.8	24.0	26.8	46.4	52.6	55.0	61.0	62.2	68.6
不同土层深度的湿润直径(cm)	0	41.4	52.0	53.5	56.8	63.2	98.0	98.8	104.5	106.0	110.0
	10.0	20.0	40.0	49.2	61.6	65.6	86.2	90.6	93.4	102.8	112.0
	20.0		22.0	30.2	50.4	54.4	71.6	78.4	80.4	89.2	100.0
	40.0				31.2	53.6	61.6	71.6	80.2	83.2
	60.0								9.0	10.0	27.0

注:灌水停止 1h 后测定。

2.苹果树根系分布情况

不同树龄的长富 2 号苹果根系调查结果显示,3～4 年生的苹果树,一般树冠扩展最快,根系伸展也最快,但总根数较少,特别是吸收根少,果树地上部延长枝生长旺盛,春梢长度一般大于 1.0m,但短枝形成数量少、质量差,因而成花困难;5 年生果树已进入初果期,根系在空间分布上继续向外向下扩展,总根量与吸收根分别比 3、4 年生果树增加 23%左右,果树延长枝生长较旺,春梢长度一般大于 0.8m,短枝数量快速增加。6～7 年生苹果树,根系分布范围继续扩展的同时,根量高速增加,在 0～40cm 土层中,单株果树总根量和吸收根量分别达到 5 000 余条,比 4 年生果树增加 3 倍左右(见表 2-15)。

表 2-15　不同树龄果树根系分布情况

树龄(年)	果树品种	砧木类型	干周(cm)	树高(cm)	冠径(cm)	根系($d \geqslant 2mm$)			吸收根($d < 2mm$)		
						水平分布(cm)	垂直分布(cm)	根量(根)	水平分布(cm)	垂直分布(cm)	根量(根)
3	长富 2 号	山定子	17.5	319	265	<131	3～45	81	4～90	9～29	1 343
4	长富 2 号	山定子	21.6	330	330	<132	0～45	88	10～92	1～34	1 356
5	长富 2 号	山定子	23.8	345	350	<149	0～54	102	23～113	9～35	1 674
6	长富 2 号	山定子	27.6	360	370	<185	3～63	608	0～115	6～37	5 187
7	长富 2 号	山定子	34.5	390	370	<183	11～70	696	0～125	11～44	5 215

3.滴灌湿润土体与果树根系的耦合状态

为提高滴灌水的利用效率,滴灌湿润土体应与果树根系分布达到耦合状态,也就是说,应将水最大限度地滴灌到果树吸收根分布最密集的区域内。经调查,在水平方向上,果树吸收根主要分布在冠径的 2/3～1/3 处,滴灌时毛管应放置到树冠冠径的 2/3 到 1/3 的地面中间,这样,滴灌随着树体的生长、树冠的增加而向外延伸,支持和诱导果树根系向外发展。在垂直方向上,吸收根具有成层分布的特点,吸收根主要分布于 5～50cm 的土层范围内,其中,5～30cm 的土层为吸收根密集区。当滴水量达 20L 时,水分下渗深度为 55.0cm,地表湿润直径 98.8cm,滴灌湿润带与苹果根系分布耦合状态最佳。因此,每个滴头滴水量 20L 即每公顷 160m³,为每次每公顷滴灌的最佳灌水量。

滴灌毛管的布设方式对果树根系与湿润土体耦合状态有着重要影响。由于果树吸收根主要在树冠 1/3～2/3 中间,呈圆环状分布的特点,在毛管布设时应以苹果树主干为中心,布设成 S 形。这种布设方式,果树根系与湿润土体耦合状态明显优于直线布设方式,由于半固定式滴灌的毛管能够灵活移动,在保证果树根系与湿润土体最佳耦合状态,提高水分利用率,促进根系发育等方面,较固定式滴灌具有更大的优越性,所以是一种值得推广的果园微灌方式。

四、结　论

(1)陇东旱塬区苹果萌芽至落叶共为 216～223d,分为萌芽期、花期、新梢旺长期、新梢停长期、新梢二次生长期、果实成熟期、落叶期等 7 个物候期。

(2)苹果全物候期需水量为 416.3mm,而同期有效降水量为 343.9mm,占需水量的 83%。其中 60% 的年份降水满足不了需要,缺水 58.9～171.4mm,占需水量的 14.1%～41.2%。因此,及时进行补灌,是保证苹果正常生长发育、提高产量和品质的重要措施。

(3)根据苹果生长发育及需水规律,高塬沟壑区在降水保证率 50% 的平水年,苹果滴灌 4 次为宜,最佳灌水期为萌芽前、新梢旺长前、果实迅速膨大期和封冻前 4 个时期。灌溉定额:幼龄树为 570m³/hm²,(萌芽前 160m³/hm²,新梢旺长前 160m³/hm²,封冻前 250m³/hm²);盛果期树为 1 030m³/hm²(萌芽前 200m³/hm²,新梢旺长前 240m³/hm²,果实膨长期 240m³/hm²,封冻前 350m³/hm²)。在降水保证率 75% 的中等干旱年份,灌水定额增大 10%～20%,灌水次数为 4～5 次(果实膨大期 2 次);在降水保证率 95% 的特旱年份,灌水定额增长 15%～30%,灌水次数为 5～6 次(新梢旺长期、果实膨大期各 2 次)。

(4)盛果期苹果树根系分布是:在 5～30cm 土层内,树冠水平半径的 1/3～2/3 处为根系密集区,当滴头滴水量达到 20L 时,水分下渗达 55.0cm,地表湿润直径为 98.8cm,土壤湿润范围与根系的分布处于最佳耦合状态。由此可知,滴头滴水量 20L 即 160m³/hm² 为最佳灌水量。

(5)滴灌时毛管的布设应以果树主干为中心,在树冠的 1/3～2/3 中间,布设成 S 形,保证滴灌水与根系处于最佳耦合状态,半固定式滴灌的毛管能够灵活移动,能满足上述布设方式的技术要求,这是固定式滴灌无法比拟的优点,应积极推广应用。

第三节　覆盖制苹果园滴灌试验及节灌制度研究

黄土高塬沟壑区是我国优质苹果栽培的最适宜区和主产区。但该区苹果的产量和质量明显受资源性缺水的制约,为了充分利用现有的水资源,使果业生产再上新台阶,实现滴灌水在时间、空间、灌水量、灌水方式等方面的优化配置,在"苹果滴灌试验及节灌制度研究"的基础上,开展覆盖制苹果园滴灌试验及节灌制度方面的研究,对建立高塬沟壑区苹果园节水灌溉技术体系具有十分重要的现实意义。

一、试验点概况

试验点位于黄河水土保持西峰治理监督局董志试验场。1997 年建成面积各为 10.0m²、深度为 2.0m 的地下全封闭测坑 2 个,在测坑内移植 7 年生长富 2 号苹果树各 1 株,分别采用覆膜、覆草处理;建成面积各为 10.0m²、无底的试验测坑 2 个,在测坑内栽植 7 年生长富 2 号苹果树各 1 株,均采用清耕处理。

二、材料与方法

(一)苹果树耗水规律研究

覆膜处理:每年春季对有底测坑的果树施肥、灌水,修整树盘后地面覆膜;覆草处理:每年春季对有底测坑的果树施肥、灌水,修整树盘后覆草,覆草厚度为 20cm;清耕处理:每年春季对无底测坑的果树施肥、灌水、中耕、锄草,地表常年保持疏松、无杂草状态。

采用测坑试验和大田试验相结合,以测坑试验为主的试验方法,用水表计测灌水量,用查墒仪测定土壤含水率,用自记雨量计观测降雨量,用测坑底部的排水口测定深层渗漏量等方法,取得可靠的观测数据,然后依据式(2-1)和式(2-2)计算果树各物候期的耗水量,分析确定苹果树各物候期耗水规律。

(二)苹果适宜灌水定额、灌水次数及最佳灌水期研究

根据苹果耗水规律及枝条、果实生长发育特点,结合当地降水资料,确定苹果滴灌的最佳灌水期、灌水次数、灌水定额等指标。

(三)苹果最佳灌水部位试验研究

采用半固定式滴灌,共布设 8 条毛管,每条毛管 58 个滴头,滴头间距 0.7m,设计滴头灌水定额 50L/个。在 0~40cm 土层中,土壤平均含水率低于 12% 时进行试验,滴头滴水量分别达到 2.5~50.0L 等 10 个处理水平时,分别开挖 8 个滴头湿润剖面,求平均值,得到该滴水量时典型湿润剖面。选择同树龄、生长健壮、干周基本一致的 4 株长富 2 号苹果树,在树干南侧和东侧划线(夹角 90°),从外向主干附近挖土刨根,调查该树龄苹果树根系在水平与垂直方向的分布区域及根量。

三、结果与分析

(一)苹果树耗水规律

1. 各处理年苹果树耗水情况

根据试验观测的结果(见表 2-16),3 种处理均随树龄的增长、产量的增加而耗水量同时增加,耗水强度也同时增加;在 3 种处理中,覆草的耗水量和耗水强度最小,比清耕节水 9.39%,覆膜的耗水量和耗水强度次之,比清耕节水 5.85%。

2. 不同处理各物候期苹果树耗水情况

苹果从萌芽到落叶,3 种处理年耗水量 433.7~478.6mm,平均耗水强度 2.00~

2.21mm/d。但各物候期的耗水量差异很大(见表2-17)。①萌芽期(4月上中旬),由于果树还没有抽生枝条,地表土壤含水率较小,使果树的腾发量较小,耗水强度在全物候期内最小,仅为1.21~1.47mm/d,占全物候期平均耗水强度的58%~67%;②花期(4月下旬至5月上旬),树体已开始正常生长,特别是盛花期果树,耗水量明显增大,耗水强度为1.44~1.81mm/d;③新梢旺长期(5月上旬至6月上旬),此期为苹果的需水临界期,生长旺盛,叶片蒸腾作用强烈。此期如果供水不足,会引起大量落果及春梢生长量不足,也影响果实发育和花芽分化。果树耗水强度在全物候期内最大,为2.55~2.76m/d;④新梢停长期(6月中旬至7月上旬),果树耗水明显减少,耗水强度为1.54~1.66mm/d,此期正处于花芽分化期,适度干旱有助于花芽分化,为翌年丰产创造条件;⑤新梢二次生长期(7月中旬至9月上旬),此期也是果实的迅速膨大期,耗水强度2.41~2.63mm/d,此期正值伏期高温,叶面积大,蒸腾作用强烈,虽然进入集中降雨期,但降水时空分布不均,土壤蒸发量大,是果树需水量最大的时期,耗水量达152.0~165.7mm;⑥果实成熟期(9月中旬至10月中旬),耗水强度为2.07~2.31mm/d,此期应控制灌水,提高果实的品质;⑦落叶期(10月下旬至11月上旬),耗水明显减少,耗水强度为1.39~1.57mm/d。

表2-16 长富2号苹果树耗水量及耗水强度

处理	耗水量(m³/株)					耗水强度(mm/d)				
	1999年	2000年	2001年	2002年	平均	1999年	2000年	2001年	2002年	平均
覆草	3.84	4.28	4.62	4.60	4.34	1.80	1.97	2.13	2.12	2.01
覆膜	3.95	4.56	4.74	4.80	4.51	1.85	2.10	2.18	2.21	2.09
清耕	4.65	4.71	4.91	4.87	4.79	2.17	2.17	2.26	2.25	2.21

表2-17 长富2号苹果树各物候期耗水情况

各物候期天数	耗水量(mm)			耗水强度(mm/d)			耗水模数(%)		
	覆草	覆膜	清耕	覆草	覆膜	清耕	覆草	覆膜	清耕
萌芽期(18d)	21.8	21.9	26.4	1.21	1.22	1.47	5.03	4.85	5.52
花期(15d)	23.2	21.6	27.2	1.55	1.44	1.81	5.35	4.79	5.68
新梢旺长期(37d)	94.3	97.5	102.0	2.55	2.64	2.76	21.74	21.61	21.31
新梢停长期(37d)	56.8	58.7	61.3	1.54	1.59	1.66	13.10	13.01	12.81
新梢二次生长期(63d)	152.0	161.5	165.7	2.41	2.58	2.63	35.05	35.80	34.63
果实成熟期(30d)	62.0	64.2	69.3	2.07	2.14	2.31	14.30	14.23	14.48
落叶期(17d)	23.6	25.7	26.7	1.39	1.53	1.57	5.44	5.70	5.58
全物候期(217d)	433.7	451.1	478.6	2.00	2.08	2.21	100.00	100.00	100.00

(二)苹果适宜灌水定额、灌水次数及最佳灌水期

根据苹果全物候期的需水规律和枝条、果实生长发育的特点进行分析,高塬沟壑区在降水保证率50%的平水年,盛果期果树采用清耕时,滴灌4次为宜。最佳灌水期为萌芽前、新梢旺长前、果实迅速膨大期和封冻前。灌溉定额见表2-18。

表 2-18　苹果滴灌灌溉制度

最佳灌水期	萌芽前	新梢旺长前	果实膨大期	封冻前
计划湿润层深度(m)	0.5	0.6	0.6	0.7
土壤湿润比(%)	40	40	40	50
灌水定额(m³/hm²)	200	240	240	350

在降水保证率 75% 的中等干旱年份,灌水定额增大 10%~20%,灌水次数为 4~5 次,果实膨大期灌水 2 次;在降水保证率 95% 的特旱年份,灌水定额增大 15%~30%,灌水次数为 5~6 次,新梢旺长期、果实膨大期各灌 2 次。覆草和覆膜处理的灌溉定额可比清耕少 5%~10%。

(三)苹果最佳灌水部位

1.滴灌水分在土壤中湿润规律

根据观测结果(见表 2-19),在滴水量小于 5.1L 时,水分在 0~10cm 的土层内,水平方向的渗透速度快于下渗速度,湿润比为 0.92;在滴水量 5.1~10.0L 时,由于犁底层的阻隔作用,水分下渗缓慢,而在耕层内水平方向的扩展速度相当快;在滴水量由 10L 增加到 15.4L 时,水分渗透过坚实的犁底层后,其下渗速度显著加快,下渗深度净增 19.6cm,而地表湿润半径仅扩大 3.2cm;当滴水量大于 15.4L 时,由于犁底层下的土壤含水率明显大于耕作层,水分在 0~40cm 的土体内快速下渗,湿润比为 1.47;滴头滴水量达到 50L 时,地表湿润半径为 55.0cm,下渗深度 68.6cm,湿润比为 1.25。总之,下渗的速度快于水平扩展的速度,随着滴水量的不断增加,土壤湿润剖面也在不断扩大,地表湿润形状由最初的小圆斑发展成链状圆斑,最后形成宽度为 1m 左右、深度近 70cm 的湿润条带。

表 2-19　滴灌水分在土壤中移动状况

灌水处理号	A	B	C	D	E	F	G	H	I	J
灌水量(L/个)	2.5	5.1	7.8	10.0	15.4	21.3	25.0	30.0	40.0	50.0
最大湿润深度(cm)	19.0	23.8	24.0	26.8	46.4	52.6	55.0	61.0	62.2	68.6
湿润半径(cm)	20.7	26.0	26.8	28.4	31.6	49.0	49.4	52.3	53.0	55.0
湿润比	0.92	0.92	0.90	0.94	1.47	1.07	1.11	1.17	1.17	1.25

注:①灌水停止 1h 后测定;②湿润比＝最大湿润深度/湿润半径。

2.苹果树根系分布情况

不同树龄的长富 2 号苹果树根系调查结果显示:3~4 生的苹果树,一般树冠扩展最快,根系伸展也最快,但总根量较少,特别是吸收根少;5 年生果树根系在空间分布上继续向外向下扩展,总根量与吸收根分别比 3、4 年生苹果树增加 23% 左右;6~10 年生苹果树,根系分布范围继续扩展的同时,根量高速增加,在 0~40cm 土层中,单株果树根量达到 0.5 万~0.7 万条,比 4 年生果树增加 3~5 倍(见表 2-20)。

3.滴灌湿润土体与果树根系的耦合状态

为提高滴灌水的利用效率,应将水最大限度地滴灌到果树吸收根分布最密集的区域内。经调查,在水平方向,果树吸收根主要分布在冠径的 1/3~2/3 处;在垂直方向,吸收根成层分布,主要分布于5~80cm的土层范围内,其中10~50cm的土层为吸收根密集区。当滴水量达30L时,水分下渗深度为61.0cm,地表湿润半径52.3cm,滴灌湿润带与苹果根系分布耦合状态最佳。因此,每个滴头滴水量30L即240m³/hm²,达到次最佳灌水量。

表2-20 不同树龄苹果树根系分布调查结果

| 树龄(a) | 果树品种 | 砧木类型 | 干周(cm) | 根系(d≥2mm) | | | 吸收根(d<2mm) | | |
				水平分布(cm)	垂直分布(cm)	根量(个)	水平分布(cm)	垂直分布(cm)	根量(个)
3	长富2	山定子	17.5	<131	3~45	81	4~90	9~29	1 343
4	长富2	山定子	21.6	<132	0~45	88	10~92	1~34	1 356
5	长富2	山定子	23.8	<149	0~54	102	24~113	9~35	1 674
6	长富2	山定子	27.6	<185	3~63	608	0~115	6~37	5 187
8	长富2	山定子	40.3	<198	7~73	863	0~125	7~50	6 030
10	长富2	山定子	47.4	<216	18~89	1 086	8~131	22~77	6 730

滴灌毛管的布设方式对果树根系与湿润土体耦合状态有着重要影响。由于果树吸收根主要在树冠1/3~2/3中间,呈圆环状分布,灌水时毛管应布设到树冠冠径的1/3~2/3的地面中间,布设成S形,毛管随着冠径的增加而向外延伸,支持和诱导果树根系向外发展。这种呈S形布设方式,果树根系与湿润土体耦合状态明显优于直线布设方式。其他条件相同时,一次灌水延续时间比直线布设时短,但毛管投资比直线布设时一般大2%~12%,工程总投资比直线布设时也大0.2%~5.4%。这种S形布设方式,实现了滴灌湿润土体与果树根系的耦合,提高了滴灌水的有效利用率,增加的投资对一个工程来讲也是可以接受的。因此,建议在果园微灌工程设计和运行管理中尽量采用毛管呈S形布设这种布设方法。

(四)苹果树水分生产率和水分生产效益

由于果树产量的增长速度快于耗水量的增加,因此苹果树水分生产率明显受产量的影响,并随果树产量的增加而增长(见表2-21)。在3种处理中,覆膜水分生产率最高,达5.3kg/m³,是清耕的1.68倍;覆草次之,是清耕的1.49倍。耗水量越小,产量和单价越高,水分生产效益越高;反之,水分生产效益越低(见表2-21)。在3种处理中,覆膜的水分生产效益最高,达到6.39元/m³,覆草次之,清耕最低。

表2-21 苹果树水分生产率和水分生产效益

| 处理 | 水分生产率(kg/m³) | | | | | 水分生产效益(元/m³) | | | | |
	1999年	2000年	2001年	2002年	平均	1999年	2000年	2001年	2002年	平均
覆草	2.7	2.8	3.8	9.5	4.7	3.32	3.09	3.88	14.07	6.09
覆膜	2.6	3.0	7.7	7.8	5.3	3.10	3.35	7.88	11.22	6.39
清耕	1.8	2.2	3.8	4.8	3.2	1.90	2.41	3.88	7.58	3.94

四、结　论

(1)苹果全物候期需水量为 433.7～478.6mm,而同期有效降水量为 355.6～449.6mm,占需水量的 82%～94%。覆草的耗水量和耗水强度最小,比清耕节水 9.39%;覆膜的耗水量和耗水强度次之,比清耕节水 5.85%。3 种处理平水年降水满足不了需要。因此,及时进行滴灌,是保证苹果正常生长发育、提高产量和品质的重要措施。

(2)根据苹果生长发育及需水规律,高塬沟壑区在降水保证率 50%的平水年,苹果滴灌 4 次为宜,最佳灌水期为萌芽前、新梢旺长前、果实迅速膨大期和封冻前。灌溉定额为1 030m³/hm²(萌芽前 200m³/hm²,新梢旺长前 240m³/hm²,果实迅速膨大期 240m³/hm²,封冻前 350m³/hm²)。在降水保证率 75%的中等干旱年份,灌水定额增大 10%～20%,灌水次数为 4～5 次(果实迅速膨大期 2 次);在降水保证率 95%的特旱年份,灌水定额增大15%～30%,灌水次数为 5～6 次(新梢旺长期、果实迅速膨大期各 2 次)。覆草和覆膜处理的灌溉定额可比清耕少 5%～10%。

(3)在距地表 10～50cm、树冠半径 1/3～2/3 的土层为苹果树根系密集区,当滴头滴水量达到 30L 时,土壤湿润范围与根系的分布处于最佳耦合状态,由此可知,滴头滴水量30L 即 240m³/hm² 为次最佳灌水量。

(4)滴灌时毛管的布设应以果树主干为中心,在冠径的 1/3～2/3 中间,布设成 S 形,保证滴灌水与根系处于最佳耦合状态,半固定式滴灌的毛管能够灵活移动,能满足上述布设方式的技术要求,增加的投资对一个工程来讲也是可以接受的,应积极推广应用。

(5)果树水分生产率明显受产量的影响,并随果树产量的增加而增长。在 3 种处理中,树盘覆膜的果树产量最高,水分生产率最高,达 5.3kg/m³;覆草次之,清耕最低。水分生产效益主要受耗水量、苹果产量、苹果单价等的影响,在 3 种处理中,覆膜产量最高,水分生产率最高,达 6.39 元/m³;覆草次之,清耕最低。

第四节　苹果园微灌方式研究

高塬沟壑区是我国水资源紧缺地区,同时也是我国苹果树栽培的最适宜区和适宜区,已建成我国优质苹果生产基地。微灌在当地果园得到较快的发展,但也存在微灌方式不尽合理的问题。因此,开展苹果微灌方式研究很有必要。

一、材料与方法

试验点布设在甘肃省庆阳市西峰区境内的鄢旗坳村。海拔 1 420m,年均降水量561.5mm,年有效降水量 442mm;年平均气温 8.5℃,平均无霜期 160d。平均蒸发量1 527mm,干旱指数为 2.7。果园土壤为黑垆土,最大田间持水量 27%,土层深厚,土质疏松,耕性良好,适宜苹果树的生长。主栽品种为秋富 1 号,株行距为 3m×4m,树龄为 7 年生。微灌系统的管道采用 PE 管(高压低密度聚乙烯管),灌水器采用山东莱芜、北京绿源、甘肃星火公司等厂家的产品。水源是由水窖调蓄的机井水,加压设备为单相潜水泵($Q=8.0m³/h$,$H=30m$)。参试微灌方式有半固定式滴灌、固定式滴灌、渗灌、滴渗灌、涌泉灌共 5 种形式。各微灌方式的各项参数如下。

半固定式滴灌：干、支管埋入地下 0.8m，毛管布设于地表，毛管在各轮灌区可进行交替使用。滴头为微管（$\Phi = 0.95mm$）滴头，间距 0.7m，试验面积 $1.0hm^2$，分为 2 个轮灌区。

固定式滴灌：干、支管埋入地下 0.8m，毛管埋入地下 0.4m，滴头为微管滴头，每株果树布设 4 个滴头，距树干 0.7m，试验面积 $0.8hm^2$，分为 2 个轮灌区。

渗灌：干、支管埋入地下 0.8m，毛管埋入地下 0.4m，毛管沿树行布设于果树两侧，距树干 0.8m，灌水器为毛管管壁上间隔 0.7m、钻 $\Phi0.6mm$ 的小孔，水由小孔缓慢渗入土壤，试验面积 $0.5hm^2$。

滴渗灌：选用甘肃省星火公司研制开发的"润地"滴渗兼用灌溉系统，灌水器采用防堵塞可调式滴头，毛管布设于地表，而灌水器可插入地表下 10cm 处进行渗灌，也可布设于地表进行滴灌，试验中选用前一种布设形式，试验面积为 $0.5hm^2$。

涌泉灌：干、支管埋入地下 0.8m，毛管沿树行距树干 0.8m 埋入地下 0.6m，灌水器为 $\Phi4mm$ 涌水管，每株果树布设 1 个涌水管，于每个树盘处引出地面。树盘根据树冠大小，修成以树干为中心、直径为冠幅 1/2 的圆环形集水沟。灌水时由涌水管形成小股水流，以涌泉状进入集水沟而均匀下渗。涌泉灌试验面积 $1.0hm^2$，分为 12 个轮灌区。

该微灌试验示范点于 1996～1997 年建成，1998～1999 年对各种微灌方式的湿润剖面、灌水均匀度、运行管理及湿润剖面与果树根系分布关系等方面进行了研究，经对比分析，总结提出各种微灌形式的优缺点和适用条件。

二、结果与分析

(一)不同微灌方式的土壤湿润剖面状况

1. 半固定式滴灌试验结果

半固定式滴灌滴头位于地表，滴灌水是以微细流或水滴形式滴到地表，然后缓慢渗入土壤。由于滴头分布具有一定的间距，因而，灌水初期在地表形成以滴头为中心相互均匀离散的圆盘形湿润小区。随着灌水量的增加，湿润小区逐渐向四周和土壤深层扩散，使湿润小区互相交汇，最后形成一湿润条带。灌水初期，由于土壤层性的影响，在耕层水平方向扩散速度较快。穿过犁底层后，下层土壤含水量明显大于耕层，使滴灌水垂直下渗速度大于水平扩散速度。垂直湿润剖面由最初的 U 形逐渐转变为 V 形(见表 2-19)。

2. 固定式滴灌试验结果

试验采用滴头灌水量达 20、40、60L/个 3 种处理时，在灌水结束 1h 后随机测定 10 个滴头的湿润剖面求取平均值绘制典型湿润剖面(见图 2-2)。

由于固定式滴灌的滴头位于地表下 40cm 处，因此滴灌水不但因重力作用向下渗透，而且由于土壤毛细管作用向上浸润土壤，上渗和下渗的速度之比约为 1:2，土壤垂直湿润剖面为卵圆形。在地表下 40cm 的水平方向与半固定式地表湿润状况相似，先在滴头周围形成湿润小区，随灌水量增加，最终在果树两侧形成一条湿润带。

渗灌布设与固定式滴灌较相似，湿润剖面也比较相似，垂直湿润剖面也为卵圆形。

3.滴渗灌试验结果

试验采用与固定式滴灌相同处理方法。由于滴渗灌的滴头位于地表下10cm处,滴灌水不但因重力作用向下渗透,而且由于土壤毛细管作用向上浸润土壤,土壤湿润剖面近似U形(见图2-3)。在地表土壤湿润小区呈相互离散的圆斑。是土壤湿润剖面与果树根系分布相耦合的较好形式。

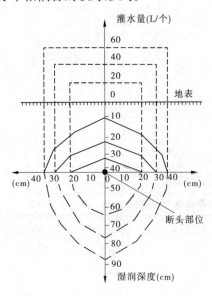

图2-2　固定式滴灌土壤湿润剖面图　　图2-3　滴渗灌土壤湿润剖面图

4.涌泉灌试验结果

涌泉灌是以小股水流方式出水,灌水在集水沟内形成一环状均匀积水层,使灌水开始就在地表形成较多的重力水。与其他微灌方式相比,水分在土壤中向下渗透的速度相对较快,水平方向渗透速度相对较慢,二者之比约为3∶1。在地表,集水沟周围形成一个环状湿润带。垂直湿润剖面为一不规则的U形(见图2-4)。

(二)不同微灌方式与果树根系的耦合状况

试验采用部分根系(1/4)调查法,在树干南侧和东侧沿90°划线从外向主干附近挖土刨根,调查根系在水平与垂直方向的分布、根数、根径。根据对7年生秋富1号苹果树根系调查(见表2-22),苹果树0~40cm土层内根量占0~100cm土层根量的81.5%。因此,可根据各微灌方式的土壤湿润剖面(见图2-2、图2-3、图2-4),判断水分的吸收利用状况。从土壤垂直湿润剖面分析,固定式滴灌和渗灌与根系分布的耦合性较差;涌泉灌与果树根系耦合性较好;半固定式滴灌和滴渗灌与果树根系耦合性很好,尤以滴渗灌的耦合性更佳。从地表湿润区域分析,固定式滴灌和渗灌由于滴头固定与果树根系的向外伸展成为矛盾,因而耦合性较差;涌泉灌由于集水沟正处于果树根系密集区,因而水平方向耦合性很好;半固定式滴灌与滴渗灌由于其毛管能够移动,可将毛管放置于树冠冠径的1/3~2/3处,并呈S形布设,实现滴灌湿润区域与果树根系布设相耦合,并可实现湿润区域随果树根系向外伸展而延伸。

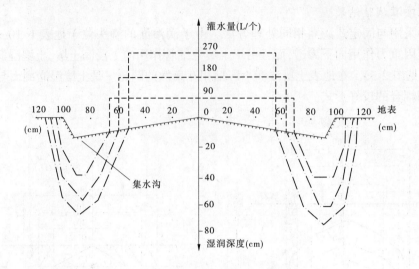

图 2-4　涌泉灌土壤湿润剖面图

表 2-22　7 年生秋富 1 号苹果树根系在各土层内的分布

土层(cm)	0~20	20~40	40~60	60~80	80~100
根数($d \geqslant 2mm$)	60	243	46	17	9
吸收根数($d < 2mm$)	408	948	204	72	28
总根数	468	1 191	250	89	37
比率(%)	23.0	58.5	12.3	4.4	1.8

(三)不同微灌方式灌水均匀度

采取随机抽样的方法,对各种微灌形式取 10 个滴头测定流量,依据以下公式,计算均匀系数(见表 2-23)。

$$C_u = 1 - \frac{\overline{\Delta q}}{\overline{q}} \qquad (2\text{-}3)$$

$$\overline{\Delta q} = \frac{1}{n} \sum_{i=1}^{n} | q_i - \overline{q} | \qquad (2\text{-}4)$$

式中:C_u 为微灌均匀系数;$\overline{\Delta q}$ 为灌水器流量平均偏差,L/h;q_i 为各灌水器流量,L/h;$\overline{q}$ 为灌水器流量平均值,L/h;n 为所测灌水器数目。

根据灌水均匀度分析,涌泉灌、半固定式滴灌均匀度最好,滴渗灌均匀度次之,固定式滴灌、渗灌均匀度较差。涌泉灌、半固定式滴灌出水均匀,主要是因为经过二级自动调压,同时在系统安装过程中,毛管与出水管均有配套的连接件,系统安装完全可按设计要求完成;滴渗灌虽然经二级调压,但滴头部位的调压通过人工进行调节,由于人为因素的影响降低了均匀度;固定式滴灌虽然采取二级调压,但由于微管滴头的缠绕和直线布设差异对均匀度有显著影响,另外,施工质量也是影响均匀度的重要方面;渗灌只是在毛管进口处采取一级调压,对每条毛管内各灌水器无法调压,这是渗灌均匀度较低的主要原因,同时,打孔质量也是影响渗灌均匀度不容忽视的一个重要方面。

表 2-23　不同微灌方式灌水器出水量及均匀系数

| 微灌方式 | 灌水器流量(L/h) | | | | | | | | | | | 均匀系数 |
	1	2	3	4	5	6	7	8	9	10	平均	
渗　灌	1.80	1.50	1.13	1.95	1.88	1.35	1.16	1.43	1.73	1.28	1.52	0.83
固定滴灌	1.95	1.86	1.21	1.53	1.50	1.35	1.05	1.34	1.72	1.24	1.48	0.84
半固定滴灌	3.21	3.34	3.29	3.00	2.96	3.13	2.96	2.96	2.57	3.50	3.09	0.93
滴渗灌	3.68	3.23	4.78	4.13	4.65	3.15	4.03	4.38	4.15	4.85	4.10	0.89
涌泉灌	40.7	46.7	41.6	41.9	49.4	47.6	41.5	45.86	42.50	43.4	44.12	0.94

(四)不同微灌方式的运行管理区别

半固定式滴灌和滴渗灌的毛管布设于地表,灌水前后需散管、收管,滴渗灌还需将滴头插入土壤,尤其是成龄果园树冠交接后,田间操作较为不便。同时毛管在收、散、移动过程中,对滴头和毛管易造成损坏,加之自然风化,降低使用寿命,根据滴灌工程设计中毛管的折旧年限为6年,年折旧率16.7%,毛管投资一般占全部投资的30%左右。

固定式滴灌和渗灌的毛管、灌水器均埋设于地表下,不易受损,保护性较好,灌水也很方便,但滴头容易堵塞。根据对运行3年后的微灌工程实地调查,固定式滴灌滴头堵塞率为27%,渗灌孔口堵塞率达43%,堵塞的原因主要是水中的杂质造成的。因为固定式滴灌和渗灌的堵塞问题得不到有效解决,限制了固定式滴灌和渗灌的进一步推广。

涌泉灌管道不易受损,涌水管孔径大不易堵塞,使用年限长,管理方便,但由于受当地水源、电力限制,涌水管的流量一般只能达到40~80L/h,无法达到120~180L/h的额定流量,造成集水沟内无法形成一均匀积水层,往往是水分较集中地渗入到涌水管附近,生产实践中采用移动涌水管的地上部分,使果树根系集中分布区均能湿润。

(五)不同微灌方式的投资比较

渗灌、固定式滴灌、半固定式滴灌、滴渗灌、涌泉灌5种微灌方式中,以半固定式滴灌的投资最小。包括材料费、管槽开挖回填人工费、安装费等在内,平均每公顷投资3 094.1元;涌泉灌投资最高,每公顷15 783元;渗灌、固定滴灌和滴渗灌居中,每公顷投资分别为8 426、8 041元和10 089.8元(见表2-24)。

表 2-24　不同微灌方式投资汇总结果

微灌方式	面积 (hm²)	投资 (元/hm²)	材料费 (元)	用工费 (元)	总用工量 (工日)	单位面积用工量 (工日/hm²)
渗　灌	0.5	8 426.0	3 341.0	872.0	145	290
固定滴灌	0.8	8 041.0	5 133.0	1 300.0	217	271
半固定滴灌	1.0	3 094.1	2 642.1	452.0	75	75
滴渗灌	0.5	10 089.8	4 832.9	212.0	35	70
涌泉灌	1.0	15 783.0	14 175.5	1 608.0	268	268

微灌工程施工安装用工方面,以渗灌用工量最大,达 290 工日/hm²,固定式滴灌、涌泉灌用工量次之,分别达 271 工日/hm² 和 268 工日/hm²,以滴渗灌、半固定式滴灌用工量较少,仅为 70 工日/hm² 和 75 工日/hm²。在生产实践中,根据用工量的多少合理选择工期和施工人员,为按时保质保量完成工程打下基础。

三、结　论

半固定式滴灌投资小,施工安装用工量少,灌水均匀度较高,滴头不易堵塞,即使堵塞也易清洗疏通。滴灌湿润区域与果树根系分布耦合性很好,毛管和滴头均可移动,可支持、配合、诱导果树根系向外扩展,提高树体自身的抗旱性。虽然,在灌水时需收放毛管,增加用工量,但仍不失为一种果园微灌的较好形式,建议在成龄果园进一步推广。

固定式滴灌和渗灌运行管理较方便,但投资较大,施工用工量较大,滴头易堵塞,堵塞不易发现,不易清洗疏通,灌水均匀度较低,滴灌湿润区域与果树根系耦合性较差,灌水部位的不可移动性与树体根系向外向下扩展形成矛盾。因此,应控制固定式滴灌和渗灌的进一步发展,待技术成熟稳定后再行推广。

滴渗灌投资较大,但施工用工量最少,灌水均匀度较高,滴头不易堵塞,堵塞后易发现,清洗疏通容易。同时具有滴灌和渗灌的优点,微灌湿润区域与果树根系耦合性最好,毛管因为可移动,可支持、配合、诱导果树根系的向外扩展,提高树体自身的抗旱性。这是目前果园微灌的较好形式,建议加快推广应用。

涌泉灌运行管理方便,但投资大,施工用工量较大,灌水均匀度高,涌水管不易堵塞,微灌湿润区域与果树根系耦合性较好,由于管件的配套性较差,加大了投资,建议加大配套管件的开发,以进一步降低投资,在经济条件较好的果园进行示范推广。

根据对 5 种微灌方式多方面的试验结果分析可知,各种微灌方式各有其适宜范围及区限性。但滴渗灌、半固定式滴灌应进一步加大推广力度,涌泉灌在经济条件较好的果园进行示范推广,而固定式滴灌和渗灌应控制发展。在生产实践中可根据当地果园的实际状况因地制宜地选用。

第五节　果园微灌与管道施药复合系统研究

针对"果园管道施药系统"中存在施药系统与微灌系统相分离的问题,为同时解决果园微灌、施肥、施药的问题,在有关研究的基础上,深入开展果园微灌、施肥、施药方面的技术集成研究,使果园微灌化、施药管道化、功能多样化,实现了水肥同施,提高了水分利用率和肥效,该系统具有多目标利用价值,取得了较好的效果。

一、材料与方法

(一)使用材料

果园微灌与管道施药复合系统由水源工程、药池、首部枢纽、田间管网、配水取药栓、移动毛管、灌水器、移动胶管、喷头、喷枪、追肥枪、根注器等组成(见图 2-5)。根据动力不同,可分为电动式、机动式、人力式、自压式 4 种,一套复合系统也可同时配置两种动力,如微灌时可配置电动式、机动式或自压式,施药时可配置机动式、人力式或电动式,该套系统也可配套一种动力(如电动式),动力配置根据果园情况因地制宜确定。

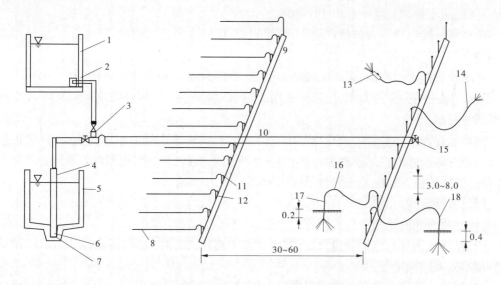

图 2-5 果园微灌与管道施药复合系统示意图(单位:m)

1—水塔蓄水池;2—鼠笼式过滤器;3—首部枢纽;4—简易过滤器;5—药池;6—集药坑;
7—潜水泵;8—移动毛管;9—支管;10—干管;11—配水取药栓;12—引出管;13—喷枪;
14—喷头;15—排药冲洗阀;16—移动胶管;17—追肥枪;18—根注器

水源工程主要指雨水集蓄工程或其他小型蓄水建筑物(如水窖、水池等)。主要为用于灌溉的水窖、水池,水窖容积多为 40～60m³,水池容积为 30～300m³。

药池主要采用圆形或长方形半地上式结构,有效容积按 3.0～7.5m³/hm² 估算,药池容积一般在 1.0～15.0m³ 之间,池底用三七灰土处理后铺 10cm 厚 200 号素混凝土,墙体采用 12cm 或 24cm100 号机砖砌筑,内表面用 200 号砂浆粉光,池底预留集药坑,用于收集药液和放置潜水泵。

首部枢纽根据动力不同略有差异,一般包括动力(潜水泵、机动喷雾泵、踏板式喷雾器等)、水表、压力表、进排气阀、安全阀、过滤器、逆止阀、闸阀、管件等。安装逆止阀主要用于防止万一药液回流水窖,这是有别于施药系统的一个技术关键。

田间管网按照操作管理方便、管线最短、投资最小的原则,主要采用 I 形、T 形、鱼骨形 3 种形式布设,整个复合系统采用半固定式,干管顺果树行布设,支管垂直于果树行布设,毛管、移动胶管顺果树行布设。干管主要根据果园微灌的需要经水力计算后确定管径,一般选用 Φ25mm 和 Φ32mmPE 管(高压低密度聚乙烯管),最粗不得超过 Φ40mmPE 管。支管根据同时满足微灌和施药的需要经水力计算后确定管径,一般选用 Φ20mm 和 Φ25mmPE 管,在干管的末端,必须布设排药冲洗阀,用于管网冲洗。干、支管埋入冻土层以下,一般达 1.0m 左右。

配水取药栓选用 Φ15mm 铜质(或不锈钢)三角阀,与移动胶管可快速连接,配水取药栓通过引出管(1.2m 长 Φ15mm 无缝镀锌钢管)与支管相连并固定,配水取药栓距地表

0.2m。

移动毛管选用 $\Phi10mmPE$ 管上安装滴头或微喷头制成,也可选用内镶式滴灌管、薄壁滴灌带、渗灌管。长度一般为 $15\sim30m$。

灌水器一般选用压力补偿式滴头、微管滴头、孔口滴头、防堵塞可调式滴头、涡流型滴头、微喷头和根注器等。

移动胶管选用耐磨性、柔韧性较好的胶管,内径为 $\Phi8mm$,长度一般为 $15\sim30m$。

喷头、喷枪均为常用类型,追肥枪选用 LYJ 多功能追肥枪,根注器选用 G2Q－A 型作物根部注射器。

移动毛管和移动胶管均装有与配水取药栓可实现快速连接的通用快接头,以保证微灌或施药时移动管的快速连接和转换,不仅实现了系统的多功能,也实现了系统各功能之间方便、快速转换。这也是该复合系统的特点。

(二)实施步骤

(1)立项前期论证和可行性研究。

(2)设计与选材。包括试验设计,试验材料的选用,技术指标的确定,规划设计、试验安装技术方案的确定等。

(3)试验示范地点选择。考察果园的面积、树龄、密度、主栽品种、经营管理水平、经济效益,以及果园灌溉、施肥、施药现状,并根据果农文化素质、收入水平等综合评价果园是否适宜确定为微灌和管道施药复合系统示范点,并确定适宜的管网布设形式。

(4)规划设计。在规划设计之前,首先调查果园的基本现状,并绘制出果园现状图,然后进行规划设计。根据果园现状图,确定微灌与管道施药复合系统管网的布设,在确定各灌水器和施药器达到设计要求,满足生产实际,便于工程施工安装,管理维护及节省工程费用的前提下,根据系统的压力、流量、水头损失及管长等因素,经水力计算后确定干、支管的适宜管径。

(5)施工安装。首先,进行管网放线,开挖管槽,槽深 1.0m,同时,按照材料预算备料。对首部枢纽、田间枢纽、配水取药栓进行室内安装,完成后进行野外安装。室内和野外安装应严格按设计要求进行,不得随意安装。安装完成后试水,如发现有渗漏、破裂、脱落等情况及时进行修理,然后再试水,直到合格为止。试水时,应按照先试微灌用的毛管,再试追肥枪和根注器,最后试喷头和喷枪,保证喷头、喷枪雾化达到设计和使用要求,切忌毛管、追肥枪、根注器、喷头、喷枪一齐开通试水,这样无法达到检测该系统性能的目的。试水合格后,修建首部枢纽和田间枢纽的保护装置,并对管槽及时回填压土,回填土高出地面 10cm 以上。

(6)管理培训。果园微灌与管道施药复合系统建成后,必须对果农进行使用管理知识培训。要树立"三分建、七分管"的思想,及时清洗管网,以免锈蚀。移动毛管、移动胶管使用后及时收起盘好,挂于阴凉干燥处。对喷头、喷枪、根注器、追肥枪、首部枢纽等使用后及时进行清洗、涂油保护,对各种农药妥善保管,以防人畜误食中毒。要加强果园微灌与管道施药复合系统的管护,及时检修配水取药栓等易损件,严格按技术操作规程使用农药和化肥。

二、系统安全设计与技术经济指标

(一)系统安全设计

1.防堵设计

利用水窖、药池沉淀可去掉沉淀物,采用鼠笼式简易过滤装置过滤漂浮物,首部枢纽布设有二级筛网式过滤器。在熬制石硫合剂时,要筛去石灰和硫磺渣,并对石硫合剂原液进行过滤。在施药后,特别是喷施石硫合剂后,立即清洗管网。施药与灌水可结合进行。干管和支管施药时流速较小,小颗粒淤积在管道内,待管道冲洗或灌水时可冲洗掉,这样就可保证不会堵塞喷孔和滴头。

2.防负压设计

塬地果园高差较小,一般不考虑负压问题,PE管抗负压能力较小,山地果园必须进行防负压设计。一般在管网最高点,干、支管进口处布设进排气阀。

3.限压设计

由于PE管额定工作压力为0.4MPa,加上埋于地下,周围土体对管道有侧压力,据有关资料,埋深1.0m时侧压力为0.1MPa左右,因而综合确定微灌与管道施药复合系统工作压力为0.3~0.5MPa。对落差大于50m的山地果园,在管网最低点安装0.3~0.7MPa的安全阀;塬地果园根据系统压力选择动力,一般不考虑限压问题。

4.防冻设计

干、支管必须埋于冻土层以下,一般为1.0m,一年使用结束后对管网冲洗,并打开排药冲洗阀,排尽管网中积水,并将所有阀门打开一半左右,以防冻破阀门和首部枢纽,并防止异物进入管网。

(二)技术经济指标

(1)管网布设。主要采用Ⅰ形、T形、鱼骨形3种形式,整个复合系统采用半固定式,支管间距30~60m;毛管内径10mm或12mm,毛管间距3.0~8.0m,毛管长度15~30m;移动胶管长度15~30m,内径8mm。干管顺果树行布设,支管垂直树行布设,毛管、移动胶管顺树行布设。

(2)工作压力。系统的最佳工作压力为0.3~0.5MPa;滴头工作压力为0.04~0.2MPa,渗灌管工作压力0.01~0.05MPa,微喷头工作压力0.1~0.2MPa,根注器工作压力0.05~0.1MPa;喷头工作压力为0.1~0.2MPa,喷枪工作压力为0.2~0.3MPa;追肥枪工作压力0.05~0.1MPa。自压式水塔须高出果园10m以上,自压式药池须高出果园20m以上。

(3)灌水器形式。一般选用压力补偿式滴头、微管滴头、孔口滴头、防堵塞可调式滴头、涡流型滴头、微喷头和根注器等。

(4)施药器形式。均采用液压喷头或喷枪。

(5)灌水器、施药器孔径。微管滴头孔径0.95mm,孔口滴头孔径0.5mm,一般滴头孔径0.5~1.2mm,微喷头孔径1.1mm,根注器孔径为4×2.5mm;施药喷头孔径有1.3mm和1.6mm两种,喷枪孔径也有1.3mm和1.6mm两种;追肥枪孔径为3×3.0mm。

(6)灌水器、施药器流量。滴头流量1.5~12L/h,滴灌带滴头流量1.5~3.0L/h,渗灌管流量为 2～4L/(h·m)，微喷头流量 20～250L/h。根注器流量为 10～20L/min，Φ1.3mm 施药喷头流量 1.05～1.45L/min，Φ1.6mm 喷头流量 1.35～1.85L/min，喷枪流量为 4.0～6.0L/min，追肥枪流量为 10～20L/min。

(7)过滤器规格。选用 60～100 目的筛网式过滤器。

(8)安全阀规格。选用压力为 0.3～0.7MPa 的安全阀。

(9)压力表规格。选用 Φ15mm 量程为 1.0MPa 的压力表。

(10)环境条件。选择水温和环境温度为 5～30℃时进行果园微灌；选择天气晴朗、气温低于 30℃、风速小于 4m/s 的早晨和下午进行施药。

(11)田间工程投资 3 750～6 750元/hm^2。

(12)提高工效 10～12 倍，节水率 75%，使果园增产 25%，增收 40%，年省工 180 工日/hm^2，增产增收效果显著。

三、结果与分析

(一)微灌试验结果

试验中选用单相潜水泵加压微灌，额定压力为 0.3MPa，实际保证压力只有 0.2MPa，在该压力条件下，布设适宜数量毛管，可取得较好的效果(见表 2-25)。

表 2-25　微灌试验结果

加压方式	系统保证压力	灌水器类型	孔径 (mm)	孔口流量 (L/h)	效果评价
单相潜水泵加压	0.2MPa	微管滴头	0.95	2.8	优良
		压力补偿式滴头	/	2.0	优良
		防堵塞可调式滴头	3 丝道	5.0	优良
			6 丝道	7.5	良好
			9 丝道	10.2	良好
		渗灌管	/	3.5L/(h·m)	优良
		微喷头	1.1	60	良好
		根注器	4×2.5	720	优良

注：防堵塞可调式滴头中的丝道指调节螺杆余留的丝道。

(二)施药试验结果

在试验中，选用单相潜水泵加压施药，额定压力为 0.3MPa，实际保证压力只有 0.2MPa，压力偏低，选用喷孔 Φ1.6mm 喷枪雾化效果一般，选用喷孔 Φ1.3mm 喷头喷施，雾化效果较好，可满足生产实际要求。采用摇臂式喷雾器人力加压喷施，当系统保证压力达 0.4MPa 时，各施药器均取得令人满意的效果(见表 2-26)。

(三)示范点统计

该项目共建成果园微灌与管道施药复合系统 22 处，均为农民果园，主要布设在西峰市什社乡和温泉乡，示范面积 10.5hm^2，主栽品种为红富士，果园管理水平在当地居中上水平,树龄4~11年生,施药动力有电动和人力加压两种,微灌动力均采用电动式,药池为方形,容积为1.0~2.0m³,水窖容积30~60m³,配水取药栓为10~42个/处,微灌形式有燕山滴灌、压力补偿式滴灌、华源渗灌、"润地"滴渗灌、微喷灌、注灌6种,毛管数为9~30条/处,喷枪每处1~2个,追肥枪每处1个,根注器每处1个,平均投资为3 750~6 750元/hm²。

表2-26　施药试验结果

加压方式	系统保证压力	施药器形式	孔径(mm)	孔口流量(L/min)	效果评价
单相泵加压	0.2MPa	喷头	1.3	1.1	良好
		喷枪	1.6	3.0	一般
		追肥枪	3×3.0	10.8	优良
人力加压	0.4MPa	喷头	1.3	1.35	优良
		喷枪	1.6	4.8	良好
		追肥枪	3×3.0	18.5	优良

(四)复合系统与微灌系统的比较分析

在水源方面,复合系统与微灌系统相似,只是复合系统中增加一个药池;首部枢纽,复合系统中进水管与进药管在此连接成一个进入田间的管道,并在进水管上安装逆止阀,以防药液进入水窖;田间固定管网两者基本相同,只是用复合系统中的1.2mΦ15mm无缝钢管和三角阀取代微灌系统中的Φ12mmPE旁通管和堵头;在移动设施方面,复合系统增加施药用的移动胶管、喷头、喷枪、追肥枪等。

(五)复合系统与施药系统的比较分析

水源方面,复合系统比施药系统增加一个水窖;动力方面,施药系统一般只配备一种动力,复合系统根据需要也可配备两种动力;首部枢纽,复合系统增加了一道进水管和逆止阀,田间固定管网完全相同;在移动设施方面,复合系统增加了微灌用的移动毛管和灌水器等。

(六)功能分析

果园微灌与管道施药复合系统作为微灌系统和管道施药系统的技术集成,具有多方面的功能,可使果园的灌水、施肥、病虫害防治等方面的管理水平得到较大提高,为走向精准农业提供了一项重要基础设施,由此实现果园的集约化经营。

(1)用于果园微灌。可采用半固定式多种微灌方法进行,如滴灌、渗灌、微喷灌、注灌等,节水率达75%,年灌水3~4次,节水效果显著。

(2)防治病虫害。在防治病虫害的同时,喷施药肥,防治水心病,增加树体养分。年施药次数达8次左右。

(3)喷施生长调节剂。集约化果园年喷施生长调节剂5次左右。

(4)防干热风、防日烧。于6月中旬至8月中旬晴天中午喷水降温增湿,改善田间小气候,减轻干热风危害,预防日烧。

(5)防花期霜冻。花前灌水,降低地温,延迟开花时间,花期低温时喷水,可提高果园温度,预防花期霜冻。

(6)叶面追肥。利用该系统可进行叶面追肥,叶面追肥可与叶面喷药结合进行。

(7)地下追肥。利用追肥枪叶面追肥时进行地下追肥,防治小叶病和黄叶病效果明显。

(8)地下施药。利用追肥枪结合施肥时可向根部追施农药,可消灭地下害虫及根部病害。

该系统具有通用性良好、使用工效高、设施利用率高的优点。但值得注意的是,该系统不宜用于喷施除草剂,以防冲洗不净对果树生长产生不良影响。

四、结　论

该系统充分集成了微灌系统和管道施药系统的优点,实现了水肥同施,提高了水分利用率和肥效;该系统管网布设和系统结构合理,运行正常;安装规程操作性强,筛选出了适宜的材料,形成了一整套安装使用技术;提高工效 10～12 倍,增产增收效果显著;使果园微灌化、施药管道化、功能多样化,该系统具有通用性、先进性、实用性的特点,推广应用前景广阔。

第六节　苹果园穴贮肥水集雨研究

黄土高塬沟壑区在积极发展节水灌溉的基础上,大力推广果园覆膜、覆草及穴贮肥水等保水抗旱技术,抑制蒸发,使有限的天然降水得到充分利用。在"苹果滴灌试验及节灌制度研究"的基础上,开展高塬沟壑区苹果园全年免耕覆盖、穴贮肥水及树盘集水的耗水规律、水分生产率及水分生产效益和土壤养分含量变化的试验研究,对黄土高塬沟壑区苹果集约化生产具有现实的指导意义。

一、材料与方法

(一)试验材料

试验于 2000～2002 年在 7～9 年生长富 2 号苹果园进行,试验区面积 0.53hm^2,苹果树株行距为 3m×4m。试验共设 8 种处理(见表 2-27),每个处理小区面积为 0.067hm^2。

表 2-27　苹果园穴贮肥水覆盖集雨试验处理组合

处　　理	地膜覆盖(A)	客草覆草(B)	生草覆草(C)	清耕(D)
穴贮肥水＋树盘集水(F)	AF	BF	CF	DF(CK)
树盘集水(S)	AS	BS	CS	DS(CK)

穴贮肥水＋树盘集水处理:在每棵苹果树盘离主干 1.0～1.5m 处(根系集中分布区)均匀挖 6 个直径 30cm、深 40cm 的穴,穴内填满秸秆、杂草,并在其上施肥后每穴浇水 20kg,填实穴,整修树盘呈 6 个浅盘状,每个贮养穴顶即"盘底",便于施肥、浇水和雨水集中渗入。树盘集水处理:在每棵树盘离主干 1.0～1.5m 处,施肥后整修树盘呈内外高、中间低的浅 V 字形环状集雨沟。地膜覆盖处理时于每穴顶处和集雨沟扎孔覆土,以利渗

水、透气。客草覆草处理选用玉米秸秆、杂草。生草覆草处理选用行间种植的多变小冠花;覆草厚度20cm左右。覆草时留开树干以防鼠害,草上星点式压土防风、防火。清耕处理施肥后按不同处理形式整地,保持土壤疏松,无杂草。8种处理中每株果树的集雨单元面积均为12m²。

(二)试验方法

1.土壤墒情观测计算

根据对长富2号苹果树物候期观测,全年生长期共为217d左右,用9109－Ⅱ型查墒仪按田测法在长富2号苹果树每个物候期初末测定0～15、15～25、25～35、35～45、45～200cm等5个土层的土壤含水率,每次测墒每处理选10个点,根据水量平衡原理计算不同处理的年耗水量和耗水强度。

2.土壤养分含量测定

在土壤养分相对稳定期每处理选10个点,取10～40cm土层的土样混合均匀后按四分法取土样带回室内风干,用集成式土壤肥料养分速测仪测定其有机质、铵态氮、速效磷、速效钾含量。

3.苹果产量、质量测定及水分生产率、水分生产效益计算

每处理选5株生长、结果整齐一致的苹果树,在采收期统计产量,根据苹果优等品、一等品的百分率和销售价格计算产值。根据苹果树年耗水量、产量计算水分生产率,根据产值、耗水量计算水分生产效益。

二、结果与分析

(一)穴贮肥水集雨果园耗水规律

根据试验观测结果(见表2-28)可知:①穴贮肥水＋树盘集水与树盘集水比较,能明显节约果园用水,其中清耕节水9.44%,生草覆草节水4.30%,客草覆草节水3.93%,地膜覆盖节水4.24%。②地面实行全年覆盖,亦能节约果园用水,树盘集水＋覆盖处理与树盘集水比较,客草覆草节水11.78%,地膜覆盖节水9.03%,生草覆草节水5.83%。穴贮肥水＋树盘集水＋覆盖处理与穴贮肥水＋树盘集水处理比较,客草覆草节水6.42%,

表2-28　穴贮肥水集雨苹果园不同处理耗水量及耗水强度

项目	年度	AF	AS	BF	BS	CF	CS	DF(CK)	DS(CK)
耗水量 (mm/a)	2000	432.0	451.0	409.2	438.1	445.0	451.5	446.9	505.6
	2001	432.1	467.8	428.5	438.0	456.2	500.8	458.1	510.6
	2002	484.6	489.7	474.6	489.7	493.2	505.6	497.2	532.1
	平均	449.6	469.5	437.4	455.3	464.8	486.0	467.4	516.1
节水率 (%)	F、S内部比较	3.81	9.03	6.42	11.78	0.56	5.83	0	0
	A、B、C、D内部比较	4.24	0	3.93	0	4.36	0	9.44	0
耗水强度	mm/d	2.07	2.17	2.02	2.10	2.14	2.24	2.15	2.38
	m³/(株·a)	5.40	5.63	5.25	5.46	5.57	5.83	5.61	6.19

地膜覆盖节水 3.81%,生草覆草节水 0.56%。③客草覆草节水效果明显大于生草覆草,主要是覆草用的生草细嫩,易残碎腐烂,分解后厚度减少;且生草生长亦消耗水分。而覆草用的客草多为作物秸秆,不易残碎腐烂,覆盖时间、保存厚度相对较长。

(二)穴贮肥水集雨果园土壤养分含量

根据观测结果(见表 2-29)可知:①穴贮肥水较树盘集水能显著地增加土壤养分含量,其中有机质增加 2.1～5.1g/kg,铵态氮增加 2.9～6.1mg/kg,速效磷增加 1.9～5.0mg/kg,速效钾增加 15.6～66.8mg/kg。②覆草使土壤有机质含量增加 1.4～4.8 g/kg,速效磷增加 0.2～1.7mg/kg,速效钾增加 58.7～114.4mg/kg。而铵态氮增加不显著,主要是杂草分解腐烂需要氮肥。③覆盖地膜以后,地温增高,有机质分解加快,土壤养分含量增加不明显。

表 2-29　穴贮肥水集雨苹果园不同处理土壤养分含量

项目	AF	AS	BF	BS	CF	CS	DF(CK)	DS(CK)
有机质(g/kg)	11.6	9.5	16.5	11.6	15.5	10.4	11.7	9.0
铵态氮(mg/kg)	24.8	21.9	23.7	17.6	23.0	17.5	23.1	17.1
速效磷(mg/kg)	11.3	8.3	13.4	8.4	12.3	8.9	10.6	8.7
速效钾(mg/kg)	185.0	161.6	259.2	203.1	274.3	207.5	160.0	144.4

(三)穴贮肥水覆盖集雨果园苹果产量及水分生产效率

1. 果园土壤覆盖能显著提高苹果产量

表 2-30 为穴贮肥水集雨果园不同处理之间苹果产量、产值及水分生产率的比较。树盘集水＋覆盖处理较树盘集水处理中地膜覆盖、客草覆草、生草覆草分别提高苹果产量 21.9%、20.5%、18.8%;在穴贮肥水＋覆盖处理较穴贮肥水处理中,地膜覆盖、客草覆草、生草覆草分别提高苹果产量 15.5%、9.4%、11.4%。

表 2-30　穴贮肥水覆盖集雨果园不同处理苹果产量、产值及水分生产率

项　目	AF	AS	BF	BS	CF	CS	DF(CK)	DS(CK)
产量(元/株)	28.3	27.3	26.8	27.0	27.3	26.6	24.5	22.4
增产率(%)	15.5	21.9	9.4	20.5	11.4	18.8	0	0
产值(元/株)	30.20	29.20	28.30	28.20	28.30	29.90	26.40	22.80
增值率(%)	14.40	28.10	7.20	23.70	7.20	31.10	0	0
水分生产率(kg/m³)	5.26	4.85	5.11	4.95	4.90	4.56	4.37	3.62
比 CK 提高(kg/m³)	0.89	1.23	0.74	1.33	0.53	0.94	0	0

2.果园地表覆盖能显著增加水分生产率

在树盘集水＋覆盖处理较树盘集水处理中,地膜覆盖、客草覆草、生草覆草分别增加水分生产率1.23、1.33、0.94kg/m³;在穴贮肥水＋覆盖处理较穴贮肥水处理中,地膜覆盖、客草覆草、生草覆草分别增加水分生产率0.89、0.74、0.53kg/m³。

(四)穴贮肥水覆盖集雨苹果园苹果质量和水分生产效益

果园地面覆盖均能提高苹果产量、质量及效益(见表2-30)。而穴贮肥水处理较树盘集水处理的苹果产值更高。树盘集水处理中,覆盖地膜、客草覆草、生草覆草较不覆盖增加的产值分别为6.4、5.4、7.1元/株;穴贮肥水处理中,覆盖地膜、客草覆草、生草覆草较不覆盖增加的产值分别为3.8、1.9、1.9元/株。

果园地面实行全年覆盖,减少了土壤水分蒸发,果园效益高,因此水分生产效益也高(见表2-31)。穴贮肥水处理的水分生产效益比树盘集水处理高。在树盘集水处理中,覆盖地膜、客草覆草、生草覆草分别提高水分生产效益1.49、1.45、1.45元/m³,在穴贮肥水处理中,覆盖地膜、客草覆草、生草覆草分别提高水分生产效益0.78、0.57、0.26元/m³。

表2-31　穴贮肥水覆盖集雨苹果园不同处理水分生产效益　　(单位:元/m³)

年度	AF	AS	BF	BS	CF	CS	DF(CK)	DS(CK)
2000	3.80	3.70	3.71	3.16	3.18	4.25	3.32	2.37
2001	5.36	4.56	5.15	5.46	4.88	4.24	4.42	3.20
2002	7.39	7.15	7.06	6.69	6.94	6.81	6.47	5.37
平均	5.52	5.14	5.31	5.10	5.00	5.10	4.74	3.65
±CK	0.78	1.49	0.57	1.45	0.26	1.45	0	0

三、结　论

(1)穴贮肥水＋覆盖、树盘集水＋覆盖均能提高果园土壤含水率,调节降水年内分布的不均衡性。在黄土高原沟壑区果园实行穴贮肥水、树盘集水和全年覆盖,减少蒸发,保护和充分利用天然降水,不必灌溉或少量灌溉就能满足苹果树生长、结果。

(2)在贮养穴、集雨沟平衡施肥,集结径流,达到水肥在时间、空间上的耦合,并实行全年覆盖,降低了土壤侵蚀,避免了水肥流失,能有效提高肥料利用率和土壤养分含量,培肥地力,是苹果优质高效栽培的有效措施。

(3)穴贮肥水＋覆盖、树盘集水＋覆盖提高了苹果产量、质量和效益及水分生产率和水分生产效益。覆盖后果园不必耕翻,不破坏土壤结构,杂草生长密度和生长速度减小,免除了中耕除草,减轻了劳动强度,减少了果园投资。

(4)实行穴贮肥水和覆草,充分利用了当地丰富的秸秆资源。果园隙地、行间种植绿肥,生草覆盖果园,改变了当地传统的土壤清耕制度。实行果园穴贮肥水,贮养穴应每年轮换挖穴一次,树盘集水随树龄的增大每年应向外扩大集雨环状沟。

第七节　苹果园水肥耦合研究

　　近年来,节水灌溉、营养诊断和平衡施肥等科学管理技术已在黄土高塬沟壑区苹果园广泛研究与应用。然而,这些技术往往单独推广应用,自成体系,协同效应未能充分体现。在"苹果滴灌试验及节灌制度研究"和"陇东黄土高塬苹果树配方施肥技术研究"的基础上,开展黄土高塬沟壑区苹果园水肥耦合技术的试验研究,能为以产定肥、以肥调水、以水促肥、充分发挥水肥协调效应等提供必要的科学依据。

一、材料与方法

　　试验在黄土高塬沟壑区的黄河水土保持西峰治理监督局董志试验场进行。该试验场气象条件如前文所述。地形为塬面条田,黑垆土,土壤有机质含量1.09%,全氮含量为0.093%,全磷含量为1.87%,土壤容重1.25g/cm³。试验苹果树品种为长富2号,砧木为山定子,株行距为3m×4m,树形为小冠疏层形。

　　试验于2000～2002年进行,共3年,将苹果树的需水、需肥量分为幼树期(1～4年生树,从2年生树开始试验)、初果期(5～7年生树,从5年生树开始试验)、盛果期(大于8年生树,从8年生树开始试验),按干周法计算目标产量,按目标产量设计苹果树需肥量,按水量平衡原理设计苹果树需水量,选用水和肥的适宜量、较高量和高量组合后进行试验。单株小区,重复5次(见表2-32)。根据苹果树营养临界期和肥料最大效率期、灌水关键期及果树根系分布规律,确定施肥灌水时间、方式及部位:氮肥、钾肥分别于萌芽前(3月中旬)、花芽分化前期(5月下旬)于树冠投影边缘至冠径内1/2处(吸收根集中分布区),挖深20～25cm的环状沟先浇水后施肥;磷肥和有机肥混匀后于9月份挖深50cm环状沟在20～50cm分层施入后浇水。

　　采果期测定干周、产量、优质果率;用YN型集成式土壤肥料养分测定仪,在7～8月份土壤养分相对稳定期测定土壤铵态氮、速效磷、速效钾、有机质。

　　利用以下公式计算水肥耦合经济效益:

$$J = EG - SM - FN - C \qquad (2\text{-}5)$$

式中:J为水肥耦合经济效益,元;E为增产量,kg;G为果品单价,元/kg;S为灌水量,m³;M为单位灌水成本,元/m³;F为施肥量,kg或m³;N为单位施肥量成本,元/kg或元/m³;C为施肥、灌水人工费,元。

二、结果与分析

(一)苹果园土壤农化性状

　　1999年对苹果园土壤养分进行了测定,其结果为:有机质1.03%,铵态氮10.1mg/kg,速效磷5.58mg/kg,速效钾149.6mg/kg,水溶性钙128mg/kg,水溶性镁18.46mg/kg,有效锌1.71mg/kg,有效铜3.82mg/kg,有效锰19.74mg/kg,有效铁8.85mg/kg,有效硼0.27mg/kg。按照我国北方土壤养分的丰缺标准判断,土壤有机质含量为中等偏低,土壤氮素、磷素含量低,钾素含量高,富含钙、镁、铁、铜、锰等微量元素,而有效硼含量中等。土壤养分含量分级:氮为 5 级,磷为 4 级,钾为 2 级。

表 2-32　苹果水肥耦合施肥量与灌水量试验设计

树龄 (a)	目标产量 (kg/hm²)	序号	施肥量(kg/株)与灌水量(m³/株)						
			3月中旬		5月下旬		9月份		
			尿素 (含N 46%)	水	硫酸钾 (含K₂O 50%)	水	过磷酸钙 (含P₂O₅ 18%)	有机肥 (纯羊粪)	水
1~4	/	1	0.10	0.10	/	/	1.50	3.20	0.10
	/	2	0.10	0.15	/	/	1.50	3.20	0.15
	/	3	0.10	0.20	/	/	1.50	3.20	0.20
	/	4	0.20	0.10	/	/	2.00	3.50	0.10
	/	5	0.20	0.15	/	/	2.00	3.50	0.15
	/	6	0.20	0.20	/	/	2.00	3.50	0.20
	/	7	0.30	0.10	/	/	2.50	3.80	0.10
	/	8	0.30	0.15	/	/	2.50	3.80	0.15
	/	9	0.30	0.20	/	/	2.50	3.80	0.20
5~8	7 500	10	0.35	0.15	/	/	2.00	4.80	0.15
	7 500	11	0.35	0.25	/	/	2.00	4.80	0.25
	7 500	12	0.35	0.35	/	/	2.00	4.80	0.35
	7 500	13	0.45	0.15	/	/	2.50	5.80	0.15
	7 500	14	0.45	0.25	/	/	2.50	5.80	0.25
	7 500	15	0.45	0.35	/	/	2.50	5.80	0.35
	7 500	16	0.55	0.15	/	/	3.00	8.00	0.15
	7 500	17	0.55	0.25	/	/	3.00	8.00	0.25
	7 500	18	0.55	0.35	/	/	3.00	8.00	0.35
>8	30 000	19	0.60	0.20	1.40	0.20	2.50	6.50	0.20
	30 000	20	0.60	0.30	1.40	0.30	2.50	6.50	0.30
	30 000	21	0.60	0.40	1.40	0.40	2.50	6.50	0.40
	30 000	22	0.75	0.20	1.60	0.20	3.00	8.00	0.20
	30 000	23	0.75	0.30	1.60	0.30	3.00	8.00	0.30
	30 000	24	0.75	0.40	1.60	0.40	3.00	8.00	0.40
	30 000	25	0.90	0.20	1.80	0.20	3.50	9.50	0.20
	30 000	26	0.90	0.30	1.80	0.30	3.50	9.50	0.30
	30 000	27	0.90	0.40	1.80	0.40	3.50	9.50	0.40

(二)不同水肥耦合组合对土壤养分含量的影响

从表 2-33 的分析可知：①实行氮、磷、钾、有机肥平衡施肥后，土壤中的磷素提高到 2~3 级，氮素保持 5 级，钾素保持 2 级，有机质含量均有提高。②随施肥量的增加，土壤中铵态氮、速效磷、速效钾及有机质含量也增加，其中以高施肥量土壤的几种养分含量增加达到显著水平，而适宜量和较高量的增加不显著。③在施肥量不变的情况下，增加灌水量，土壤养分含量变化不显著。④连续进行 3 年水肥耦合施用后，土壤铵态氮含量增加达到显著水平，而速效磷、速效钾含量的增加达到极显著水平。⑤苹果树最佳的水肥耦合量为：幼龄期树，3 月中旬（萌芽前）施尿素 0.30kg/株、灌水 0.10m³/株，9 月份施磷肥 2.50kg/株和纯羊粪 3.80kg/株、灌水 0.20m³/株；初果期树：3 月中旬施尿素 0.55kg/株、灌水 0.20m³/株，9 月份施磷肥 2.50kg/株和纯羊粪 8.00kg/株、灌水 0.25m³/株；盛果期树：4 月中旬施尿素 0.90kg/株、灌水 0.40m³/株，5 月下旬（花芽分化前）施硫酸钾 1.80kg/株、灌水 0.40m³/株，9 月份施磷肥 3.5kg/株和纯羊粪 9.5kg/株、灌水 0.40 m³/株。

(三)不同水肥耦合试验组合对苹果树的干周、产量、质量及效益的影响

根据试验结果（见表 2-34），分析了 27 种水肥耦合试验组合处理的苹果树 3 年的平均干周、产量、质量及效益。

(1)在一定的水肥耦合量的条件下，黄土高塬沟壑区中度密植乔砧长富 2 号苹果试验树，2~4 年生树产量为 4 226kg/(hm²·a)，5~7 年生树产量为 13 960kg/(hm²·a)，8~10 年生年产量为 22 495kg/(hm²·a)；年水肥耦合效益分别为 4 528、18 150、24 888 元/hm²；经济效益显著，基本达到了各树龄段的优质果园标准，其施肥量和灌水量标准与土壤养分含量较高的水肥耦合量一致。

(2)黄土高塬沟壑区苹果园土壤富含钾素，苹果树在幼树期和初果期不需要施钾肥。至盛果期，补充钾肥能增产 7.9~12.6 个百分点。苹果园水肥耦合及形式见表 2-35。幼树期、初果期、盛果期水肥耦合的经济效益显著。

(3)在施肥量不变的情况下，增加灌水量，能提高苹果园效益 1.5~14.3 个百分点；而在灌水量不变的情况下，增施氮肥、磷肥和有机肥，能显著提高苹果产量及质量，提高效益 1.7~18.4 个百分点；水肥耦合后提高果园经济效益 12.5~25.7 个百分点。

三、结　论

黄土高塬沟壑区苹果园最佳水肥耦合的形式、方法、时期为：基肥（磷肥＋有机肥），采用开沟分层深施和集中施用的方法，开沟的方式有放射状、环状或条状，沟深 40~80cm、沟宽 30~50cm，开沟的部位随着树冠扩大而每年向外扩展，开沟的深度也随树龄大小而不同，这类非水溶性肥料先施肥后浇水；追肥（氮肥、钾肥），一般在树冠下挖坑或沟，深度 20cm，宽 20~30cm，这类水溶性肥料先浇水后施肥。施肥部位一般在树冠投影边缘至冠径内侧 1/2 处。

苹果园实行灌水、施肥在量、时间、部位、次数、方式上的耦合施用，可以起到合理施肥，培肥地力，以肥调水，以水促肥的协同效应。水肥耦合后，提高经济效益 12.5~25.7 个百分点。

表 2-33　不同水肥耦合量对苹果园土壤养分含量的影响

序号	铵态氮 （mg/kg）	速效磷 （mg/kg）	速效钾 （mg/kg）	有机质 （%）
1	10.2	20.2	132.5	1.19
2	8.3	21.0	136.3	1.15
3	11.8	18.4	115.7	1.18
4	7.8	19.2	140.9	1.04
5	11.4	16.5	141.3	1.15
6	9.4	17.8	101.7	1.20
7	16.1	24.8	162.5	1.20
8	14.9	22.6	169.6	1.20
9	12.1	24.5	173.3	1.23
10	8.4	20.5	118.7	1.21
11	6.5	21.4	144.4	1.14
12	9.4	22.7	102.3	1.13
13	11.9	24.2	146.4	1.04
14	11.6	25.0	157.7	1.10
15	9.6	22.2	131.0	1.13
16	14.6	22.6	156.3	1.17
17	16.3	23.2	181.5	1.22
18	13.4	22.9	158.7	1.23
19	18.0	27.0	164.6	1.05
20	23.1	22.9	158.8	1.16
21	16.3	19.3	159.9	1.20
22	16.6	22.0	138.7	1.18
23	19.0	18.8	159.4	1.32
24	27.3	25.9	184.0	1.41
25	27.3	23.5	142.3	1.39
26	27.4	27.6	116.5	1.44
27	23.6	24.1	159.9	1.47

表 2-34 不同水肥耦合量对苹果树干周、产量、果实质量及经济效益的影响

序号	干周 （cm）	产量 （kg/株）	一级果 （%）	水肥耦合经济效益 （元/株）
1	30.9	4.5	68.9	4.9
2	31.7	4.6	72.1	5.1
3	33.2	4.9	72.5	5.4
4	33.6	4.9	74.9	5.4
5	32.9	5.3	71.9	5.6
6	33.9	5.2	73.9	5.5
7	32.5	5.4	78.6	5.8
8	33.5	5.6	75.8	5.8
9	33.9	5.7	75.6	5.9
10	33.7	15.6	73.2	20.2
11	34.4	16.1	72.7	20.6
12	35.0	16.0	74.6	20.5
13	35.8	16.2	73.3	20.6
14	35.1	17.8	77.2	23.5
15	35.9	17.3	79.2	22.6
16	35.7	17.0	79.1	23.0
17	35.6	18.3	80.0	23.9
18	36.3	18.0	78.2	23.1
19	43.8	23.1	69.3	27.2
20	43.2	23.3	69.9	27.4
21	44.0	22.7	73.0	26.8
22	43.8	23.6	74.0	27.8
23	44.1	27.1	79.2	31.8
24	44.5	25.8	78.5	31.8
25	44.8	27.0	78.4	32.8
26	45.4	27.0	77.0	32.2
27	45.8	27.8	80.0	33.7

表 2-35　黄土高塬沟壑区苹果园水肥耦合量及形式

苹果树生育期（树龄）	萌芽前（3月中旬）			花芽分化前（5月下旬）			9月份			
	尿素（kg/株）	灌水（m³/株）	方式	硫酸钾（kg/株）	灌水（m³/株）	方式	过磷酸钙（kg/株）	纯羊粪（kg/株）	灌水（m³/株）	方式
幼树期（1～4年生）	0.30	0.10	浇水后深施覆土	/	/	浇水后深施覆土	2.50	3.80	0.20	分层深施后浇水
初果期（5～7年生）	0.55	0.20		/	/		2.50	8.00	0.25	
盛果期（8年生以上）	0.90	0.40		1.80	0.40		3.50	9.50	0.40	

第八节　果园土壤管理制度研究

　　果业已成为高塬沟壑区高效农业中的主导产业,而水又是制约当地果业生产发展的最主要因素。果树耗水主要包括植株蒸腾和株间蒸发,尤其以株间蒸发量最大且人为容易调节。果园土壤管理制度的核心就是采取以减少株间蒸发保持土壤水分为中心的旱作农业的方法。果园土壤管理制度有清耕制、间作制、覆盖制、免耕制、生草制、生草覆盖制等。本研究是在前人研究的基础上,针对当地果园的具体状况,筛选出优化的土壤管理制度,为当地果树的高产优质、高效栽培中的土壤管理提供科学依据。

一、材料与方法

(一)试验点概况

　　试验点设在黄河水土保持西峰治理监督局董志试验场。试验场具有高塬沟壑区代表性。该场已建成8年生优质高效示范苹果园5.7hm²。果园基础设施齐全,已成为当地优质高效苹果栽培的试验示范基地。

(二)试验材料与方法

1.试验布设

试验于1997年、1998年连续两年在6年生长富2号苹果园进行,株行距为3m×4m,共设生草、覆草、生草覆草、覆膜、清耕5种土壤管理方式进行试验,每种处理设6次重复,每种布设0.2hm²,共1.0hm²。5种处理材料和方法如下:

(1)生草。采用自然生草的方法进行。自然生草的品种主要有荠菜、蒲公英、藜、刺儿菜等。

(2)覆草。采用麦秸进行全园覆盖,覆草厚度15cm,于5月上旬灌水后覆草,株施氮肥0.2～0.5kg,以调节碳氮比。在草上星点式压土,以防风刮和火灾。

(3)生草覆草。采用行间人工生草、株间覆盖的方法进行。人工生草采用单一草种播种，草种主要有矮化草木樨、多变小冠花、黑麦草等。播种时间为8月下旬至10月上旬，播种量7.5~13.5kg/hm²，播种方式采用条播，播种深度为1~2cm。播种方法是，在土壤疏松的基础上，用锄开浅沟溜籽，播后用菜耙覆浅土整平地面。采用中耕除草等常规管理。这几种草生长旺盛，全年刈割2~3次覆盖果树树盘和株间。

(4)覆膜。利用幅宽1.4m、厚0.06mm的农用地膜，在果树两侧顺行覆盖两道地膜，即株间覆盖，行间清耕。覆膜宽度2.5m，覆膜时间为4月上、中旬灌水后。覆膜前使用除草剂西玛津除草，后期长草用草甘膦防治，地膜每年覆盖1次。为防夏季高温，结合行间锄草将草撒在膜面，秋季施基肥时去掉地膜将杂草埋入树下作绿肥使用。

(5)清耕。采用中耕除草等方法使果园地面经常处于疏松无杂草状态，每年需中耕除草3~5次。

2.试验观测内容及方法

(1)土壤墒情观测。在1998年4月10日、7月10日、10月10日采用烘干法测5种不同处理果树树盘内0~10cm、20~30cm土层土壤含水率，每次在不同处理小区选10个点测定，求平均值，作为该种处理该次的土壤含水率。

(2)地温观测。于4~10月每月中旬选晴天中午对5种不同土壤管理方式地表下20cm处土壤温度进行定点定时观测。

(3)果树新梢生长量观测。落叶期对5种不同处理小区的果树，每种处理选取树冠外围主枝的延长枝10个进行观测并求平均值。

(4)果实产量、质量统计。10月下旬采收时，每种处理选30株树统计株产求平均值，并随即抽取每种处理树的100个果实，统计一等果率。

二、结果与分析

(一)不同处理对土壤含水量的影响

根据观测结果(见表2-36)可知，5种土壤管理方式土壤含水率均不相同，其中覆草、生草覆草、覆膜处理的土壤含水率明显比清耕处理高。春季由于刚出苗，耗水量较小，生草处理的土壤含水率与清耕处理近似；而夏、秋季由于耗水量较大，清耕处理中的中耕除草具有保墒作用，因而生草处理的土壤含水率比清耕处理低。覆草处理方式与生草覆草处理比较，由于生草覆草中草的生长消耗了一部分土壤水分，覆草处理比生草覆草处理土壤含水率高。覆草处理比覆膜处理土壤含水率高，是因为试验前几年连续干旱，土壤底墒不足，并且覆草不仅有保墒作用，且降水容易入渗，而覆膜在防止土壤水分蒸发的同时也制约着降水的入渗。综合分析5种果园土壤管理方式的蓄水保墒效果依次为：覆草＞生草覆草＞覆膜＞清耕＞生草。

(二)不同处理对地温的影响

1998年对生草、覆草、生草覆草、覆膜、清耕5种土壤管理方式中地表下20cm土壤温度进行定时定点观测(见表2-37)，结果表明：覆膜可明显提高土壤温度，比清耕平均提高3.4℃。地温越高，覆膜与清耕地温温差越大。覆膜果树比对照可提早发芽4~6d；7~9月覆膜使地温增高，超过苹果树根系生长的最适温度14~21℃，接近生长上限温度30℃，使果树根系进入缓慢生长期。此期地膜上部覆草可明显降低地温,促进果树根系的生长;10月份以后增高地温有利于果树根系后期生长与吸收。

表 2-36 不同土壤管理方式对不同土层土壤含水率的影响 （%）

月份	10cm 土层					30cm 土层				
	生草	覆草	生草覆草	覆膜	清耕(CK)	生草	覆草	生草覆草	覆膜	清耕(CK)
4	8.1	15.2	14.0	13.8	8.9	11.8	17.8	17.2	16.9	11.9
7	11.5	18.3	17.2	15.7	11.7	16.1	20.9	19.5	18.8	18.6
10	14.8	18.6	17.5	16.9	12.1	19.5	21.9	20.5	19.4	18.4
平均	11.5	17.4	16.2	15.5	10.9	15.8	20.2	19.1	18.4	16.3
±CK	0.6	6.5	5.3	4.6	0	−0.5	3.9	2.8	2.1	0

表 2-37 不同土壤管理方式对土壤温度的影响 （单位:℃）

土壤管理方式	观测时间(月·日)							平均	±CK
	4.13	5.13	6.13	7.13	8.15	9.13	10.15		
生草	9.4	12.2	17.0	19.8	21.2	18.8	14.5	16.1	−1.6
覆草	8.3	10.8	15.5	20.1	20.3	17.5	16.2	15.5	−2.2
生草覆草	8.2	10.4	14.8	19.0	19.3	16.8	15.7	14.9	−2.8
覆膜	11.7	14.7	20.1	27.6	29.8	25.5	18.0	21.1	+3.4
清耕(CK)	9.8	12.5	17.4	23.5	25.5	20.4	14.7	17.7	0

生草处理,在7月以后由于草的遮阴作用降低了地温,其中以7、8月遮阴效果最明显,分别比同期清耕处理降低地温3.7℃和4.3℃。

覆草处理,在春、夏季对土壤具有明显的降温作用,前期低温推迟了果树的萌芽期和花期,这对果树根系生长不利,但延迟花期可以缓解该区花期霜冻的危害;夏季7、8月覆草比清耕地温降低3.4、5.2℃,可以有效延长根系的生长时间,促进果树根系的生长;在秋末10月覆草比清耕处理提高地温1.5℃,具有一定的保温作用,有利于果树根系的良好生长和养分积累。

生草覆草对降低地温方面具有叠加效应,可以明显地降低地温,平均降低地温2.8℃,在秋末10月比清耕地温高1.0℃,具有一定的保温作用,可促进根系的生长。

(三)不同处理对苹果枝条生长的影响

通过对每种处理果树外围主枝的延长枝随机调查结果(见表2-38)表明,覆草、生草覆草、覆膜均能提高苹果枝条的生长量,其中以覆草效果最明显,比清耕枝条长13.2cm。由于该果园定植后每年均采用覆膜处理,因而连续多年覆膜,覆膜效果不如初次覆膜的效果好。

(四)不同处理对苹果产量和质量的影响

通过对5种土壤管理方式中苹果产量和质量有关指标的观测统计(见表2-39),覆草、生草覆草、覆膜三种方式的苹果产量较高,株产分别达到53.7、54.2、52.5kg,一等果率也较高,均在70%以上;生草处理株产较低,仅45.3kg,主要是由于生草处理中草的生长消耗了水分和养分;覆草、生草覆草、覆膜增产效果显著。

表2-38　不同土壤管理方式对苹果枝条生长的影响情况

土壤管理方式	枝条生长量(cm)					平均(cm)	与CK差值(cm)	生长量排序
	1	2	3	4	5			
生草	85.8	97.6	88.5	90.1	89.0	90.2	−1.0	5
覆草	100.6	97.6	106.3	103.2	114.3	104.4	+13.2	1
生草覆草	93.5	97.3	97.8	102.5	95.8	97.4	+6.2	2
覆膜	95.2	95.9	91.0	95.8	100.7	95.7	+4.5	3
清耕(CK)	87.0	95.5	87.6	90.5	95.4	91.2	0	4

表2-39　不同土壤管理方式对苹果产量的影响

项　目	生草	覆草	生草覆草	覆膜	清耕(CK)
株产(kg)	45.3	53.7	54.2	52.5	49.2
株产量与CK比较	−3.9	4.5	5.0	3.3	0
产量(kg/hm²)	37 373	44 303	44 715	43 313	40 590
一等果率(%)	49.7	74.7	74.1	71.1	50.3
优选排序	5	2	1	3	4

(五)不同处理土壤管理的投入与产出

根据对各种处理中土壤管理投入、产值调查分析(见表2-40)可知,以生草覆草效益最好,比清耕多投入478元/hm²,产值增加7 481元/hm²;覆草效益较好;覆膜比清耕效益好;生草效益最差,比清耕少投入420元/hm²,产值减少4 440元/hm²。但生草具有投入少、管理方便的优点。

表2-40　不同土壤管理方式投入产出比较　　　　(单位:元/hm²)

项目	生草	覆草	生草覆草	覆膜	清耕(CK)
土壤管理投入	630	2 085	1 528	1 013	1 050
产值	51 574	62 898	63 495	61 557	56 014
产值差(与CK比较)	−4 440	6 884	7 481	5 543	0
投入差(与CK比较)	−420	1 035	478	−37	0
优选排序	5	2	1	3	4

试验结果表明,不同的土壤管理制度对土壤中的水分、养分、温度等有较大的影响,进而表现在树体的生长发育方面,如枝条的生长量、果品的产量和质量等,其结果就是不同的土壤管理制度在其他管理措施相同的条件下,经济收入存在明显的差异,较好的土壤管

理制度就能产生较好的经济收入,这也是推广优化的土壤管理制度的原动力。

三、结　论

(1)覆草是一种较为理想的果园土壤管理制度,它能有效地减少土壤水分蒸发,提高土壤含水量,不仅是有灌溉条件果园节约用水,提高水的利用率的一条重要途径,也是旱地果园一项重要的保墒措施。同时能稳定地温,增加土壤养分,每公斤麦秸腐熟后可转化成有机质8.5g,同时提高了土壤有效磷、速效钾的含量。但连续多年覆草可使果树根系上移,覆草量为37.5t/hm²,用草量较大,因此制约了覆草方式在草源缺乏地区的推广应用,在此基础上提出了生草覆草处理。

(2)生草覆草是在覆草的基础上提出来的,是目前适应范围广、经济效益好的一种较理想的果园土壤管理制度。该方法融果园生长绿肥和生物覆盖于一体,可提高土壤有机质和养分含量,改善土壤肥力状况,是果园土壤培肥的一项有效措施。但连续多年覆草可使果树根系上移。生草覆草法具有适应范围广、投资少、见效快、生态效益和经济效益显著、受益时间长、技术简单易学、便于推广等特点。

(3)覆膜是幼龄果园一项较好的土壤管理制度。减少了土壤蒸发,提高土壤含水率,可提高幼树栽植成活率10%～20%。提高有效养分含量,促进树体生长发育,可提早萌芽期3～5d。但土壤有机质矿化率高,有效养分含量降低快,应及时补施有机肥。综合分析,覆膜仍不失为一种较好的土壤管理制度,特别适宜低温干旱地区的果园应用。

(4)清耕是目前果园应用最广的土壤管理制度,优点是可提高早春地温,克服板结,消灭杂草,但破坏土壤结构,铲断表层根系,易造成水土流失。清耕处理利小弊大,应逐步改为覆草或生草覆盖。

(5)生草处理由于在春夏季与果树存在争水、争肥现象,在无灌溉条件的旱作果园尤其明显。因此,即使它有增加土壤有机质和养分含量、平衡地温等方面的优点,生草处理方式也不宜在旱作果园大面积推广。

综合分析,以上5种土壤管理制度各有其优缺点和适应范围。因此,在生产实践中应因地制宜地选用。多种土壤管理方法相结合比单一的土壤管理方法效果好,也就是生草覆草相结合,覆草与覆膜相结合,覆草与清耕相结合,并隔2～3年进行土壤管理制度的轮换。在同一果园,可采用行间生草,行内南侧覆草,北侧覆膜的方法,也可采用行间生草,行内一侧覆草,一侧覆膜,2～3年轮换一次。这是根据试验结果通过技术集成而提出的果园行间生草二元交替覆盖法,是根据各种土壤管理制度的特点设计的一种优化的土壤管理方法,建议在果园土壤管理中推广应用。

第九节　温室育苗节水灌溉制度研究

随着国家对生态环境建设的逐步重视,黄河水土保持生态工程的大面积实施,为绿化苗木的繁育提供了广阔的市场。在年降水量达500～700mm的高源沟壑区,以侧柏、油松等为主要常绿树种的苗木经过试验、示范,以其良好的适应性得到大面积推广。为提高造林成活率和苗木的适应性,在黄河水土保持生态工程齐家川示范区建设中,首先建设中心苗圃,采用就地育苗,就地移栽。为了探索侧柏在温室育苗条件下的耗水规律,建立科学的节水灌溉制度,开展该项试验对于提高苗圃的管理水平,培育高质量、高适应性的苗木具有重要的意义。

一、试验点概况

试验温室位于黄河水土保持西峰治理监督局南小河沟试验监测站。气象、土壤条件如前述。

该温室面南背北,长70m,宽6.5m,灌溉水源为机井提水至温室以上30m高的蓄水池中,水质适宜灌溉。温室建有自压自动控制微喷灌溉系统,灌水方便。该温室建成后一直进行侧柏、油松、银杏等苗木的繁育,主要采取容器低床育苗,管理规范,苗木健壮,出圃苗木达400多万株。有多名常年从事育苗工作的技术人员,具有开展试验的良好条件。

二、材料与方法

(一)侧柏耗水规律研究

侧柏温室育苗的耗水量与侧柏的需水规律、地下水位、当地气候状况、土壤因素等均有密切关系。由于地下水较深,在试验小区中直接测定侧柏温室育苗阶段耗水量。灌水方式为微喷,采用水表计测灌水量,用取土烘干法测定土壤含水率,用自记雨量计观测降雨量等方法,取得可靠数据,然后依据式(2-1)和式(2-2),分析确定侧柏温室育苗阶段各生育期耗水量和耗水强度。

(二)侧柏灌水定额、灌水次数及最佳灌水期研究方法

根据侧柏根系、地上部分生长发育特点及侧柏需水规律,结合当地气温、地温、降水资料,以确定侧柏温室育苗微喷的灌水定额、灌水次数、最佳灌水期等指标。

(三)侧柏计划湿润层深度试验方法

试验采用微喷灌溉方式,进行全园喷洒,灌水均匀度满足试验和苗木生长要求,调查不同灌水量时土壤的湿润深度,定期监测苗木生长高度和根系生长深度,使土壤计划湿润层深度大于苗木根系生长深度,以保证苗木根系正常生长对水分的需求。

三、结果与分析

(一)侧柏温室育苗的耗水规律

1.侧柏育苗期

从侧柏种子播种开始至移出温室共349d,观察了苗木育苗期、苗木高度、叶片数等生长状况(见表2-41)。根据苗木生长和耗水状况,并结合气温、地温、节气、揭棚膜后降雨情况等综合确定侧柏温室育苗期为349d,将育苗期分为:①播种期,10月23日至11月5日(13d);②出苗期,11月5日至11月17日(12d);③幼苗期,11月17日至12月15日(28d);④缓慢生长期,12月15日至2月28日(74d);⑤快速生长期,2月28日至4月15日(46d);⑥室外适应期,4月15日至6月24日(69d);⑦室外速生期,6月24日至9月26日(92d);⑧栽前抗旱期,9月26日至10月11日(15d)。共8个育苗期。

表 2-41 侧柏温室育苗的幼苗生长状况

项目	时间(月·日)							
	10.23	11.5	11.22	11.26	12.15	12.30	1.15	1.30
苗高(cm)	播种	出苗	2.0	2.5	4.8	5.0	5.8	6.9
叶片数(个)	0	0	3	10	12	21	26	31

项目	时间(月·日)							
	2.15	2.29	7.26	8.10	8.26	9.10	9.26	10.11
苗高(cm)	8.0	9.7	19.4	21.6	25.9	26.5	29.4	32.3
叶片数(个)	37	46	70	75	78	80	84	94

2.侧柏温室育苗总体耗水情况

侧柏温室育苗总体可以分为室内和露天两个阶段(见表 2-42)。从播种到第二年揭去棚膜为室内阶段,即苗期①～⑤;从揭去棚膜到移栽为露天阶段,即苗期⑥～⑧。室内土壤含水率比露天高 5.32%。173d 的室内阶段耗水量为 180.89mm,耗水强度为1.05mm/d,在近一半的时段内耗水量占全部耗水量的 1/3;176d 的露天阶段耗水量为316.22mm,耗水强度为 1.80mm/d,在近一半的时段内耗水量占全部耗水量的 2/3。室内阶段由于苗木小、气温低、空气湿度大,蒸腾蒸发量小,耗水强度明显比露天阶段小。露天阶段耗水强度主要是受降雨量大小的影响,特别是在汛期降雨量大、气温高、苗木生长快,耗水强度明显比育苗期内的其他阶段大。

表 2-42 侧柏温室育苗总体耗水量

管理状况	时段(d)	含水率(%)	耗水量(mm)	耗水强度(mm/d)	耗水模数(%)	时段模数(%)
室内	173	17.43	180.89	1.05	36.39	49.57
露天	176	12.11	316.22	1.80	63.61	50.43
总体	349	15.04	497.11	1.42	100.00	100.00

3.侧柏温室育苗各育苗期耗水情况

侧柏从播种到出圃,在长达 349d 的全育苗期中,总耗水量 497.11mm,平均耗水强度1.42mm/d。但各育苗期的耗水量差异很大(见表 2-43),其耗水规律如下。

(1)播种期。从下种到出苗为播种期。为了防止营养钵内基质板结,在该期不宜灌水,在下种前已经对苗床和营养钵灌足水,土壤含水率很高,室内温度比较高,使温室内的蒸发量较大,耗水强度在室内阶段最大,达 1.45mm/d,占全育苗期平均耗水强度的102%,时段模数 3.72%的播种期耗水模数为 3.79%。

(2)出苗期。从开始出苗到出苗结束为出苗期。为了防止土壤板结,影响出苗率,在该期也不宜灌水,只是土壤表皮比较干时可以喷洒少量的水,提高空气湿度,使地表保持湿润状态。此期室外温度虽然比较低,但是室内温度比较高,耗水量也比较大,耗水强度为 1.34mm/d,此期是时段最短的育苗期,也是耗水量最小的时段。

表 2-43　侧柏各育苗期耗水量

育苗期	时段水量变化值 Δh （mm）	时段灌水量 M （mm）	时段有效降水量 P （mm）	时段耗水量 ET_{1-2} （mm）	时段 （d）	耗水强度 （mm/d）	耗水模数 （%）	时段模数 （%）
播种期	18.82			18.82	13	1.45	3.79	3.72
出苗期	16.08			16.08	12	1.34	3.23	3.44
幼苗期	23.46	6.5		29.96	28	1.07	6.03	8.02
缓慢生长期	38.02	28.5		66.52	74	0.90	13.38	21.20
快速生长期	33.21	16.3		49.51	46	1.08	9.96	13.18
室外适应期	40.39		62.2	102.59	69	1.49	20.64	19.77
室外速生期	−86.56		277	190.44	92	2.07	38.31	26.36
栽前抗旱期	4.29		18.9	23.19	15	1.55	4.66	4.30
全育苗期	87.71	51.3	358.1	497.11	349	1.42	100.00	100.00

(3)幼苗期。指苗木从出苗到苗高 5cm 左右。由于从播种到此期 25d 没有灌水,此期需要灌水,采用少量多次的方式进行灌溉,在苗高 2cm 左右要加强对苗木立枯病的防治,确保苗全苗壮,保持地表湿润状态。此期室内温度也比较低,苗木生长缓慢,耗水强度也比较小,为 1.07mm/d,在时段模数 8.02% 的幼苗期耗水模数为 6.03%。

(4)缓慢生长期。由于此期室外是全年气温最低的时段,室内气温和地温都比较低,苗木进入缓慢生长期,苗木耗水明显减少,是全育苗期耗水强度最少的时期,耗水强度为 0.90mm/d,时段模数 21.2% 的缓慢生长期耗水模数为 13.38%,此期也需要灌溉,以保证苗木对水分的基本需要。

(5)快速生长期。此期气温开始回升,室内气温、地温也开始回升,苗木开始较快生长,耗水明显加大,耗水强度增大到 1.08mm/d,为保证此期水分需求,必须进行灌溉。

(6)室外适应期。从揭棚膜到汛期来临前为室外适应期。该期气温上升较快,苗木蒸腾量和棵间蒸发量由于没有棚膜的阻隔,耗水强度很快增加,耗水强度为 1.49mm/d,在时段模数 19.77% 的室外适应期耗水模数 20.64%。由于此期正值干旱期,土壤含水率达到整个育苗阶段最低,此期需要进行灌水。

(7)室外速生期。汛期为室外速生期。由于此期降水量大、气温高、苗木生长快、苗木蒸腾量和棵间蒸发量很大,该期不但是耗水量最大的时期,达 190.44mm,也是耗水强度最大的时期,达 2.07mm/d,在时段模数 26.36% 的室外速生期耗水模数达 38.31%。此期不需要灌溉就能满足苗木的生长需要。

(8)栽前抗旱期。汛期结束至移栽前为栽前抗旱期。此期气温开始降低,降水量逐渐减少,苗木生长速度也减缓,苗木蒸腾量和棵间蒸发量也降低。为促进苗木木质化,提高苗木的适应性,在栽前进行必要的抗旱锻炼,增强苗木的抗旱性,只是在移栽时灌溉,灌足水,带土移栽,以提高造林成活率。此期耗水强度为 1.55mm/d。

(二)侧柏温室育苗的土壤水分分布

1.各土层土壤水分分布

根据对侧柏温室育苗各层土壤含水率平均值的观测结果(见表2-44)可知,土壤含水率以30cm土层最高,10、20cm土层土壤含水率大致相当,而40、50cm土层的土壤含水率逐渐降低,不但低于30cm土层的土壤含水率,也低于10、20cm土层的土壤含水率。因此,30cm土层的土壤水分可以为苗木生长提供补充水分,而40、50cm土层的土壤水分基本对苗木生长没有太大的影响。同时,苗木的根系深度也达不到40cm以下。

表2-44 侧柏温室育苗各层土壤水分及容重

项目	土层深度(cm)				
	10	20	30	40	50
土壤平均含水率(%)	14.94	14.92	15.06	13.97	13.51
土壤容重(g/cm³)	1.15	1.31	1.23	1.27	1.27

2.各时段土壤水分分布

从侧柏温室育苗各时段土壤含水率平均值的观测结果(见表2-45)看,由于在下种前已经对苗床和营养钵进行灌水,且灌足灌透,因此土壤含水率在整个育苗期内达到最高,为25.61%。在室内阶段土壤含水率基本维持在15%~18%之间,变化幅度不是很大。为提高苗木露天的适应性,在揭棚膜之前进行灌溉,此时土壤含水率较大,达19.15%。揭去棚膜后,苗木消耗的水分主要由降雨提供,该地区5月比较干旱,土壤含水率仅5.6%,是整个育苗阶段最干旱的时段,可进行灌溉,维持苗木的水分需求。露天阶段土壤含水率主要受天然降雨的影响,在主汛期降雨后测定的土壤含水率在露天阶段达到最大,为18.18%。

表2-45 侧柏温室育苗各时段土壤水分

测定时间 (月·日)	含水率 (%)	测定时间 (月·日)	含水率 (%)	测定时间 (月·日)	含水率 (%)	测定时间 (月·日)	含水率 (%)
10.23	25.61	1.30	17.74	4.15	19.15	7.26	10.08
11.26	17.62	2.15	15.03	4.30	11.27	8.26	18.18
12.15	16.00	2.29	16.84	5.16	5.60	9.12	13.40
12.30	16.70	3.15	10.82	6.24	11.83	9.26	13.63
1.15	18.93	4.1	17.31	7.10	12.00	10.11	13.01

(三)侧柏温室育苗的灌水期、最佳灌水时间、灌水次数及灌水定额

1.灌水期和最佳灌水时间

根据侧柏温室育苗中耗水状况(见表2-43)和各时段土壤含水率状况(见表2-45)得知,侧柏的主要灌水期为:①下种前,这是最重要的一次灌水,需要灌足灌透,保证播种期、出苗期长达25d的水分需要;②幼苗期,在该期灌水把握前少后多的原则,前期以防治立

枯病为主,保持土壤适度干燥,后期定苗后,及时灌水,促进幼苗的健壮生长;③缓慢生长期,由于气温和地温都比较低,苗木生长缓慢,耗水强度比较小,但是该期长达74d,需要进行灌溉,以保证苗木基本的水分需求;④快速生长期,该期气温、地温都上升,适宜苗木生长,此期要加强灌溉,特别是揭棚膜前需要灌溉,以增强苗木露天的适应性;⑤室外适应期,由于正值干旱季节,气温、地温都比较高,苗木生长消耗水分多,需要进行必要灌溉;⑥移栽前,此期灌水主要是在苗木根部和营养钵内创造湿团,方便带土移栽,提高移栽后的成活率。

根据温室的环境和苗木对水分、气温、空气湿度的要求,如果在早晨灌水,水分一般被苗木叶子截留或是保留在地表2～3cm土壤中,到中午高温时就会被蒸腾或蒸发,空气湿度大,水分利用效率比较低;如果在中午灌水,由于水温比较低,造成苗木"感冒",使苗木停止生长;如果在下午灌水,气温已经降低,灌到地表的水分经过一晚上的下渗,地表湿度比较小,第二天蒸发量就会比较小,提高了水分利用效率,空气湿度也比较适宜。所以,侧柏温室育苗最佳灌水时间是下午,其次是早晨,一般避免中午灌水。

2.灌水次数和灌水定额

根据侧柏温室育苗阶段的需水规律,以及对气温、地温和空气湿度的特点分析,在黄土高原沟壑区侧柏温室育苗时,适宜的灌水次数为:下种前灌水1次;幼苗期灌水5次;缓慢生长期灌水12次;快速生长期灌水5次;室外适应期灌水2次;移栽前灌水1次。总计灌水次数为26次,其中室内阶段灌水23次,露天阶段灌水3次。对苗木生长影响比较大的灌水有4次,为下种前灌水、幼苗期定苗后灌水、揭棚膜前灌水和移栽前灌水。

侧柏温室育苗灌溉定额为196mm(见表2-46),其中室内阶段灌溉定额126mm,露天阶段灌溉定额70mm。各个灌水期的灌溉制度都不完全相同。

表2-46　侧柏温室育苗微喷灌溉制度

项　目	灌水期					
	下种前	幼苗期	缓慢生长期	快速生长期	室外适应期	移栽前
灌水次数(次)	1	5	12	5	2	1
计划湿润层深度(m)	0.5	0.1	0.1	0.2	0.3	0.4
土壤湿润比(%)	90	80	80	80	70	90
灌水定额(mm)	50.0	2.0	3.0	6.0	15.0	40.0
时段灌水量(mm)	50.0	10.0	36.0	30.0	30.0	40.0

(1)下种前(10月下旬)灌水。按计划湿润层0.5m、土壤湿润比90%进行微喷,灌水定额50mm。该次灌水需要保证播种期和出苗期的耗水,灌溉使土壤含水率达到最大田间持水量,这样就可以满足苗木在播种期和出苗期生长的水分需要。

(2)幼苗期(11月中旬至12月中旬)灌水。按计划湿润层0.1m、土壤湿润比80%、灌水定额2mm进行微喷,时段灌水量为10mm。此时苗木根系比较短,小于10cm,因此计划湿润层为0.1m。在幼苗期前期控制灌水,以防治立枯病为主,后期定苗后及时灌水,填平定苗时留下的孔洞,防止苗木晾根,保证苗木的健壮生长。

(3)缓慢生长期(12月中旬至2月下旬)灌水。按计划湿润层0.1m、土壤湿润比80%、灌水定额3mm进行微喷,时段灌水量为36mm。此期灌水主要是需要满足低温缓慢生长期基本的水分需求。

(4)快速生长期(2月下旬至4月中旬)灌水。按计划湿润层0.2m、土壤湿润比80%、灌水定额6mm进行微喷,时段灌水量为30mm。此时气温、地温已经比较高,苗木地上部分和根系开始快速生长,需要消耗比较多的水分,灌水量比较大,特别是在揭棚膜前,为提高苗木露天阶段的适应性,需要灌水。

(5)室外适应期(4月中旬至6月下旬)灌水。按计划湿润层0.3m、土壤湿润比70%、灌水定额15mm进行微喷,时段灌水量为30mm。此期主要是适逢天气干旱,需要灌溉,以保证苗木的正常生长,如果降雨量适宜,可不灌溉。

(6)移栽前(10月中旬)灌水。按计划湿润层0.4m、土壤湿润比90%进行微喷,灌水定额40mm。为方便带土移栽,在苗木根部和营养钵内创造湿团,此期需要灌水,这样可以提高移栽后苗木的成活率。

四、结 论

(1)黄土高塬沟壑区侧柏温室育苗从下种至移栽共为349d,将育苗期分为播种期(13d)、出苗期(12d)、幼苗期(28d)、缓慢生长期(74d)、快速生长期(46d)、室外适应期(69d)、室外速生期(92d)、栽前抗旱期(15d)共8个育苗期。

(2)侧柏从播种到出圃,耗水量为497.11mm,其中室内阶段耗水量为180.89mm,在近一半的时段内耗水量占全部耗水量的1/3;露天阶段耗水量为316.22mm,在近一半的时段耗水量占全部耗水量的2/3。室内阶段由于苗木小、气温低、空气湿度大,蒸腾蒸发量小,耗水强度明显比露天阶段小。露天阶段耗水强度主要是受降雨量大小的影响,特别是在汛期降雨量大、气温高、苗木生长快,耗水强度明显比别的育苗期大。

(3)侧柏在温室育苗期,平均耗水强度1.42mm/d。播种期耗水强度在室内阶段最大,达1.45mm/d;出苗期是时段最短的育苗期,也是耗水量最小的时段,时段耗水量为16.08mm;缓慢生长期是全育苗期耗水强度最小的时期,耗水强度为0.90mm/d;室外适应期正值干旱期,土壤含水率达到整个育苗阶段最低;室外速生期不但是耗水量最大的时期,达190.44mm,也是耗水强度最大的时期,达2.07mm/d。

(4)在下种前已经对苗床和营养钵进行灌水,土壤含水率在整个育苗期内达到最高,达25.61%;在室内阶段土壤含水率基本维持在15%~18%之间,变化幅度不是很大;在揭棚膜之前进行灌溉,此时土壤含水率较大,达19.15%;揭去棚膜后,该地区5月比较干旱,土壤含水率仅5.6%,是整个育苗阶段最干旱的时段;露天阶段土壤含水率主要受天然降雨的影响,在主汛期降雨后测定的土壤含水率在露天阶段达到最大,为18.18%。

(5)侧柏温室育苗的6个主要灌水期为:下种前、幼苗期、缓慢生长期、快速生长期、室外适应期、移栽前。侧柏温室育苗最佳灌水时间是下午,其次是早晨,一般避免中午灌水。

(6)侧柏温室育苗灌水次数为26次,其中室内阶段灌水23次,露天阶段灌水3次。对苗木生长影响比较大的灌水有4次,为下种前灌水、幼苗期定苗后灌水、揭棚膜前灌水和移栽前灌水。

(7)侧柏温室育苗灌溉定额196mm,其中室内阶段灌溉定额126mm,露天阶段灌溉定额70mm。各个灌水期的灌溉制度都不完全相同。

参 考 文 献

[1] SL13—90.灌溉试验规范

[2] SL103—95.微灌工程技术示范

[3] 曲译洲,孙云蔚,黄昌贤,等.果树栽培学实验实习指导书.北京:农业出版社,1979

[4] 李怀有,王斌.苹果滴灌试验及节灌制度研究.干旱地区农业研究,2001,19(3):114~121

[5] 李怀有,王斌.覆盖制苹果园滴灌试验及节灌制度研究.见:中国水利学会青年科技工作委员会.中国水利学会首届青年科技论坛论文集.北京:中国水利水电出版社,2003

[6] 李怀有,赵安成,郭永乐.黄土高塬沟壑区集雨节水灌溉技术.郑州:黄河水利出版社,2002

[7] 李怀有,王斌,梁金战.苹果滴灌最佳灌水部位试验研究.甘肃农业科技,2000(4):31~33

[8] 李怀有.高塬沟壑区苹果微灌方式试验研究.干旱地区农业研究,2001(2):48~53

[9] 李怀有.果园微灌与管道施药复合系统研究.干旱地区农业研究,2001(1):59~65

[10] 李怀有.果园管道施药系统研究.干旱地区农业研究,1999(4):50~54

[11] 周卫平,宋广程,邵思.微灌工程技术.北京:中国水利水电出版社,1999

[12] 闫朝阳.利用PVC薄壁管发展低压喷灌实验研究.节水灌溉,1999(4):23~26

[13] 王斌,李怀有.高塬沟壑区苹果园穴贮肥水集雨研究.节水灌溉,2003(增刊):64~66

[14] 王斌,李怀有,王志雄.黄土高塬沟壑区苹果园的水肥耦合试验研究.土壤肥料,2004(6):49~51

[15] 李怀有.高塬沟壑区果园土壤管理制度试验研究.干旱地区农业研究,2001(4):32~37

[16] 王斌,梁金战,范晓玲.陇东黄土高塬苹果树配方施肥技术研究.甘肃农业科技,2000(5):26~30

[17] 中华人民共和国标准—鲜苹果(GB10651—89).中华人民共和国商业部,1989

[18] 陈寿伦,张鹏,李炳奎,等.果树配方施肥技术问答.北京:农业出版社,1994

[19] 汪景彦,于洪华,朱佳满,等.红富士苹果高产栽培.北京:金盾出版社,1995

[20] 唐梁楠,杨秀媛.果树薄膜高产栽培技术.北京:金盾出版社,1993

[21] 张铭强,相里泉.果园生草覆草实用技术.北京:中国农业科技出版社,1998

[22] 王斌,李怀有,梁金战.陇东旱塬苹果园免耕覆盖集水试验研究.甘肃农业科技,2000(4):29~30

[23] 李怀有,赵安成,王斌.温室侧柏育苗节水灌溉制度试验研究.见:中国水利学会第二届青年科技论坛论文集.郑州:黄河水利出版社,2005

第三章　坡面水资源的调控利用

第一节　全坡面土壤水分分布规律研究

随着黄河水土保持生态工程的大面积实施,黄土高原荒山荒坡得到规模化绿化。在年降水量 500～700mm 的黄土高塬沟壑区,以侧柏、油松等为主要常绿树种的苗木以其良好的适应性已大面积栽植。为了使造林树种与造林地合理配置,做到"适地适树"、优选适宜的造林技术,开展全坡面土壤水分分布规律试验,对提高该区域大面积造林的成活率和生长量,减轻水土流失具有重要的意义。

一、试验点概况

该区地貌属典型的黄土高塬沟壑区类型,为半湿润易旱区内陆季风性气候区。试验在黄河水土保持西峰治理监督局南小河试验监测站进行。试验点海拔 1 250m,年均降水量 561.5mm,年均有效降水量 442mm;年蒸发量 1 527mm,干旱指数为 2.7。年平均气温 8.5℃,平均无霜期 160d。坡面中上部土壤为黄绵土,下部为塌积土,塌积土层之下为红土。土质为粉砂中壤土,土层深厚,土质疏松。土壤容重 1.14～1.33g/cm³,pH 值为 7.88。土壤养分含量为:有机质 0.98%,全氮 0.63%,全磷 0.14%,全钾 2.4%。

该试验选在南小河沟流域的阴坡和阳坡两种地形条件下,分别采用集水造林、普通造林和荒山 3 种立地类型 6 种试验组合参与试验:阴坡集水造林选在李家山,普通造林选在杨家山,荒山选在杨家山;阳坡集水造林选在驴尾梁,普通造林选在十八亩台,荒山选在十八亩台。试验点造林规范,成活率和保存率较高,地形地貌类似,具有较好的对比试验条件。每种试验处理从沟底往上每隔 5m 取一个试验点,共取 21 个试验点,高差为 105m;每个试验点分别在 2004 年 4 月下旬、7 月下旬、11 月下旬和 2005 年 4 月中旬、6 月上旬分别测定 10、20、40、60、100、150、200cm 共 7 个深度的土壤含水率,合计测定土样 4 410 个。

二、材料与方法

(一)试验期间降水研究

降水量采用距试验点 500m 左右的杨家沟测站的自记雨量计和雨量筒监测得到的降水资料;月降水量是统计逐日降水量之和;月有效降水量是统计日降水大于 5mm 的降水量之和。

(二)各种处理不同深度土壤含水率分布研究

根据 5 次测得的 6 种试验处理在 10、20、40、60、100、150、200cm 等 7 种深度的土壤含水率的平均值进行分析。采用阴坡 3 种、阳坡 3 种以及阴坡和阳坡的平均值分别分析 6 种试验处理在不同深度土壤含水率的分布规律。试验编号见表 3-1。

表 3-1　全坡面土壤水分分布规律试验编号

表 3-1　全坡面土壤水分分布规律试验编号

地形	集水造林	普通造林	荒山
阴坡	11	21	31
阳坡	12	22	32

(三)各种处理春季造林时在苗木栽植深度的土壤含水率分布研究

根据 2004 年和 2005 年春季 2 次测得的 6 种试验处理在 20、40cm 两个深度的土壤含水率和平均值,以及阴坡 3 种、阳坡 3 种、阴坡和阳坡土壤含水率平均值,分别分析 6 种试验处理春季造林时在苗木栽植深度土壤含水率的分布规律,为适宜造林地的选择提供技术依据。

(四)不同试验处理土壤含水率分布研究

根据 5 次测得 6 种处理的土壤含水率平均值,结合各时段降雨状况进行分析,采用阴坡 3 种、阳坡 3 种、阴坡和阳坡平均值分别进行分析的方法,分析 6 种试验处理在各时段土壤含水率的分布规律,为适宜造林时间和造林苗木的选择提供技术依据。

(五)各种处理不同深度土壤含水率分布研究

根据 5 次测得的各种试验处理在 21 个试验点 20cm 深度土壤含水率的平均值进行分析,采用阴坡 3 种、阳坡 3 种、阴坡和阳坡平均值分别进行,分析 6 种试验处理条件下不同高度土壤含水率的分布情况。

(六)不同高度在苗木栽植深度土壤含水率分布研究的材料与方法

根据各次测得的 6 种处理在不同高度处 20cm 土壤含水率平均值,并结合各时段降雨状况进行分析;采用阴坡 3 种、阳坡 3 种、阴坡和阳坡平均值分别进行,分析在各时段不同高度的土壤含水率的分布情况,为适宜造林时间和造林苗木的选择提供技术依据。

三、结果与分析

(一)试验期间的降水情况

试验期间(2003 年 7 月至 2005 年 6 月)的降水量为 1 259.5mm,有效降水量为 1 086.6mm(见图 3-1),平均年降水量为 629.8mm,平均年有效降水量为 543.3mm,两年均属于丰水年,为试验的顺利开展提供了较好的降水条件。从年内降水特点分析,7、8、9 三个月的降水量 398.2mm,相应的有效降水量 373.7mm,分别占年降水量和年有效降水量的 63.22% 和 68.77%;在 11 月至次年 4 月长达 6 个月的时间内的降水量仅 48.0mm,相应的有效降水量仅 16.5mm,分别占年降水量和年有效降水量的 7.6% 和 3.0%。尤其在 2003 年 12 月至 2004 年 3 月期间有效降水量只有 6.6mm,2004 年 12 月至 2005 年 4 月期间,没有有效降水。这种短时段降水、长时段干旱的降水特点,与树木生长需要持续的水分供应之间的矛盾给集水造林技术的研究提供了客观需求。

(二)各种处理不同深度土壤含水率分布

1. 阴坡各种处理不同深度土壤含水率分布

从阴坡每种试验处理 21 个点、5 次土壤含水率的平均值(见表 3-2、图 3-2)可知,阴坡集水造林的土壤含水率最高,达14.49%,荒山次之,为 13.27%,普通造林最低,为

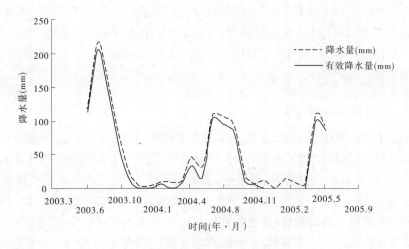

图 3-1　试验期间月降水量、有效降水量

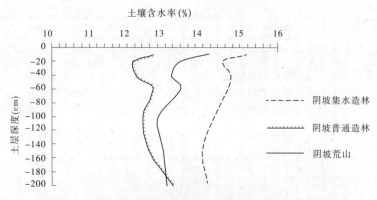

图 3-2　阴坡集水造林、普通造林和荒山土壤含水率比较

12.56%；集水造林土壤含水率比荒山高 1.22%，比普通造林高 1.93%。说明在阴坡采用集水造林的方法，可以更好地集蓄降水，提高土壤含水率，不但满足当时树木生长的水分需求，还可以为干旱期树木的正常生长提供必要的水分，更好地起到了"土壤水库"的作用。普通造林土壤含水率比荒山低，说明树木生长比荒草生长需要更多的水分。

表 3-2　各种试验处理不同深度土壤含水率

土壤深度	土 壤 含 水 率(%)							
(cm)	11	21	31	阴坡平均	12	22	32	阳坡平均
10	15.17	12.72	14.15	14.01	9.48	10.13	9.99	9.87
20	14.49	12.16	13.39	13.34	10.14	10.54	10.57	10.42
40	14.74	12.21	13.18	13.37	10.51	10.52	10.26	10.43
60	14.65	12.69	13.41	13.58	10.65	11.21	10.64	10.83
100	14.28	12.39	12.80	13.16	11.31	12.01	11.21	11.51
150	13.96	12.53	12.93	13.14	11.96	10.89	11.57	11.47
200	14.11	13.20	13.03	13.44	11.93	10.79	11.67	11.47
平均	14.49	12.56	13.27	13.44	10.85	10.87	10.84	10.86

根据对3种处理不同深度土壤含水率取平均值(见表3-2、图3-2)得出,地表10cm土壤含水率最高,达到12.72%~15.17%,20、40cm土壤含水率较低,尤其20cm土壤含水率最低,为12.16%~14.49%,60~200cm土壤含水率比较稳定,为12.39%~14.65%。因此,在阴坡,按土壤含水率大小来分,地表10cm为高湿层,20、40cm为低湿层,60cm以下为中湿层。

2.阳坡各种处理不同深度土壤含水率分布

从阳坡每种试验处理21个点、5次土壤含水率的平均值(见表3-2、图3-3)可知,3种土壤含水率的平均值相差不大,在10.84%~10.87%之间;在10、20cm集水造林土壤含水率最低,普通造林20cm土壤含水率最高,说明在阳坡,降水产流的次数比较少,径流系数比较小,地表比较干旱。采用集水造林的方法,裸露的地表面积大,蒸发量大,收集径流蓄存到土壤中的效果不是很明显;普通造林比荒山的地表土壤含水率高,说明在阳坡蒸发是水分散失的主要形式。因此,阳坡要保证树木正常生长需要的水分不适宜采用收集雨水的方法,更适宜考虑采用预防水分散失和栽植抗旱苗木的方法。

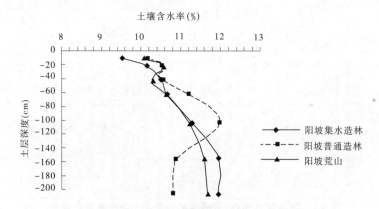

图3-3　阳坡集水造林、普通造林和荒山土壤含水率比较

根据对3种处理不同深度土壤含水率取平均值(见表3-2、图3-3)得出,3种处理地表10cm土壤含水率最低,达到9.48%~10.13%,20、40cm土壤含水率较低,为10.14%~10.57%,60~200cm土壤含水率比较稳定,为10.64%~12.01%。因此,在阳坡,按土壤含水率大小来分,地表10cm为特旱层,20、40cm为中旱层,60cm以下为干旱层。

3.阴坡和阳坡不同深度土壤含水率比较

根据对阴坡和阳坡不同深度土壤含水率取平均值(见表3-2、图3-4)可知,阴坡各层土壤含水率均比阳坡高1.65%~4.14%,平均高2.58%。尤其以10cm土壤含水率最显著,阴坡比阳坡高4.14%。20cm和60cm土壤含水率次之,阴坡比阳坡高2.94%~2.75%。60cm以下土壤含水率相差比较小,阴坡比阳坡高1.65~1.97个百分点;其中以100cm相差最小,阴坡比阳坡高1.65个百分点。

(三)各种处理在春季造林时栽植深度土壤含水率分布

根据各种处理在春季造林时20cm和40cm土壤含水率(见表3-3)看出,春季在阴坡造林时,栽植营养钵苗20cm的深度和栽植大苗40cm的深度,集水造林的土壤含水率最高,荒山次之,普通造林最低,但都高于最低平均值15.19%。根据试验监测,春季栽植喜

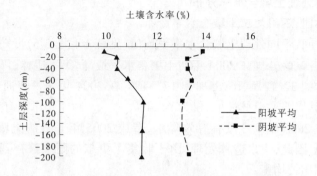

图 3-4 阳坡和阴坡平均土壤含水率比较

湿树种油松成活率均达到 95% 以上,适宜油松的栽植;集水造林土壤含水率比荒山高 1.84~2.01 个百分点,比普通造林高 2.65~3.21 个百分点。

表 3-3 各种试验处理在春季造林时栽植深度土壤含水率 （%）

时间(年·月)	土壤深度(cm)	11	21	31	阴坡平均	12	22	32	阳坡平均
2004.4	20	24.73	16.82	18.32	19.96	11.42	10.38	9.74	10.51
	40	23.61	17.38	17.58	19.52	12.69	10.57	11.29	11.52
2005.4	20	12.08	13.55	14.80	13.48	9.78	8.32	9.38	9.16
	40	13.21	14.15	15.23	14.19	10.32	9.27	10.03	9.88
平均	20	18.40	15.19	16.56	16.72	10.60	9.35	9.56	9.84
	40	18.41	15.76	16.40	16.86	11.51	9.92	10.66	10.70

春季在阳坡造林时,栽植营养钵苗 20cm 的深度和栽植大苗 40cm 的深度,集水造林的土壤含水率最高,荒山次之,普通造林最低,但都低于最高平均值 11.51%,土壤比较干燥,不适宜苗木的栽植,即使采用营养钵苗,成活率也比较低,根据试验监测,春季栽植耐旱树种侧柏成活率只有 86%。集水造林土壤含水率比荒山高 0.85~1.04 个百分点,比普通造林高 1.25~1.59 个百分点。

由于 2003 年汛期有效降水达 463.4mm,2004 年汛期有效降水为 283.9mm,2003 年汛期有效降水是 2004 年的 1.63 倍,因此在春季造林时,2004 年春季阴坡和阳坡 20cm 土壤含水率分别达到 19.96% 和 10.51%,2005 年仅分别达到 13.48% 和 9.16%,2004 年比 2005 年分别高 6.48 个和 1.35 个百分点。

因此,春季采取集水造林,在阴坡苗木栽植深度范围内的土壤含水率比普通造林高 2.65~3.21 个百分点,在阳坡苗木栽植深度范围内的土壤含水率比普通造林高 1.25~ 1.58 个百分点;前一年汛期有效降水对次年春季造林时土壤含水率具有十分显著的影响,根据前一年汛期有效降水的大小可以提前合理安排措施类型、造林地形、造林面积、造林树种。如果前一年汛期有效降水量大,可以优先安排造林,尤其优先安排阳坡造林,选择耐旱树种侧柏、刺槐等;如果前一年汛期有效降水量小,可以优先安排工程措施,造林时优先安排阴坡造林,选择适宜阴坡生长的树种如油松等。

(四)各次不同处理土壤含水率分布

1.阴坡不同时间、不同处理土壤含水率分布

从阴坡不同时间、不同处理土壤含水率平均值(见表3-4、图3-5)可知,由于2003年汛期的降水量大,使各试验处理在2004年初土壤含水率最高,集水造林、普通造林和荒山的土壤含水率分别达到22.12%、16.85%和17.34%,在2004年7月普通造林和荒山土壤含水率比较低,尤其以普通造林最低,仅为9.24%。由于2004年汛期有效降水不如2003年,2004年12月~2005年4月没有有效降水,造成2005年6月的土壤含水率最低,仅9.35%~10.08%。因此,集水造林处理,由于收集了更多的雨水蓄存到土壤中,使2004年全年土壤含水率比较均衡。

表3-4　各次不同试验处理土壤含水率　　　　　　　　(%)

时间(年·月)	11	21	31	阴坡平均	12	22	32	阳坡平均
2004.4	22.12	16.85	17.34	18.77	12.68	11.04	11.58	11.77
2004.7	14.36	9.24	10.37	11.32	7.03	9.86	7.09	7.99
2004.11	13.22	13.82	14.37	13.80	14.12	14.03	16.83	14.99
2005.4	12.91	13.52	14.18	13.54	10.09	9.21	9.52	9.61
2005.6	9.81	9.35	10.08	9.75	10.35	10.22	9.20	9.93
平均	14.49	12.56	13.27	13.44	10.85	10.87	10.84	10.86

由此可见,阴坡土壤含水率不仅与试验处理有关,更主要的是与前期有效降水量呈正相关。通过"土壤水库"的调蓄作用,使汛期短历时、高强度的降水经过拦蓄,保持较高的土壤含水率,能够满足较长时段树木生长的水分需求,土壤调蓄水分对降水径流具有延后和削峰作用。

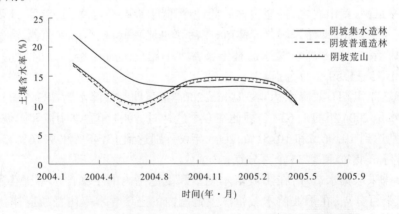

图3-5　阴坡集水造林、普通造林、荒山不同月份土壤含水率

2.阳坡各次不同试验处理土壤含水率分布

从阳坡各次不同试验处理土壤含水率平均值(见表3-4、图3-6)可知,由于2003年汛期的有效降水量比2004年的大,因此2004年4月土壤含水率明显比2005年4月高,3种处理高1.83~2.59个百分点。由于阳坡集水效果不如阴坡,阳坡集水造林开挖裸露的地

表面积大,蒸发量大,造成 2004 年 7 月土壤含水率最低,仅为 7.03%～9.86%,在 3 种处理中,集水造林处理土壤含水率达到最低;在阳坡 5 次土壤含水率中,2004 年 11 月最高,为 14.03%～16.83%。

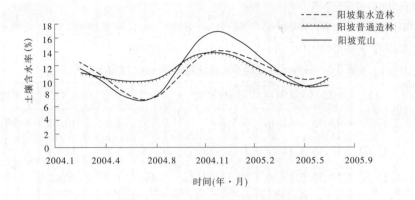

图 3-6　阳坡集水造林、普通造林、荒山不同月份土壤含水率

由此可见,阳坡土壤含水率不仅与集蓄径流多少有关,更主要的是与裸露面积大小有关。土壤含水率与前期有效降水量呈正相关,通过"土壤水库"的调蓄作用,使汛期短历时、高强度的降水经过拦蓄,保持较高的土壤含水率,能够满足较长时段树木生长的水分需求,阳坡土壤调蓄水分对降水径流也具有延后和削峰作用,但是没有阴坡显著。

3. 阴坡和阳坡各层次土壤含水率分布比较

根据阴坡和阳坡各层次土壤含水率平均值(见表 3-4、图 3-7)可知,阴坡土壤含水率平均比阳坡大 2.58 个百分点,阴坡在 2004 年 4 月土壤含水率最大,为 18.77%,2005 年 6 月土壤含水率最小,为 9.75%;阳坡在 2004 年 11 月土壤含水率最大,为 14.99%,2004 年 7 月土壤含水率最小,为 7.99%。

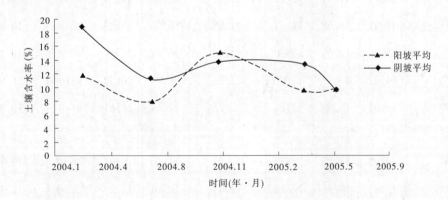

图 3-7　阳坡、阴坡不同月份平均土壤含水率

可见,阴坡造林的土壤水分条件明显要好于阳坡。在造林地选择时,应优先选择阴坡进行造林,并且阴坡造林时间最好选择在春季。阳坡造林应选择抗旱性和抗寒性比较强的树种,如刺槐,并且造林时间最好选在地封冻前,进行截杆栽植。

(五)各种处理不同坡面高度土壤含水率分布

从阴坡不同坡面高度的各种处理 20cm 土壤含水率的平均值(见表 3-5)看出,阴坡平均土壤含水率在 3 种处理中集水造林最高,达到 14.54%,比荒山高 1.25 个百分点,比普通造林处理高 2.32 个百分点。

从阳坡不同坡面高度的各种试验处理 20cm 土壤含水率的平均值(见表 3-5)看,阳坡平均土壤含水率在 3 种处理中差别不大,为 10.17%~10.58%。

表 3-5　各种试验处理不同坡面高度 20cm 土壤含水率　　　　　(%)

坡面高度(m)	11	21	31	阴坡平均	12	22	32	阳坡平均
5	14.83	13.13	12.46	13.47	9.18	8.62	10.65	9.48
10	15.00	13.43	11.72	13.38	10.98	9.45	11.04	10.49
15	15.53	12.57	15.08	14.39	9.46	8.89	8.47	8.94
20	13.69	10.56	13.50	12.58	9.06	11.02	10.64	10.24
25	14.70	12.65	13.85	13.74	9.50	9.20	10.97	9.89
30	14.20	9.81	18.53	14.18	8.43	9.30	12.76	10.16
35	16.48	11.52	12.77	13.59	8.48	11.34	14.10	11.31
40	13.64	11.42	12.78	12.61	9.89	10.94	9.35	10.06
45	13.54	9.52	14.49	12.52	8.91	9.98	7.18	8.69
50	16.48	13.32	13.84	14.55	12.09	11.10	10.49	11.23
55	15.08	12.39	13.15	13.54	9.13	10.75	10.16	10.01
60	15.71	11.91	13.25	13.62	12.89	11.30	9.13	11.11
65	12.41	11.68	11.61	11.90	10.06	11.53	11.06	10.88
70	15.05	12.59	15.70	14.45	10.17	9.96	10.32	10.15
75	14.22	13.93	12.00	13.38	8.18	10.52	9.10	9.26
80	13.94	14.49	11.26	13.23	12.64	11.61	8.49	10.91
85	13.46	11.86	9.71	11.68	9.94	11.80	12.83	11.52
90	13.62	13.28	12.79	13.23	11.66	10.93	10.20	10.93
95	13.82	10.42	13.24	12.49	10.86	11.28	12.60	11.58
100	14.24	14.52	13.76	14.17	11.10	11.10	9.80	10.66
105	15.63	11.54	13.50	13.56	10.98	11.51	11.94	11.48
平均	14.54	12.22	13.29	13.34	10.17	10.58	10.54	10.43

由阴坡和阳坡不同坡面高度 20cm 土壤含水率的平均值(见表 3-5、图 3-8)可知,阴坡土壤含水率均比阳坡高 0.16~5.45 个百分点,平均高 2.91 个百分点。从坡面高度来看,阴坡和阳坡土壤含水率分布规律相似,和取土点的高度关系比较复杂,不是简单的线性关系。土壤含水率与植被、土质等因素密切相关,坡面高度不是影响土壤含水率的主要因素。

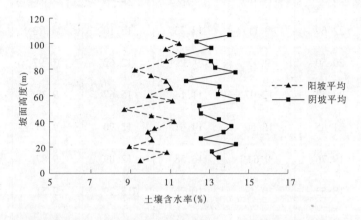

图 3-8　阴坡和阳坡不同坡面高度 20cm 土壤含水率

(六)各次不同坡面高度在栽植深度 20cm 时的土壤含水率分布

从阴坡各次不同坡面高度在栽植深度 20cm 时的土壤含水率(见表 3-6)可知,由于 2003 年汛期降水量大,使全坡面在 2004 年初保持了最高的土壤含水率,达到 15.88%~23.33%,平均值为 19.96%;2004 年汛期有效降水比 2003 年小, 2004 年 12 月~2005 年 4 月没有有效降水,造成 2005 年 6 月的土壤含水率达到最低,仅 7.57%~11.73%,平均土壤含水率仅为 9.53%;5 次不同坡面高度土壤含水率的变幅比较大,在 6.95%~23.33%,相差 16.38 个百分点。

从阳坡各次不同坡面高度在栽植深度 20cm 土壤含水率(见表 3-7)看出,土壤含水率变幅比较大,平均值为 5.43%~21.84%,相差 16.41 个百分点,平均值为 10.45%。5 次土壤含水率,2004 年 11 月达到最高,为 10.26%~21.84%,平均值为 14.80%;2004 年 7 月土壤含水率达到最低,仅为 5.43%~16.15%,平均值为 7.76%。

从阴坡和阳坡不同高度在栽植深度 20cm 土壤含水率(见表 3-6、表 3-7、图 3-9)看出,阴坡不同高度土壤含水率在 11.68%~14.55% 之间,相差 2.87 个百分点,平均值为 13.34%;阳坡不同高度土壤含水率在 8.69%~11.58% 之间,相差 2.89 个百分点,平均值为 10.45%;从阴坡和阳坡全坡面来看,阴坡土壤含水率均比阳坡高,平均高 2.89 个百分点,阴坡和阳坡土壤含水率的变幅基本一致;阴坡和阳坡土壤含水率都与坡面高度的关系不明显。

四、结　论

2003 年、2004 年汛期有效降水量分别为 463.4mm 和 283.9mm,2003 年汛期有效降

表 3-6　阴坡各次不同坡面高度在栽植深度 20cm 土壤含水率　　　　（%）

坡面高度(m)	2004 年 4 月	2004 年 7 月	2004 年 11 月	2005 年 4 月	2005 年 6 月	平均值
5	22.97	11.74	10.62	11.28	10.76	13.47
10	23.33	11.80	8.80	12.44	9.61	13.20
15	22.69	9.11	13.33	15.10	11.73	14.39
20	20.50	9.47	9.35	12.62	10.97	12.58
25	20.43	12.07	11.14	15.67	9.38	13.74
30	21.65	12.56	14.61	12.90	9.19	14.18
35	19.76	9.64	16.58	12.09	9.87	13.59
40	18.52	10.48	10.76	13.79	9.51	12.61
45	19.98	8.43	12.65	12.42	9.12	12.52
50	18.24	9.66	19.58	14.06	11.20	14.55
55	20.58	12.45	9.47	15.03	10.17	13.54
60	18.97	10.14	14.90	13.82	10.28	13.62
65	20.16	8.78	8.45	12.39	9.71	11.90
70	20.35	15.52	14.23	13.36	8.77	14.45
75	16.76	12.29	13.46	16.83	7.57	13.38
80	18.48	12.29	13.47	13.35	8.55	13.23
85	15.88	8.51	12.24	13.82	7.92	11.68
90	20.36	9.00	14.04	13.56	9.19	13.23
95	19.32	6.95	13.08	14.96	8.16	12.49
100	20.53	9.69	16.99	14.66	9.00	14.17
105	19.60	12.33	17.56	8.82	9.48	13.56
平均	19.96	10.61	13.11	13.48	9.53	13.34

表 3-7　阳坡各次不同坡面高度在栽植深度 20cm 土壤含水率　　　　　（%）

坡面高度(m)	2004 年 4 月	2004 年 7 月	2004 年 11 月	2005 年 4 月	2005 年 6 月	平均值
5	11.74	6.97	12.88	7.91	7.91	9.48
10	9.92	9.90	11.93	8.03	14.61	10.88
15	11.65	5.49	12.50	6.79	8.26	8.94
20	12.36	8.17	15.90	6.60	8.16	10.24
25	11.09	6.41	16.05	6.14	9.76	9.89
30	11.64	7.15	15.94	8.64	7.46	10.16
35	7.98	16.15	13.96	10.04	8.40	11.31
40	10.99	9.34	13.45	7.96	8.57	10.06
45	10.45	5.59	10.26	8.36	8.79	8.69
50	9.14	6.91	21.84	8.41	9.84	11.23
55	11.28	7.02	12.52	8.97	10.26	10.01
60	12.56	6.87	16.95	8.21	10.95	11.11
65	8.33	7.31	18.16	11.02	9.61	10.88
70	7.97	7.89	17.32	9.14	8.43	10.15
75	9.17	7.84	12.36	8.86	8.09	9.26
80	10.79	7.84	12.14	12.10	11.69	10.91
85	10.33	7.79	14.21	12.87	12.39	11.52
90	10.73	7.33	15.25	9.92	11.42	10.93
95	11.14	7.74	15.30	11.15	12.57	11.58
100	10.60	7.73	13.03	10.94	11.02	10.66
105	10.92	5.43	18.94	10.35	11.75	11.48
平均	10.51	7.76	14.80	9.16	10.00	10.45

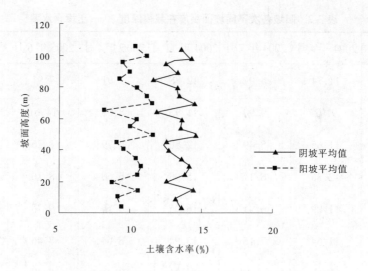

图 3-9　阴坡、阳坡不高坡面高度 20cm 土层的土壤含水率

水量是 2004 年的 1.63 倍。试验期间降水特点是总体为丰水年,降水比较集中,7、8、9 三个月有效降水量占年有效降水量的比例达 68.77%,在 11 月至次年 4 月长达 6 个月的时间内,有效降水量仅占年有效降水量的 3.0%。这种短时段降水、长时段干旱的降水特点,与树木生长需要持续的水分供应之间的矛盾给集水造林技术的研究提供了客观需求。

阴坡集水造林的土壤含水率最高,达 14.49%,荒山次之,普通造林最低。阳坡集水造林、普通造林和荒山在 200cm 范围内土壤含水率平均值相差不大,为 10.84%～10.87%。阴坡各层土壤含水率均比阳坡高 1.65～4.14 个百分点,平均高 2.58 个百分点,尤其以 10cm 土壤含水率最显著,阴坡比阳坡高 4.14 个百分点。阳坡要保证树木正常生长需要的水分不适宜采用收集雨水的方法,更适宜考虑采用预防水分散失和栽植抗旱苗木的方法。

在春季造林时,栽植营养钵苗 20cm 的深度和栽植大苗 40cm 的深度,集水造林的土壤含水率最高,荒山次之,普通造林最低,阴坡土壤含水率都高于 15.19%,阳坡都低于 11.51%。因此,采用集水造林对于提高苗木栽植深度范围内土壤含水率具有显著的效果。前一年汛期有效降水对次年春季造林时土壤含水率具有十分显著的影响,如果前一年汛期有效降水量大,可以优先安排造林,尤其先安排阳坡造林,选择耐旱树种侧柏、刺槐等;如果前一年汛期有效降水量小,可以优先安排工程措施,造林时优先安排阴坡造林,选择适宜阴坡生长的树种如油松等。

阴坡土壤含水率明显比阳坡大,平均大 2.58 个百分点,因此阴坡造林的土壤水分条件明显要好于阳坡。在造林地选择时,应优先选择阴坡进行造林,并且阴坡造林时间最好选择在春季;阳坡造林应选择抗旱性和抗寒性比较强的树种,如刺槐,并且造林时间最好选择在地封冻前,进行截杆栽植。

阴坡 3 种处理在不同坡面高度平均土壤含水率以集水造林处理最高,达到 14.54%。阳坡 3 种处理平均土壤含水率差别不大,为 10.17%～10.58%。从坡面高度来看,阴坡和阳坡土壤含水率分布规律相似,和取土点的高度关系比较复杂,不是简单的线性关系。

坡面高度不是影响阴坡和阳坡土壤含水率的主要因素。

阴坡不同坡面高度土壤含水率在 11.68%～14.55%,相差 2.87 个百分点;阳坡不同坡面高度土壤含水率在 8.69%～11.58%,相差达 2.89 个百分点;从阴坡和阳坡全坡面来看,阴坡土壤含水率均比阳坡高,阴坡和阳坡土壤含水率的变幅基本一致;阴坡和阳坡土壤含水率都与坡面高度的关系不明显。

第二节　雨水集流效率研究

黄土高塬沟壑区水资源十分缺乏,以资源性缺水和季节性缺水为主,降雨多以暴雨形式集中发生在年内的 6～9 月,致使水土流失严重,土壤肥力下降,农业生产水平低下,农民收入低而不稳,生态环境恶化。若能充分有效地利用当地雨水资源,不仅可以很大程度解决缺水问题,而且可以有效减少暴雨径流灾害,实现暴雨径流资源化,防止水土流失。因此,深入系统地研究当地雨水集蓄,促进该区农业发展,加速农民脱贫致富有现实意义,并有利于振兴该地区的社会经济,改善生态环境,提高经济效益、社会效益和生态效益。近 20 年来,雨水集蓄研究已经成为一个热点,出现了一大批成果,并已广泛应用于生产实践中,取得了很大的成效。该研究在以往研究的基础上,开展集雨新材料的试验示范,对于拓宽集雨面处理材料的种类具有十分重要的作用。

一、试验点概况

试验点设在黄河水土保持西峰治理监督局南小河沟试验监测站内。1999 年建成长 10m、宽 4.0m、比降为 5% 的 6 个径流小区,常年保持小区无杂草状态。在其下部对应修建 6 个集水池,用于收集径流小区内产生的径流。

二、材料与方法

6 个径流小区集雨场的施工工艺为:

1 号小区:模拟自然荒坡,在小区坡度平整一致之后,采用拍光压实的方式,在地表均匀喷施 3 次 1 号无机防水剂与水配比为 1:4 的溶液。

2 号小区:模拟自然荒坡,在小区坡度平整一致之后,采用拍光压实的方式,在地表均匀喷施 3 次硅烷偶联剂与水配比为 1:11 的溶液。

3 号小区:模拟自然荒坡,在小区坡度平整一致之后,采用拍光压实的方式,在地表均匀喷施 3 次水(自然荒坡处理的对照)。

4 号小区:模拟道路场院,在小区坡度平整一致之后,对地表 2～3cm 土壤掺混水泥,水泥用量为 5.0kg/m²,掺混均匀后,在地表均匀喷施 3 次 4 号无机防水剂与水配比为 1:10 的溶液,利用平底锤进行人工夯实。

5 号小区:模拟道路场院,在小区坡度平整一致之后,对地表 2～3cm 土壤掺混水泥,水泥用量为 5.0kg/m²,掺混均匀后,在地表均匀喷施 3 次甲基硅酸钠与水配比为 1:8 的溶液,利用平底锤进行人工夯实。

6 号小区:模拟道路场院,在小区坡度平整一致之后,对地表 2～3cm 土壤掺混水泥,

水泥用量为 $5.0kg/m^2$，掺混均匀后，在地表均匀喷施 3 次水，利用平底锤进行人工夯实（道路场院处理的对照）。

三、结果与分析

（一）各年度集流效率

根据 2000～2002 年的观测结果（见表 3-8）可以看出，荒坡的集流效率明显低于道路庭院的集流效率；1 号无机防水剂前期集流效率比对照小，但后期集流效率比对照明显大，平均值也比对照大；硅烷偶联剂的集流效率均比对照大，集流效果较好；4 号无机防水剂在前二年集流效率比对照小，但后期集流效率比对照明显大，平均值比对照小；甲基硅酸钠的集流效率均比对照大，集流效果最好。根据试验结果，甲基硅酸钠和硅烷偶联剂的集流效率较高，可以用于雨水集流场中集流面的处理。

表 3-8　各年度不同径流小区的集流效率

年度	1 号小区	2 号小区	3 号小区(CK)	4 号小区	5 号小区	6 号小区(CK)
2000	0.096	0.193	0.137	0.136	0.463	0.369
2001	0.220	0.314	0.199	0.266	0.342	0.320
2002	0.390	0.336	0.239	0.410	0.458	0.335
平均	0.235	0.281	0.192	0.271	0.421	0.341

（二）日降雨量不同时的集流效率

根据多年的观测结果（见表 3-9）可以看出，6 个径流小区的集流效率均随日降雨量的增加而提高。在不同日降雨量时，荒坡的集流效率明显低于道路庭院的集流效率。1 号无机防水剂日降雨量较小时，集流效率与对照相差不大，但降雨量大于 40mm/d 时，集流效率比对照明显大；硅烷偶联剂的集流效率在不同日降雨量时均比对照大，集流效果较好；4 号无机防水剂在不同日降雨量时，集流效率与对照相差不大，集流效果不明显；甲基硅酸钠在降雨量小于 20mm/d 时，集流效率与对照相差不大，但在降雨量大于 20mm/d 时，均明显比对照大，集流效果最好。根据试验结果，甲基硅酸钠和硅烷偶联剂的集流效率较高，适宜雨水集流场中集流面的处理。1 号无机防水剂也可用于雨水集流场中集流面的处理。

表 3-9　日降雨量不同时的集流效率

降雨量(mm/d)	1 号小区	2 号小区	3 号小区(CK)	4 号小区	5 号小区	6 号小区(CK)
<10.0	0.14	0.22	0.14	0.17	0.17	0.24
10.0～20.0	0.19	0.24	0.17	0.21	0.27	0.27
20.0～30.0	0.23	0.24	0.19	0.30	0.43	0.37
30.0～40.0	0.25	0.30	0.20	0.34	0.46	0.38
40.0～50.0	0.42	0.44	0.25	0.41	0.53	0.46
>50.0	0.45	0.46	0.28	0.48	0.68	0.48

(三)几次典型降雨的集流效率

根据 3 次典型降雨的试验结果(见表 3-10)看,前两次降雨量基本一样,但是,第一次降雨与前次降雨间隔为 1 天,第二次降雨与前次降雨间隔为 16 天,也就是第一次降雨比第二次降雨集雨面的土壤含水率大,同时,最大降雨强度达到 39.8mm/h,远远大于第二次降雨 5.0mm/h 的最大降雨强度,集流效率明显比第二次大 1.8~11.5 倍。第一次降雨与第三次降雨相比,虽然第三次降雨量较大,并且前次降雨量也大,达到 36.2mm,降雨间隔为 3 天,但是,1h 最大降雨量只有 5.9mm,远远小于第一次 1h 最大降雨量 39.8mm,因此集流效率明显比第三次大,一般大 1.7~2.8 倍。1h 最大降雨量对集流效率的影响远远大于地表湿度对集流效率的影响,同时,在同等条件下,次降雨量越大,新材料对集流效率的提高也越大,在降雨量小于 20mm/d 时,新材料对集流效率的提高就不明显,但是,对照有关试验,坡度在小雨量时对集流效率的影响比较明显,坡度越大,集流效率也越大,反之,则集流效率越小。从 3 次降雨观测结果看,4 种新材料均有提高集流效率的作用,平均提高 12.7%~69.3%。

表 3-10 几次典型降雨的集流效率

序号	降雨时间(年·月·日)	降雨量(mm)	1h 最大降雨(mm)	与前次降雨间隔(d)	前次降雨量(mm)	1 号小区	2 号小区	3 号小区(CK)	4 号小区	5 号小区	6 号小区(CK)
1	2002.7.25	47.1	39.8	1	9.1	0.875	0.801	0.605	0.846	0.892	0.769
2	2000.10.10	44.7	5.0	16	8.3	0.076	0.271	0.059	0.434	0.463	0.420
3	2001.9.22	71.3	5.9	3	36.2	0.362	0.416	0.216	0.451	0.521	0.348
平均		54.4				0.438	0.496	0.293	0.577	0.625	0.512

(四)水质监测结果

甘肃省庆阳市环境监测站在 2002 年 7 月对 6 个小区收集的雨水进行了采样分析,共分析了 19 项指标,主要是阴离子洗涤剂、六价铬、总硬度、砷、氰化物、氯化物、pH 值、色度、总铜、总镉、总铅、总锌、氟化物、挥发酚、溶解性固体、硫酸盐、硝酸盐(氮)、细菌总数和粪大肠菌群。其中,只有色度和细菌总数超标(见表 3-11)。1 号小区和 3 号小区色度超标,1~5 号小区细菌总数均超标,3 号小区和 4 号小区细菌总数严重超标。根据水质监测结果,6 号小区水质最好,2 号小区和 5 号小区水质较好,1 号小区水质次之,3 号小区水质最差。

表 3-11 雨水监测指标超标结果

项目	1 号小区	2 号小区	3 号小区	4 号小区	5 号小区	6 号小区	评价标准
色度	20	15	20	15	15	15	<15
细菌总数(个/mL)	256	132	1 800	1 030	214	96	100

(五)集雨面处理投入

根据集雨面处理的投入(见表 3-12)看,在新材料处理的小区修建费中,主要投入是材料费,占修建费的 88.2%~95.2%,用工量较少,只是平整、拍光压实或夯实集雨面;喷施或掺混新材料,人工费很少,占修建费的 4.8%~11.8%。由于 4 号小区和 5 号小区加入了水泥,其中水泥的材料费已经达 1.60 元/m²,所以造成 4 号小区和 5 号小区材料费较大。维护费主要包括除草和集雨面维修费,用新材料处理的小区杂草较少,维护费较低。同类型小区的维护费基本一致,所以,集雨面的投入主要是材料费。根据投入分析,在模拟荒坡集雨场试验中,2 号小区的修建费和维护费最低,效果最好;在模拟道路庭院集雨场试验中,5 号小区的修建费和维护费最低,效果较好。

表 3-12　集雨面处理投入

小区	1 号小区	2 号小区	3 号小区	4 号小区	5 号小区	6 号小区
材料投入	1 号无机防水剂 5kg	硅烷偶联剂 3kg	/	4 号无机防水剂 5kg、水泥 200kg	甲基硅酸钠 4kg、水泥 200kg	/
材料费(元/m²)	2.00	0.75	0	3.23	2.70	1.50
人工费(元/m²)	0.10	0.10	0.05	0.20	0.20	0.10
修建费(元/m²)	2.10	0.85	0.05	3.43	2.90	1.60
维护费(元/m²)	0.15	0.15	0.20	0.30	0.25	0.40

注:修建费 = 材料费 + 人工费。

四、结　论

(1)荒坡的集流效率明显低于道路庭院的集流效率;甲基硅酸钠的集流效率均比对照大,集流效果最好,硅烷偶联剂的集流效果较好。

(2)1 号无机防水剂在降雨量大于 40mm/d 时,集流效率明显比对照大;硅烷偶联剂的集流效率在不同日降雨量时均比对照大,集流效果较好;4 号无机防水剂集流效率与对照相差不大,集流效果不明显;甲基硅酸钠在降雨量大于 20mm/d 时,集流效率均明显比对照大,集流效果最好。

(3)1h 最大降雨量对集流效率的影响远远大于地表湿度对集流效率的影响,同时,在同等条件下,次降雨量越大,新材料对集流效率的提高也越大,从 3 次降雨观测结果看,4种新材料均有提高集流效率的作用,平均提高 12.7%~69.3%。

(4)根据分析水质 19 项指标的结果,只有色度和细菌总数超标。1 号小区和 3 号小区色度超标。1~5 小区细菌总数均超标,3 号小区和 4 号小区细菌总数严重超标。因此,6 号小区水质最好,2 号小区和 5 号小区水质较好,1 号小区水质次之,3 号小区水质最差。

(5)在模拟荒坡集雨场试验中,2 号小区的修建费和维护费最低,效果最好;在模拟道路庭院集雨场试验中,5 号小区的修建费和维护费最低,效果较好。

根据试验结果,甲基硅酸钠和硅烷偶联剂的集流效率较高,适宜雨水集流场中集流面的处理。1号无机防水剂也可用于雨水集流场中集流面的处理。

第三节　集水造林整地形式研究

黄土高原地区水土流失严重,降水利用率不高,土壤水分亏缺,是造成当地造林成活率和保存率比较低、生长量比较小的关键因素。因此,如何充分利用有限的降水资源,实现这些地区人工植被的可持续发展,成为国内外农林界关注和研究的热点问题。通过人工措施改变地表微地形,增加树木根系分布区域的土壤含水量,同时通过一系列的蓄水保墒措施尽可能减少地表水的无效蒸发损失,延长土壤水分的使用时间,使有限的水分主要通过树木根系的吸收参加树木的生理生长活动之后再返回大气,提高水分的利用效率。本试验通过对人工造林中的鱼鳞坑、水平阶、菱形微集水系统、"V"字形微集水系统、等高埂、半圆形土堤6种整地形式在土壤含水率、树木耗水量、生长量、成活率、费用等方面的研究,探讨黄土高原山坡地适宜的集水造林整地形式,为当地造林整地提供科学的依据。

一、试验地概况

试验地选在黄河水土保持西峰治理监督局南小河沟试验监测站。地貌类型有梁峁、沟坡和沟床,主要土壤类型为黄绵土。气象条件满足试验研究要求。

二、材料与方法

(一)试验期间降水情况研究

试验点为阳坡荒地,坡度5°~20°。降水量采用距试验点500m的南小河沟试验监测站杨家沟测站的降水资料。月降水量根据逐日降水量表统计得到,月有效降水量是统计日降水大于5mm的降水量,并根据统计结果分析年度降水量和年内各阶段降水分布。

(二)各处理土壤含水率研究

根据集水造林的特点及试验地的坡度,确定了鱼鳞坑、水平阶、菱形微集水系统、"V"字形微集水系统、等高埂、半圆形土堤6种集水造林整地形式,以自然坡面为对照。2002年8月整地,9月栽植2年生侧柏苗(高度50cm)。

(1)鱼鳞坑。规格1.0m×1.0m,密度2m×4m,埂高0.25m,品字形排列。集水面积7m²,蓄水面积1.0m²,集蓄比为7:1。

(2)水平阶。规格1.0m×2.0m,密度2m×4m,高0.3m,品字形排列。集水面积6.0m²,蓄水面积2.0m²,集蓄比为3:1。

(3)菱形微集水系统。在15°坡面修筑埂高0.25~0.55m,顶宽0.25m,边长2.83m,水平对角线长4.0m,垂直等高线的对角线长4.14m,边坡比降1:1,入渗坑内径1.6m,深度0.4m,集蓄总面积8.0m²的微集水区。

(4)"V"字形微集水系统。在坡度为5°坡面修筑边长为2.83m,埂长1.69m,埂顶宽25cm,边坡1:1,上部埂高25cm,下部埂高55cm,入渗坑内径1.6m,深度0.4m的微集水区。

(5)等高埂。在坡度不大于5°的地块修筑埂高25cm,底宽75cm,入渗坑内径1.6m,

深度 0.4m 的微集水区。单个微集水区面积为 8.0m², 埂间距为 4.0m, 土垄间距为 2.0m, 土垄长 1.0m。在土埂和土垄的交会处挖入渗坑。

(6)半圆形土堤。沿等高线交错修筑半径为 1.51m, 堤长为 4.74m, 高度为 25cm, 边坡为 1:1, 底宽为 75cm, 顶宽为 25cm, 顶端连线以上的部分为 4.4m², 入渗坑内径为 1.6m, 深度为 0.4m, 面积为 3.6m² 的入渗坑, 微集水单元的总面积为 8.0m²。

每种处理设 5 次重复, 随机排列。每年春季、汛前、汛中、汛后四次分别取 7 种试验处理(包括对照)的 10、20、40、60、100、150、200cm 7 层深度的土壤, 用烘干法测定土壤含水率。两年共观测 8 次土壤含水率, 共取土样 1 960 个, 对比分析 7 种处理土壤含水率分布规律。

(三)年内各时段土壤耗水量与有效降水量研究

为了分析年内各时段的降雨量和耗水量规律, 本试验将一年划分为休眠期、汛前、汛期和汛后 4 个时段, 每个时段观测土壤含水率一次, 两年共观测 8 次(见表3-13)。分析各时段的有效降雨量和耗水量规律, 各时段内土壤水分盈亏规律和树木耗水强度规律。

表 3-13　集蓄比试验观测时段划分

时段	休眠期至汛前	汛期	汛后	休眠期	汛前	汛期	汛后
时间(年·月·日)	2002.11.24~2003.6.20	2003.6.20~2003.8.10	2003.8.10~2003.10.14	2003.10.14~2004.3.26	2004.3.26~2004.6.10	2004.6.10~2004.9.4	2004.9.4~2004.10.28
历时(d)	210	51	64	163	74	86	55

各时段耗水量依据土壤水量平衡关系式进行计算:

$$ET_{1-2} = 0.1 \sum \gamma_i H_i (W_{i1} - W_{i2}) + M + P + K - C \qquad (3-1)$$

式中: ET_{1-2} 为时段耗水量, mm; i 为土壤层次号数; γ_i 为第 i 层土壤干容重, g/cm³; H_i 为第 i 层土壤的厚度, cm; W_{i1}、W_{i2} 分别为第 i 层土壤在时段初、末的含水率(干土重的百分率, %); M 为时段内灌水量, mm; P 为时段内有效降雨量, mm; K 为时段内地下水补给量, mm; C 为时段内的排水量(地表排水与下层排水之和), mm。

时段内灌水量 M 为 0, 时段内地下水补给量 K 和时段内的排水量 C 在黄土高原地区可记为 0。时段耗水量公式变为:

$$ET_{1-2} = 10 \sum \gamma_i H_i (W_{i1} - W_{i2}) + P \qquad (3-2)$$

根据各时段始、末两次观测的土壤含水率、有效降雨量和土壤干容重, 计算各处理时段耗水量。

(四)年际间耗水规律研究

根据各处理在各时段的土壤含水率、有效降雨量和土壤干容重, 计算各处理各个时段的耗水量和年耗水量。对比分析 7 种试验处理年耗水量变化规律, 及年耗水量与年有效降雨量关系。

(五)不同整地形式树体生长量研究

本试验采用 2 年生侧柏进行试验。每年春季萌芽前对各处理确定的 10 株树的高度、干径生长量进行观测,对比分析 7 种试验处理树体生长量规律、年生长量增长率与年耗水量关系、年生长量增长率与土壤含水率关系。

(六)不同整地形式成活率研究

栽植时统计各处理试验树的数量、当年统计成活率,对比分析 7 种处理苗木成活率,以及各处理苗木成活率与春季土壤含水率的关系。

(七)不同整地形式投工量研究

统计各试验处理整地费用。分析 7 种不同整地形式投工量规律。通过对投工量和成活率、生长量进行分析,选择黄土高原山坡地造林适宜的整地形式。

三、结果与分析

(一)试验期间降水情况

根据试验期间降水量(见表 3-14)知,2003 年降水量和有效降水量分别达 750.2mm 和 661.5 mm,年有效降水量占年降水量的 88.18%,属于丰水年份;2004 年降水量和有效降水量分别为 444.3mm 和 364.9mm,年有效降水量占降水量的 82.13%,属于偏旱年份,为试验的顺利开展提供了较好的降水条件。从 2003 年年内降雨特点分析,降水主要集中在 7、8、9 三个月,降雨量和有效降雨量分别达 487.1、463.4mm,分别占年降水量和有效降水量的 64.9%、70.05%;在 11 月至次年 4 月长达 6 个月的有效降水量27.9mm,占年有效降水量的 4.22%;尤其是在 2003 年 12 月至 2004 年 3 月期间,有效降水量仅 6.6mm。

表 3-14　试验期间月降水量统计

序号	时间 (年·月)	降水量 (mm)	有效降水量 (mm)	序号	时间 (年·月)	降水量 (mm)	有效降水量 (mm)
1	2002.11	0	0	14	2003.12	2.9	0
2	2002.12	15.1	5.4	15	2004.1	2.5	0
3	2003.1	7.2	0	16	2004.2	8.4	6.6
4	2003.2	4.9	0	17	2004.3	9.5	0
5	2003.3	40.2	27.3	18	2004.4	10.4	8.5
6	2003.4	19.8	8.5	19	2004.5	46.6	33
7	2003.5	42.1	38.1	20	2004.6	31.8	15.8
8	2003.6	55.8	51.4	21	2004.7	108.6	104
9	2003.7	117.8	114.3	22	2004.8	106.6	94.9
10	2003.8	217.2	206.3	23	2004.9	94	85
11	2003.9	152.1	142.8	24	2004.10	18.8	12
12	2003.10	71.6	60	25	2004.11	7.1	5.1
13	2003.11	18.6	12.8	合计		1 209.6	1 031.8

(二)各处理土壤含水率

1. 各时段不同处理的土壤含水率

分析 7 种处理各时段土壤含水率(见表 3-15)知,汛前土壤含水率最低,是春季造林和树体萌发对土壤水分需求矛盾最突出的时期。其次为休眠期末、汛期,汛后土壤含水率最高。2004 年春季土壤含水率较高,是因为 2003 为丰水年,汛期和汛后降雨量较大,土壤积蓄水分多。从各处理土壤含水率分析,菱形整地形式最高,依次分别为"V"字形、等高埂、半圆形土堤、水平阶、鱼鳞坑、对照。

表 3-15　各时段各处理土壤含水率　　　　　　　　(%)

项目	时间(年·月)								
	2002.11	2003.6	2003.8	2003.10	2004.3	2004.6	2004.9	2004.10	平均
水平阶	12	9	12	15	12	10	12	12	11.75
半圆形土堤	12	10	12	16	13	11	13	14	12.63
等高埂	13	10	12	16	13	11	13	14	12.75
鱼鳞坑	13	9	12	15	12	10	11	12	11.75
"V"字形	13	10	13	17	13	11	13	14	13.00
菱形	13	10	13	17	13	11	13	14	13.00
对照	13	9	12	14	11	9	10	10	11.00
平均值	13	10	12	16	12	10	12	13	

2.不同深度各处理土壤含水率

从各处理不同土层深度土壤含水率(见表 3-16)看,0～200cm 土层以 20cm 深度处含水率最高,随后依次为 40、10、60、100、200、150cm。20～40cm 土层含水率高,与树体根系深度吻合,有利于树体生长;在各种整地形式中,菱形整地形式 20～40cm 土壤含水率最高,其次分别为"V"字形、半圆形土堤、等高埂、水平阶、鱼鳞坑。150cm 土层含水率最低,说明 150cm 处存在一个土壤含水率相对较低的土层,俗称"干土层"。

表 3-16　各处理不同深度土层含水率　　　　　　　　(%)

处理	10cm	20cm	40cm	60cm	100cm	150cm	200cm
水平阶	12	13	12	12	11	10	12
半圆形土堤	13	14	13	13	12	11	13
等高埂	13	14	13	13	12	11	13
鱼鳞坑	12	12	12	12	11	10	12
"V"定形	13	14	14	13	12	12	13
菱形	13	14	14	13	12	12	13
对照	11	12	12	11	10	10	11
平均值	12	13	13	12	12	11	12

(三)各处理时段耗水量与有效降水量

根据各处理的时段平均耗水量与有效降水量(见表 3-17)可知,2004 年度休眠期降水量为 19.4mm,耗水量为 117.20mm,土壤水分亏缺 97.80mm。此期土壤封冻,树体停止生长,但由于降水量很少,历时较长,土壤损失水分较大,是土壤水分亏缺最大的时段;汛前降水量为 57.30mm,耗水量为 112.90mm,土壤水分亏缺 55.60mm,休眠期和春季连续土壤水分亏缺为树体生长和土壤水分矛盾最大的时段,造成树体萌发晚,生长量小,是黄土高原地区造林成活率低和生长量小的主要原因;汛期有效降水量为 198.9mm,耗水量为 157.86mm,土壤水分盈余 41.04mm,是一年中降水补充土壤水分最多的时段,也是耗水量最大的时段,通过整地措施调节水分分配,集水造林蓄水效果明显;汛后有效降水量为 97mm,耗水量为 79.61mm,土壤水分盈余 17.39mm,是土壤水分盈余的时段。由此可见,春季是集水造林整地的主要时段,汛期是集水造林整地蓄水的重要时段。造林整地时间应在解冻后及时完成,有利于提高土壤含水率和造林成活率。

根据有效降水量与耗水量的关系(见图 3-10),时段有效降水量越大,耗水量越大,时段有效降水量与耗水量呈正相关趋势。时段内有效降水量较大时,土壤水分总体盈余;时段内有效降水量较小时,土壤水分总体为亏缺。

表 3-17 时段耗水量与有效降水量分析

时段	休眠期至汛前	汛期	汛后	休眠期	汛前	汛期	汛后
时间(年·月·日)	2002.11.24~2003.6.20	2003.6.20~2003.8.10	2003.8.10~2003.10.14	2003.10.14~2004.3.26	2004.3.26~2004.6.10	2004.6.10~2004.9.4	2004.9.4~2004.10.28
历时(d)	210	51	64	163	74	86	55
降水(mm)	79.3	215.3	359.5	19.4	57.3	198.9	97.0
耗水量(mm)	167.30	140.44	236.60	117.20	112.90	157.86	79.61
水分盈亏(mm)	−88.00	74.86	122.90	−97.80	−55.60	41.04	17.39
耗水强度(mm/d)	0.80	2.75	3.70	0.72	1.53	1.84	1.45

(四)年际间耗水规律

根据 2003 年和 2004 年各处理年平均耗水量(见表 3-18)看,2 年各种整地形式处理中耗水量以菱形最小,以上依次为"V"字形、等高埂、半圆形土堤、水平阶、鱼鳞坑、对照。在年有效降水量和集雨面相同的情况下,耗水量越小,土壤贮存水分越多,说明此整地形式的蓄水效果越好。根据以上分析,各种整地形式以菱形蓄水效果最好,依次为"V"字形、等高埂、半圆形土堤、水平阶、鱼鳞坑、对照。

2003 年有效降水量 661.5mm,各处理年耗水量在 551.03~623.19mm 之间,年有效降水量大于各处理年耗水量,土壤水分年内为盈余,可满足树体生长需求。2004年有效

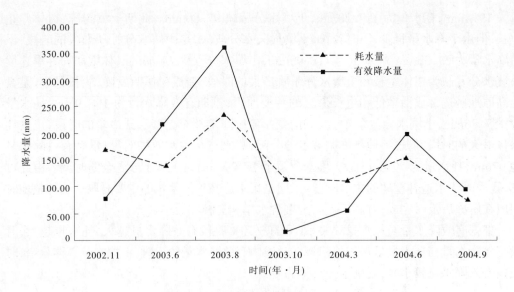

图 3-10　时段耗水量与有效降水量分析

表 3-18　各处理年度耗水量分析

处理	2003 年耗水量(mm)	比对照增减		2004 年耗水量(mm)	比对照增减	
		mm	%		mm	%
水平阶	572.61	−50.58	−8.12	462.17	−23.60	−4.86
半圆形土堤	558.49	−64.70	−10.38	449.73	−36.04	−7.42
等高埂	557.69	−65.50	−10.51	448.65	−37.12	−7.64
鱼鳞坑	592.45	−30.74	−4.93	470.13	−15.64	−3.22
"V"字形	556.26	−66.93	−10.74	446.29	−39.48	−8.13
菱形	551.03	−72.16	−11.58	444.80	−40.97	−8.43
对照	623.19	0	0	485.77	0	0

注:"−"号表示比对照减小。

降水量 364.90mm,各处理年耗水量在 444.80~485.77mm 之间,年有效降水量小于各处理年耗水量,土壤水分年内为亏缺,降水不能满足树体生长发育对水分需求。降水量临界值从 2003 年和 2004 年观测值分析在 485~550mm 之间。年降水量高于此值,土壤水分有盈余,可满足树体生长;低于此值,土壤水分亏缺,不能保证树体生长对水分需求。

(五)不同整地形式的树体生长量

试验树栽植时和秋季树木停长后分别测量树干直径和树高(见表 3-19)得知,各处理下树木干径和树高年增长率以菱形整地形式为最高,依次为"V"字形、等高埂、半圆形土堤、水平阶、鱼鳞坑、对照。

表 3-19　各处理试验树生长量观测结果

整地形式	干径(cm)	干径增长(cm)	增长率(%)	树高(cm)	树高增长(cm)	增长率(%)
水平阶	0.82	0.25	30.49	62.65	7.55	12.05
半圆形土堤	0.80	0.29	36.25	58.10	8.60	14.80
等高埂	0.85	0.33	38.82	58.80	8.90	15.14
鱼鳞坑	0.86	0.22	25.58	61.60	5.80	9.42
"V"字形	0.88	0.36	40.91	63.80	10.80	16.93
菱形	0.87	0.39	44.83	63.50	11.80	18.58
对照	0.87	0.19	21.84	64.60	5.00	7.74

(六)不同整地形式的苗木成活率和保存率

经对各处理侧柏成活率进行统计(见表 3-20)得出,各种整地形式下苗木成活率均高于对照,其中菱形整地形式下树木成活率最高,比对照成活率提高 18.96%,以下依次为"V"字形、等高埂、半圆形土提、水平阶、鱼鳞坑、对照。

表 3-20　各处理试验树成活率分析

整地形式	栽植总数(株)	成活数(株)	成活率(%)	相对提高(%)
水平阶	123	111	90.24	11.83
半圆形土堤	130	118	90.77	12.36
等高埂	192	179	93.23	14.82
鱼鳞坑	109	98	89.91	11.50
"V"字形	97	91	93.81	15.40
菱形	152	148	97.37	18.96
对照	440	345	78.41	0

(七)不同整地形式的投入

集水造林整地形式试验面积 0.7hm²,各处理布设面积均为 0.1hm²。试验布设整地总投入 1 446 元(见表 3-21)。各处理以菱形整地费用最高,以下依次为"V"字形、半圆形土堤、等高埂、水平阶、鱼鳞坑,分别为 3 410、3 120、2 880、2 090、1 920、1 035 元/hm²。

表 3-21　各处理整地投入

整地形式	面积(hm²)	总工费(元)	数量(株/hm²)	工费(元/株)
水平阶	0.1	192	1 245	1.54
鱼鳞坑	0.1	104	1 245	0.83
半圆形土堤	0.1	288	1 245	2.32
菱形	0.1	341	1 245	2.74
"V"字形	0.1	312	1 245	2.51
等高埂	0.1	209	1 245	1.68
对照(CK)	0.1	0	1 245	0
合计	0.7	1 446		

根据树木生长量与单株整地投工(见表 3-19、表 3-21)可以看出,整地投工量越大,生长量越大;反之越低。从树木生长量分析,菱形、"V"字形整地处理树木生长量增长率较高,但整地投入也较大,对一些山地经济林建设、高耗水树种或高档苗木可选择使用,常规山地造林不宜选用。半圆形土堤、等高埂整地处理树木生长量增长率基本一致,整地成本也属于中等水平,但等高埂整地成本明显低于半圆形土堤。因此,半圆形土堤从整地投入角度考虑不宜采用,等高埂整地可用于中档苗木造林和经济发展水平较高的地区。水平阶、鱼鳞坑处理的树木生长量增长率较小,但明显高于对照,整地投入少,因此黄土高原山坡地常规造林尽可能采用水平阶整地或鱼鳞坑整地。

四、结 论

2003 年有效降水量 661.5mm,属于丰水年份;2004 年有效降水量 364.9mm,属于平水年份。从年内降水特点分析,降水主要集中在 7、8、9 三个月,有效降水量占年有效降水量的 70.05%;在 11 月至次年 4 月长达 6 个月的有效降水量仅 27.9mm,只占年有效降水量的 4.22%。

汛前土壤含水率最低,是春季造林和树体萌发对土壤水分需求矛盾最突出的时期,汛后土壤含水率最高;从各处理土壤含水率分析,菱形整地形式最高,依次为"V"字形、等高埂、半圆形土堤、水平阶、鱼鳞坑、对照。

0~200cm 土层以 20~40cm 含水率最高,与树体根系深度吻合,有利于树体生长;150cm 土层含水率最低,说明 150cm 处存在一个土壤含水率相对较低的土层,俗称"干土层"。

汛期是土壤水分盈余最大的时段,休眠期是土壤水分亏缺最大的时段;休眠期和春季连续土壤水分亏缺,造成树体萌发晚,生长量小,是黄土高原地区造林成活率低和生长量小的主要原因;汛期土壤水分盈余 41.04mm,是土壤水分盈余最多的时段,也是耗水量最大的时段。

时段有效降水量越大,耗水量越大,时段有效降水量与耗水量呈正相关趋势。时段内有效降水量较大时,土壤水分总体盈余;时段内有效降水量较小时,土壤水分总体亏缺。

降水量临界值在 485~550mm 之间。年降水量高于此值,土壤水分盈余,可满足树体生长;低于此值,土壤水分亏缺,不能保证树体生长对水分需求。

各处理下树木成活率、保存率、干径、树高年增长率以菱形最高,以下依次为"V"字形、等高埂、半圆形土堤、水平阶、鱼鳞坑、对照。

各处理以菱形整地费用最高,以下依次为"V"字形、半圆形土堤、等高埂、水平阶、鱼鳞坑。

总之,菱形、"V"字形整地形式由于投入成本高,对一些山地经济林建设、高耗水树种或高档苗木较为适宜,但常规山地造林不宜选用;半圆形土堤从整地投入角度考虑不宜采用;等高埂整地可用于中档苗木造林和经济发展水平较高的地区造林;水平阶、鱼鳞坑整地形式可用于黄土高原山坡地常规造林。

第四节 阴坡油松集水造林集蓄比研究

黄土高原大部分地区年降水量为300～500mm,且多集中在7～9月,因此造成土壤水分亏缺严重,使当地人工造林成活率和保存率低,生长量小。如何充分利用有限的降水资源,实现黄土高原地区人工造林的可持续发展,已经成为当前关注和研究的热点。本项研究主要以解决阴坡栽植油松生长需要的水分为主攻点,以提高降水资源利用率为核心,采用水平阶整地,充分集蓄天然降水,应用水量平衡原理,对于高塬沟壑区阴坡人工造林水平阶整地集蓄比进行研究,探讨黄土高原阴坡适宜的造林整地集蓄比和造林密度。

一、试验地概况

试验布设在黄河水土保持西峰治理监督局南小河沟试验监测站花果山阴坡荒地。坡度10°～20°,海拔1 250m。土壤为黄绵土。年均气温为8.5℃,≥10℃的积温2 700～2 900℃,年均日照时数2 449.0h,无霜期160d。蒸发量1 527mm,年均降水量561.5mm,其降水特点是年际变化大,年内分配不均,具有明显的丰、平、枯水年特征,年内7、8、9三个月的降水量占全年降水量的63%。

二、材料与方法

(一)试验期间降水研究

本试验的降水量采用距试验点500m的南小河沟试验监测站杨家沟测站的降水资料;月降水量根据逐日降水量统计得到,月有效降水量是统计日降水量大于5mm的水量,根据统计结果分析年度降水量和年内各时段的降水分布。

(二)土壤含水率研究

选择水平阶整地形式,蓄水区规格为1.0m×2.0m(蓄水面积2.0m²),呈"品"字形排列。设集水面宽度1、2、3、4、5、6m和不整地(对照),集水面积相应分别为2.0、4.0、6.0、8.0、10.0、12.0m²、0共7种处理。每种处理面积0.1hm²,共0.7hm²。2002年8月整地,9月在蓄水区栽植2年生油松,每种处理随机设5次重复。每年春季、汛前、汛中、汛后4次用烘干法测定7种处理10、20、40、60、100、150、200cm等7个深度层次的土壤含水率,两年共观测8次土壤含水率,共取土样1 960个。分析7种处理,阴坡0～200cm土层在春季、汛前、汛期、汛后的土壤含水率变化情况。

(三)年内各时段耗水量与有效降水量关系研究

试验将一年划分为休眠期、汛前、汛期和汛后4个时段,每个时段观测土壤含水率1次,2年内观测8次,分为7个时段,各时段划分时间见表3-13。

各时段耗水量按式(3-1)、式(3-2)计算。

根据各时段始、末两次观测的土壤含水率、有效降雨量和土壤干容重计算各处理时段耗水量。据此分析各时段的有效降雨量和耗水量规律,以及各时段内土壤水分盈亏情况。

(四)不同集蓄比树体生长量研究

选择2年生油松为供试材料。每年春季萌芽前和秋季停长后用钢卷尺和游标卡尺分别观测各处理试验树的树高和地径,每种处理固定观测10株树。分析7种集蓄比条件下的树体生长规律。统计各处理栽植的试验树成活率,分析各处理苗木成活率与春季土壤含水率的关系。

(五)不同集蓄比投工量研究

试验整地过程中,统计各处理整地费用。分析7种处理条件下投工量。

三、结果与分析

(一)试验期间降水分布

2002年11月24日至2004年11月24日试验期间降水量1 209.6mm,有效降水量1 031.8mm(见图3-11)。其中,2003年降水量750.2mm,有效降水量661.5mm,属于丰水年;2004年降水量444.3mm,有效降水量364.9mm,属于平水年。试验年内7、8、9三个月有效降水量占年有效降水量的70.05%;11月至次年4月长达6个月的有效降水量占年有效降水量的3.0%。这种短时段降水、长时段干旱的降水特点,与树木生长需要持续的水分供应之间的矛盾给集水造林技术的研究提供了客观需求。

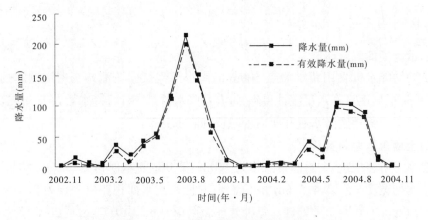

图3-11 降水量与有效降水量分析图

(二)土壤水分分布

从2002~2004年共8次观测7种处理各时段土壤含水率结果(见表3-22)知,汛前(6月)土壤含水率最低,是春季造林和树体萌发对土壤水分矛盾最突出的时期。以下依次为休眠期末(3月)、汛期(9月),汛后(10月)土壤含水率最高。从各处理土壤含水率分析,以集蓄比6:1的土壤含水率最高,以下依次为5:1、4:1、3:1、2:1、1:1、对照。集水面积越大,收集的雨水越多,土壤含水率则越高。

通过对各处理不同深度土层土壤含水率的分析(见表3-23),0~200cm土层内20cm深度土壤含水率最高,以下依次为40、10、60、100、200、150cm。20~40cm苗木根系集中分布层的含水率最高,与树体根系深度吻合,有利于树体生长;40~200cm土层土壤含水率逐渐降低。

表 3-22　阴坡油松集水造林集蓄比试验土壤含水率分析　　　　　　（%）

处理 （集蓄比）	观测时间(年·月)							
	2002.11	2003.6	2003.8	2003.10	2004.3	2004.6	2004.9	2004.10
1:1	13	11	13	17	14	11	12	13
2:1	13	10	13	17	15	11	13	14
3:1	14	11	14	18	16	13	14	15
4:1	13	11	14	18	16	13	15	16
5:1	13	11	14	18	16	13	15	16
6:1	13	11	15	19	17	14	16	17
对照	14	11	13	16	14	10	11	12

表 3-23　阴坡集蓄比试验各处理不同深度土层土壤含水率　　　　　（%）

处理 （集蓄比）	取土深度(cm)							
	10	20	40	60	100	150	200	平均
1:1	14	15	14	13	12	12	12	13
2:1	15	15	14	13	12	11	12	13
3:1	15	16	16	14	14	13	13	14
4:1	15	16	16	15	14	13	13	14
5:1	16	16	16	15	14	13	13	15
6:1	15	17	17	16	15	14	14	15
对照	14	14	14	13	12	11	11	13
平均值	15	16	15	14	13	12	13	14

对汛期各种处理土壤平均含水率的分析(见表 3-24)可知，以集蓄比 6:1 处理的土壤含水率最高，以下依次为 5:1、4:1、3:1、2:1、1:1、对照。分别比对照相对提高土壤含水率24.83%、21.26%、17.61%、15.20%、9.72%、4.27%。

表 3-24　汛期 20～40cm 土壤含水率分析　　　　　　　　　　　（%）

处理 集蓄比	20 cm	40cm	20～40cm 平均值	相对增加值	相对提高（%）
1:1	12	11	11.70	0.5	4.27
2:1	12	12	12.35	1.2	9.72
3:1	13	13	13.16	2.0	15.20
4:1	14	13	13.63	2.4	17.61
5:1	14	14	14.11	3.0	21.26
6:1	14	15	14.90	3.7	24.83
对照	11	11	11.19	0	0

(三)时段耗水量与有效降水量

根据各时段耗水量与有效降水量的分析(见图3-12),休眠期观测时段为163d,其间降水量为19.4mm,耗水量为82.35mm,土壤水分亏缺62.95mm。此期阴坡土壤封冻,树体停止生长,土壤耗水量较小,但由于降水量更少,是土壤水分亏缺较大的时段。汛前观测时段为74d,其间降水量为57.30mm,耗水量为146.93mm,土壤水分亏缺98.03mm,是一年中土壤水分亏缺最多的时段。汛期观测时段为86d,其间降水量为198.9mm,耗水量为156.71mm,土壤水分盈余42.19mm,是一年中降水量最多的时段,也是土壤水分盈余最多的时段。汛后观测时段为55d,其间降水量为97mm,耗水量67.00mm,土壤水分盈余14.78mm,也是土壤水分盈余时段。土壤水分盈余亏缺对应的降水量临界值在470～480mm之间。

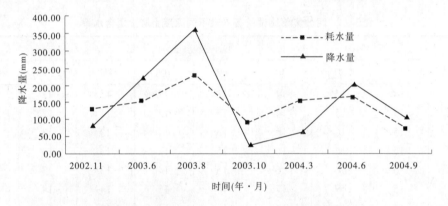

图 3-12　集蓄比试验阶段有效降水量与耗水量分析

(四)不同集蓄比处理的树体生长量

秋季树木停止生长后测量树干直径和树高(见表3-25),各处理树高、干径增长以集蓄比6:1的最高,以下依次为5:1、4:1、3:1、1:1、2:1、对照。各处理年平均土壤含水率越高,生长量越大。

表 3-25　各处理年生长量观测分析

处理 (集蓄比)	干径 (mm)	干径增长 (mm)	干径增长率 (%)	树高 (cm)	树高增长 (cm)	树高增长率 (%)
1:1	0.70	0.02	2.86	25.1	14.2	56.57
2:1	0.77	0.02	2.60	26.4	14.6	55.30
3:1	0.84	0.03	3.57	24.5	14.2	57.96
4:1	0.86	0.06	6.98	26.8	17.9	66.79
5:1	0.81	0.07	8.64	23.7	15.9	67.09
6:1	0.89	0.08	8.99	29.2	20.0	68.49
对照	0.88	0.02	2.27	27.0	14.1	52.22

(五)不同集蓄比条件下的成活率

经对各处理栽植油松成活率和春季土壤含水率的分析(见图 3-13),集蓄比 5:1 处理成活率最高,以下依次为 4:1、6:1、3:1、2:1、1:1、对照。春季土壤含水率越高,栽植的苗木成活率越高。成活率与春季土壤含水率呈正相关。说明通过整地增加集水面积可提高春季土壤含水率,从而提高春季苗木栽植成活率。

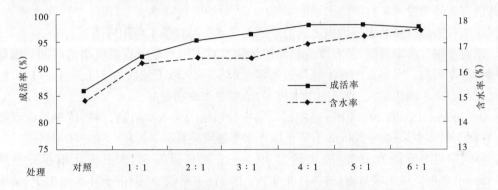

图 3-13 各处理成活率与春季土壤含水率分析

(六)不同集蓄比处理的成本投入

集水造林集蓄比试验布设面积 0.7hm²,各处理布设面积均为 0.1hm²。整地总投入 1 227.2元(见表 3-26)。各处理单位面积整地费用以集蓄比 1:1 的整地费用最高,以下依次为 2:1、3:1、4:1、5:1、6:1、对照,分别为 3 852、2 568、1 926、1 541、1 284、1 101 元/hm²、0,试验处理除对照不进行整地外,其他处理整地人工费均为 0.77 元/株,虽然单位面积在不同集蓄比时整地工程量不同,但是对于一株苗木的整地都是宽度为 1m、长度为 2m 的水平阶。因此,单株整地人工费都是一致的。

表 3-26 各处理整地投入

处理 (集蓄比)	面积(hm²)	人工费(元)	数量(株/hm²)	整地人工费	
				元/株	元/hm²
1:1	0.1	385.2	5 000	0.77	3 852
2:1	0.1	256.8	3330	0.77	2 568
3:1	0.1	192.6	2 500	0.77	1 926
4:1	0.1	154.1	2 000	0.77	1 541
5:1	0.1	128.4	1 660	0.77	1 284
6:1	0.1	110.1	1 430	0.77	1 101
对照	0.1	0	1 660	0	0
合计	0.7	1 227.2	/	/	/

四、结　论

2003 年有效降水量 661.5mm,属于丰水年。2004 年有效降水量 364.9mm,属于平水年。其间 7、8、9 三个月有效降水量占年有效降水量的 70.05%;11 月至次年 4 月长达 6 个月的有效降水量占年有效降水量的 4.22%;这种短时段降水、长时段干旱的降水特点,与树木生长需要持续的水分供应之间的矛盾给集水造林提供了应用可能。

汛前土壤含水率最低,是春季造林和树体萌发对土壤水分矛盾最突出的时期。汛后土壤含水率最高。以集蓄比 6:1 处理的土壤含水率最高,以下依次为 5:1、4:1、3:1、2:1、1:1、对照。集水面积越大,收集的雨水越多,土壤含水率则越高。

0~200cm 土层内 20~40cm 苗木根系集中分布层的含水率最高,与树体根系深度吻合,有利于树体生长;40~200cm 土层土壤含水率逐渐降低。

休眠期观测阶段为 163d,降水量为 19.4mm,耗水量为 82.35mm,土壤水分亏缺 62.95mm,此期阴坡土壤封冻,树体停止生长,土壤耗水量较小,但由于降水量更少,是土壤水分亏缺较大的时段。汛前观测时段为 74d,其间降水量为 57.30mm,耗水量为 146.93mm,土壤水分亏缺 98.03mm,是一年中土壤水分亏缺最多的时段。汛期观测时段为 86d,其间降水量为 198.9mm,耗水量为 156.71mm,土壤水分盈余 42.19mm,是一年降水量最多的时段,也是土壤水分盈余最多的时段。汛后观测时段为 55d,其间降水量为 97mm,耗水量 67.00mm,土壤水分盈余 14.78mm,也是土壤水分盈余时段。土壤水分盈余亏缺对应的降水量临界值在 470～480mm 之间。

各处理树高、干径增长以集蓄比 6:1 的最高,以下依次为 5:1、4:1、3:1、1:1、2:1、对照。各处理土壤含水率越高,生长量越大。

集蓄比 5:1 处理的苗木成活率最高,春季土壤含水率越高,栽植的苗木成活率越高。成活率与春季土壤含水率呈正相关。说明通过整地增加集水面积可提高春季土壤含水率,从而提高春季苗木栽植成活率。

各处理单位面积整地费用以集蓄比 1:1 整地费用最高,试验处理除对照不进行整地外,其他处理整地人工费均为 0.77 元/株。

因此,在现行造林规范中,用材林造林密度 2 000~3 000 株/hm² 明显偏大,采用集水造林方法,在阴坡油松造林中,采用集蓄比为 3:1 的方式,造林密度 1 250 株/hm²,可以降低造林投资,提高成活率和生长量,是该地区阴坡油松比较适宜的造林密度。

第五节　阳坡侧柏集水造林集蓄比研究

一、试验地概况

试验布设在黄河水土保持西峰治理监督局南小河沟试验监测站驴尾梁阳坡。该地海拔 1 250m,土壤为黄绵土,年均气温为 8.5℃,≥10℃的年积温 2 700~2 900℃,年均日照时数 2 449.0h,无霜期 160d,年均降水量 561.5mm。降水特点是年际间变化大,具有明显的丰、平、枯水年特征;年内分配不均,7～9月的降水量占全年降水量的69.3%。

二、材料与方法

(一)各处理土壤含水率分布研究

选择水平阶整地形式,蓄水区规格1.0m×2.0m,呈"品"字形排列。在水平阶规格(蓄水面积)不变的情况下,分别设集水面宽度1、2、3、4、5、6m和不整地(对照),相应的集水面积分别为2、4、6、8、10、12m²、0等7种处理。2002年8月整地,9月在蓄水区栽植2年生侧柏苗木,每种处理随机设5次重复。每年春季、汛前、汛中、汛后4次取土,采用烘干法测定7种处理10、20、40、60、100、150、200cm等7个土层深度的土壤含水率。两年共观测8次土壤含水率,共取土样1 960份,分析各处理土壤水分分布情况。

(二)年内各时段土壤耗水量与有效降水量研究

为了分析年内各时段的降水量和耗水量,以及各时段内土壤水分盈亏情况,该试验将一年划分为休眠期、汛前、汛期和汛后等4个时段(见表3-13),每个时段初、末各观测土壤含水率一次。

各时段耗水量按式(3-1)、式(3-2)计算。

(三)不同集蓄比树体生长量研究

本试验选择2年生侧柏为供试材料。每年春季萌芽前和秋季停长后每处理固定观测10株树的树高和干径。分析7种处理的树体生长规律。

(四)不同集蓄比成活率研究

栽植当年秋季统计各处理试验树成活率,分析7种处理的苗木成活率,以及各处理苗木成活率与春季土壤含水率的关系。

(五)不同集蓄比投工量研究

根据各处理整地费用,分析7种集蓄比条件下投工量。

三、结果与分析

(一)各处理土壤含水率

根据2002年至2004年观测阳坡7种处理各时段8次土壤含水率平均值(见图3-14)可知,汛前土壤含水率最低,以下依次为休眠期末、汛期,汛后含水率最高。从各处理土壤含水率分析,以6:1整地形式最高,集水面积越大,收集的雨水越多,土壤含水率就越高。试验初期各处理土壤含水率差异不明显,随着时间推移,集水面积越大的处理土壤含水率越高,这种规律随时间推移呈递增趋势。

从各处理不同深度土层土壤含水率(见图3-15)看,在0～200cm土层内,以40cm深度的土壤含水率最高,以下依次为20、60、10、100、200、150cm。20～40cm含水率最高,与树体根系深度吻合,有利于树体生长。40～150cm土层土壤含水率逐渐降低,150～200cm土层含水率逐步升高,说明阳坡土壤在150cm土层存在一个含水率相对较低的土层,俗称"干土层"。

(二)阳坡土壤时段耗水量与有效降水量及年度土壤水分盈亏情况

从各时段平均耗水量与有效降水量(见图3-16)看,休眠期耗水量为120.48mm,土壤

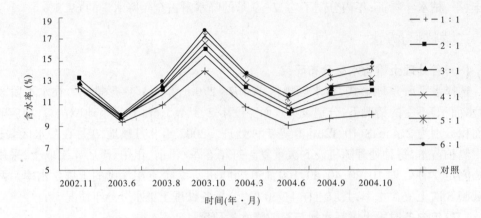

图 3-14　阳坡集蓄比试验各处理不同时段土壤含水率分析图

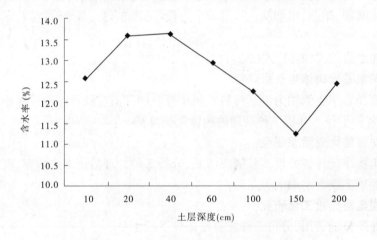

图 3-15　阳坡不同土层土壤含水率分析图

水分亏缺达101.08mm,休眠期虽然土壤封冻,树体停止生长,但由于降水量很少,历时较长,土壤损失水分多,是土壤水分亏缺最大的时段。汛前耗水量为 111.25mm,土壤水分亏缺 53.95mm,在休眠期和春季连续土壤水分亏缺的情况下,为树体成活、生长和土壤水分矛盾最大的阶段。汛期耗水量为 157.58mm,土壤水分盈余 41.32mm,耗水量最大,土壤水分盈余最多,是集水造林蓄水效果最明显的阶段,同时也是各种整地形式蓄水效果是否显著的关键期。汛后耗水量为 77.74mm,土壤水分盈余 19.26mm,也是土壤补充水分较多的时段。土壤水分盈亏平衡对应的有效降水量临界值为480~530mm。

(三)不同集蓄比树体生长量

从各试验处理年生长量(见表 3-27)看,各处理干径和树高增长以 6:1 集蓄比处理的最高,树木年生长量最大,以下依次为 5:1、4:1、3:1、1:1、2:1、对照。

从对各处理侧柏年生长量增长率与年土壤含水率平均值的分析(见图 3-17)看出,年土壤含水率平均值越高,生长量增长率越大;年土壤含水率平均值越高,生长量增长率越大的集蓄比水分利用率越高。各处理对有效降水利用率以集蓄比6:1的为最高,以下依次为 5:1、4:1、3:1、2:1、1:1、对照。

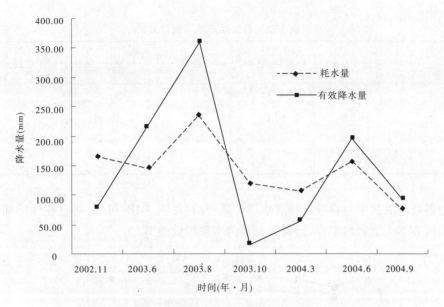

图 3-16 阳坡时段耗水量与时段有效降水量分析图

表 3-27 各处理年生长量观测结果分析

处理	干径(cm)	干径增长(cm)	干径增长率(%)	树高(cm)	树高增长(cm)	树高增长率(%)
1:1	0.75	0.11	14.67	59.2	5.6	9.46
2:1	0.83	0.12	14.58	63.9	6.6	10.33
3:1	0.78	0.13	16.67	57.2	7.5	13.11
4:1	0.79	0.15	18.99	62.5	9.7	15.52
5:1	0.84	0.17	20.24	59.9	10.0	16.69
6:1	0.86	0.20	23.26	63.3	11.6	18.33
对照	0.76	0.09	11.84	63.1	4.4	6.97

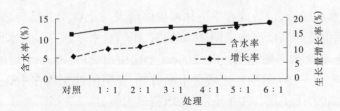

图 3-17 生长量增长率与土壤含水率

(四)不同集蓄比成活率

对各处理栽植侧柏成活率进行统计(见表 3-28),结果是:集蓄比 6:1 处理成活率最高,以下依次为 5:1、4:1、3:1、2:1、1:1、对照,分别比对照成活率提高 19.09 个、17.12 个、15.79 个、12.86 个、10.68 个、8.31 个百分点。从各处理栽植侧柏成活率分析,要达到造林技术规范要求的 85% 成活率验收标准,7 种处理中只有 4:1、5:1、6:1 三种处理能达到技术规范要求。

表 3-28　各处理成活率统计分析

处理 (集蓄比)	成活率(%)	相对提高(%)	处理	成活率(%)	相对提高(%)
1:1	77.63	8.31	5:1	86.44	17.12
2:1	80.00	10.68	6:1	88.41	19.09
3:1	82.18	12.86	对照	69.32	0
4:1	85.11	15.79			

对各处理成活率与春季土壤含水率关系分析(见图 3-18)可知,通过整地增加集水面积可提高春季土壤含水率,从而提高春季苗木栽植成活率。

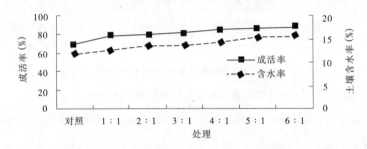

图 3-18　春季土壤含水率与成活率

(五)不同集蓄比的投入

集水造林集蓄比试验布设面积为 0.7hm²,各处理布设面积均为 0.1hm²。试验布设整地总投入 1 227.2 元(见表 3-26)。各处理以集蓄比 1:1 整地费用最高,以下依次为2:1、3:1、4:1、5:1、6:1、对照。集蓄比越小,单位面积栽植的苗木越多,则整地费用越高;集蓄比越大,单位面积栽植的苗木越少,则整地费用越低。

四、结　论

汛前土壤含水率最低,也造成春季造林和树体萌发与土壤水分供应之间的矛盾最突出。接着,含水率由低到高依次为汛期、休眠期末,汛后含水率最高。集水面积越大,降水的利用率越高,土壤含水率则越高。0～200cm 土层中以 20～40cm 土层的含水率最高,与树体根系深度吻合。150cm 土层土壤含水率最低,说明阳坡土壤在 150cm 土层存在一个含水率相对较低的"干土层"。"干土层"在汛前最为明显。

休眠期是阳坡土壤水分亏缺较大的时段;汛前是土壤水分亏缺最大的时段,也是造成黄土高原春季造林成活率和保存率比较低的主要原因;汛期是土壤水分盈余最多和集水造林蓄水效果最明显的时段,也是各种整地形式蓄水效果是否显著的关键期;汛后是另一个土壤水分盈余相对较多的时段。土壤水分盈亏平衡对应的有效降水量临界值为 480～530mm。

年土壤含水率平均值越高,树木生长量增长率越大。集水面积越大,成活率越高;通过增加集水面积和集水量,可提高春季土壤含水率,从而提高春季苗木栽植成活率。

总之,根据树木用途,合理确定适宜的集蓄比,以实现尽快成林为目的,黄土高塬阳坡造林适宜的集蓄比为 3∶1,适宜的造林密度为 1 250 株/hm²;以用材林为目的的阳坡造林适宜的积蓄比为 4∶1,适宜的造林密度为 1 000 株/hm²。

第六节　集水造林新材料研究

黄土高塬沟壑区属半湿润易旱区内,也是大陆季风性气候区,"十年九旱"是该区气候的典型特征。雨水资源利用已经随着集水农业、集水造林的发展得到广泛重视。该试验选用国内生产的具有防渗作用的几种新材料处理集水造林试验中的集水区,优选出适宜集水造林的新材料,为集水造林新材料的示范推广提供依据。

一、试验点概况

试验点选在黄河水土保持西峰治理监督局南小河沟试验监测站。气候、土壤条件如前文所述。

二、材料与方法

试验于 2002～2004 年进行。2002 年 8 月采用水平阶整地方式,在坡度为 15°的阳坡整修成长 3.0m、宽 2.0m 的集水面积为 6.0m² 的集水区和长 1.0m、宽 2.0m 的蓄水面积 2.0m² 的集水区,集蓄比为 3∶1,单株苗木集蓄小区为 8.0m²。该试验对集流面铲除草皮拍光压实后,分别采取覆塑料薄膜、喷甲基硅酸钠、喷 RG－100C1 型高分子乳液、喷 3F克渗王防水剂、掺 3F 克渗王防水剂、撒水泥并喷水、自然坡面(对照)等 7 种处理。2002年 9 月份在每个蓄水区栽植 1 株 2 年生侧柏苗。每处理的试验面积为 0.15hm²,共计试验面积 1.05hm²。

通过每年 3 次观测蓄水区的土壤含水率,重复 5 次;年底测定侧柏树苗的成活率、保存率、年生长量(树高、地径)、单位整地面积的土方量、用工量、投入等,时段耗水量按照土壤水量平衡计算式(3-1)、式(3-2)进行计算,对比分析和筛选出适用、合理、最佳的黄土高塬沟壑区集水造林中集水面处理新材料。

集水造林耗水量计算有关指标见表 3-29。

表 3-29　集水造林耗水量计算有关指标

项目	测土层次						
	1	2	3	4	5	6	7
测土深度(cm)	10	20	40	60	100	150	180
土层范围(cm)	0～15	15～30	30～50	50～80	80～125	125～175	175～250
H_i(cm)	15	15	20	30	45	50	75
γ_i(g/cm³)	1.22	1.30	1.27	1.17	1.18	1.22	1.33

三、结果与分析

(一)树体根系分布土层内土壤水分分布

根据土壤含水率统计(见表 3-30),在自然荒坡、无任何灌溉条件下,土壤含水率随土层深度的增加而逐渐降低,在 10~30cm 的土层内最高,平均为 15.9%;在 30~80cm 的土层内平均为 14.4%;而 80cm 以下土壤含水率明显降低,平均为 12.56%;比 10~30cm 土层内的平均土壤含水率低 3.34 个百分点,出现了干土层。

表 3-30 各土层土壤平均含水率统计(南小河沟)   (%)

测土时间 (年·月·日)	测 土 深 度(cm)						
	10	20	40	60	100	150	180
2002.11.24	11.0	13.0	12.0	12.0	9.0	9.0	8.0
2003.8.10	21.0	19.0	18.0	17.0	17.0	17.0	15.0
2005.3.28	14.29	15.20	13.34	12.92	12.47	13.81	11.86
2005.6.25	17.35	16.36	15.29	14.59	11.44	13.86	12.30
平均	15.91	15.89	14.66	14.13	12.48	13.42	11.79

(二)集水区不同处理蓄水区土壤含水率

根据 2004 年集水区不同处理蓄水区 0~200cm 土壤含水率(见表 3-31),可以看出以下规律:

表 3-31 2004 年集水区不同处理蓄水区 0~200cm 土壤含水率   (%)

试验代号	处理	时间(月·日)					比 CK	
		3.26	6.10	9.4	10.28	平均	±百分点	相对%
31	覆塑料薄膜	13.0	14.0	17.0	17.0	15.33	1.74	12.8
32	喷甲基硅酸钠	14.0	12.0	24.0	17.0	16.50	2.91	21.4
33	喷 RG-100C1 型高分子乳液	14.0	12.0	20.0	15.0	14.94	1.35	9.9
34	喷 3F 克渗王防水剂	13.0	13.0	18.0	14.0	14.31	0.72	5.3
35	掺 3F 克渗王防水剂	13.0	11.0	15.0	16.0	13.74	0.15	1.1
36	撒水泥并浇水	14.0	9.0	20.0	14.0	14.18	0.59	4.3
37	自然荒坡(CK)	14.0	9.0	18.0	13.0	13.59	0	0

(1)利用以上材料处理集流面以后,全年蓄水区的土壤含水率均比集流面未处理的自然坡面下的蓄水区土壤含水率高,其中集流面喷甲基硅酸钠比对照高 2.91 个百分点,覆塑料薄膜的比对照高 1.74 个百分点,喷 RG-100C1 型高分子乳液的比对照高 1.35 个百分点,这 3 种新材料集水效果很好;喷 3F 克渗王防水剂的比对照含水率高 0.72 个百分点,撒水泥并浇水的比对照含水率高 0.59 个百分点,这 2 种新材料集水效果较好;而掺

3F 克渗王防水剂的比对照含水率高 0.15 个百分点,蓄水区土壤含水率提高不明显。

(2)集流面不同材料处理下蓄水区的土壤含水率,4 月份以前基本稳定,是因为黄土高塬沟壑区冬春季的有效降水量少,形成径流量更小,对蓄水区土壤含水率基本没有影响。进入汛期后,不同材料处理下的蓄水区土壤含水率变化最大,9 月 4 日测定的结果表明土壤含水率达到全年最高时段,其中集流面喷甲基硅酸钠的蓄水区土壤含水率最高,为 24.0%,喷 RG－100C1 型高分子乳液和撒水泥并喷水的为 20.0%,均比对照高,而铺塑料薄膜的为 17.0%,喷 3F 克渗王防水剂的为 18.0%,掺 3F 克渗王防水剂的为 15.0%,均比对照低。说明喷甲基硅酸钠和喷 RG－100C1 型高分子乳液集水效率高,有效期长;铺塑料薄膜集水效率高,有效期短;撒水泥并喷水的集水效率低,有效期长;其他几种新材料效果不理想。

(三)降水量与土壤含水率变化规律

根据 2002 年 11 月份至 2004 年 10 月 28 日测定的 8 次自然荒坡集流面下的蓄水区 10～40cm 土壤含水率和逐月的降水量(见图 3-19),可以看出以下规律:

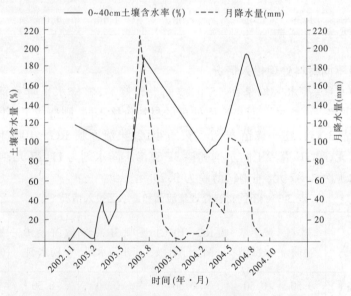

图 3-19　降水量与 10～40cm 土壤含水率变化图

(1)降水量与蓄水区土壤含水率变化趋势基本吻合。

(2)土壤含水率变化相对比较稳定,有效降水量很小时对土壤含水率的变化影响不大。

(3)在黄土高塬沟壑区荒坡造林时,应提前整修好树盘,在汛期有较大量的降雨后接纳雨水,提高土壤含水率。在 9 月份植树造林,此时土壤含水率高,植树后苗木根系有一个生长高峰,苗木成活率高、生长快。

(四)集水区不同处理下蓄水区侧柏生长量

根据集水区不同处理下蓄水区侧柏苗的生长量(见表 3-32),在集流面铺塑料薄膜、喷甲基硅酸钠和喷 RG－100C1 型高分子乳液后,2 年的苗高增长量比对照分别高196.56

个、83.48 个、81.33 个百分点，证明这三种材料在荒山造林中对集流面处理，能显著加快苗木的生长。而集流面喷 3F 克渗王防水剂、掺 3F 克渗王防水剂和对集流面撒水泥并喷水，苗木的高度生长量不及对照，证明这 3 种处理方式不宜采用。

表 3-32　集水区不同处理下的侧柏蓄水区的侧柏生长量

项目		铺塑料薄膜	喷甲基硅酸钠	喷 RG－100C1 型高分子乳液	喷 3F 克渗王防水剂	掺 3F 克渗王防水剂	撒水泥并喷水	对照
2002.9	苗高(cm)	42.2	42.2	50.2	50.1	50.1	51.6	53.8
	干径(cm)	0.31	0.28	0.53	0.28	0.35	0.48	0.43
2004.10	苗高(cm)	111.20	84.95	92.95	77.8	70.75	74.5	77.1
	干径(cm)	1.69	1.23	1.61	1.42	1.41	1.82	1.45
增长量	苗高(cm)	69.10	42.75	42.25	27.7	19.65	22.9	23.3
	干径(cm)	1.38	1.45	1.08	1.14	1.06	1.34	1.02

(五)集水区不同材料处理投入情况

该试验的集水区、蓄水区均是在 15°的坡面上整修的，整修水平阶和铲草皮拍光压实，投入的劳务量都是一样的。而集流面处理的材料价格不同，则造成了不同处理的投入结果不一样(见表 3-33)，建一株苗木 8m² 集蓄小区，集流面喷 RG－100C1 型高分子乳液，投入为 8.27 元，喷 3F 克渗王防水剂和掺 3F 克渗王防水剂为 11.27 元；喷甲基硅酸钠为 5.57 元，撒水泥为 4.87 元，铺塑料薄膜为 3.29 元。

表 3-33　不同材料处理集流面和蓄水区投入情况

项目	铺塑料薄膜	喷甲基硅酸钠	喷 RG－100C1 型高分子乳液	喷 3F 克渗王防水剂	掺 3F 克渗王防水剂	撒水泥并喷水	对照
整修水平阶(元/2m²)	0.50	0.50	0.50	0.50	0.50	0.50	0.50
铲草坡拍光(元/6m²)	1.38	1.38	1.38	1.38	1.38	1.38	1.38
栽树(元/株)	0.99	0.99	0.99	0.99	0.99	0.99	0.99
集流面材料费(元/6m²)	0.42	2.7	5.4	8.4	8.4	2.00	0
合计(元)	3.29	5.57	8.27	11.27	11.27	4.87	2.87

四、结　论

在自然荒坡、无任何灌溉条件下，土壤含水率随土层深度的增加而逐渐降低，在 10～30cm 的土层内最高，平均为 15.9%；而 80cm 以下土壤含水率明显降低，平均为 12.56%，出现了干土层。

利用新材料处理集流面以后,全年蓄水区的土壤含水率均比集流面未处理的自然坡面高,其中以集流面喷甲基硅酸钠、覆塑料薄膜、喷 RG-100C1 型高分子乳液 3 种新材料集水效果很好;喷 3F 克渗王防水剂、撒水泥并浇水 2 种新材料集水效果较好;而掺 3F 克渗王防水剂的比对照含水率高 0.15 个百分点,蓄水区土壤含水率提高不明显。

集流面不同材料处理下蓄水区的土壤含水率,4 月份以前基本稳定;进入汛期后,不同材料处理下的蓄水区土壤含水率变化最大,9 月土壤含水率在测定的 4 次中最高,其中集流面喷甲基硅酸钠的蓄水区土壤含水率最高,为 24.0%,喷 RG-100C1 型高分子乳液和撒水泥并喷水为 20.0%;喷甲基硅酸钠和喷 RG-100C1 型高分子乳液集水效率高,有效期长;铺塑料薄膜集水效率高,有效期短;撒水泥并喷水集水效率低,有效期长;其他几种处理效果不理想。

降水量与蓄水区土壤含水率变化趋势基本吻合。土壤含水率变化相对比较稳定,有效降水量很小时对土壤含水率的变化影响不大。在黄土高塬沟壑区自然荒坡造林时,应在汛前整修好树盘,在汛期降雨后接纳雨水,提高土壤含水率。

集流面铺塑料薄膜、喷甲基硅酸钠和喷 RG-100C1 型高分子乳液后,二年生树苗高增长量比对照分别高 196.56%、83.48%、81.33%,这三种材料在荒山造林中对集流面处理,能显著加快苗木的生长。

建一株树的集蓄区费用:喷 3F 克渗王防水剂和掺 3F 克渗王防水剂投入最高,达 11.27 元;集流面喷 RG-100C1 型高分子乳液,投入为 8.27 元,喷甲基硅酸钠为 5.57 元,撒水泥为 4.87 元,铺塑料薄膜较低,为 3.29 元。

总之,喷甲基硅酸钠乳液效果最好,铺塑料薄膜、集流面喷 RG-100C1 型高分子乳液较好,这 3 种集水新材料具有一定的应用前景,建议在黄土高塬沟壑区集水造林工程中进行试验、示范和推广。

第七节　集水种草技术研究

随着黄河水土保持生态工程建设的深入开展,黄土高塬沟壑区采取退耕还林(草)、封山绿化的措施大搞植树种草,加强生态环境建设。集水农业、集水造林在当地生产实践中得到逐步重视。但是对于大面积干旱半干旱宜草区,还是采用天然草地和人工草地形式,没有对降水进行再分配,造成产草量低、土地沙化、水土流失严重。该研究试图将集水造林的成功经验应用于种草,实现雨水资源的再分配,使集水种草技术能够在宜草区进行推广。

一、试验点概况

试验点选在黄河水土保持西峰治理监督局南小河沟试验监测站。海拔 1 250m,半阴坡山地,坡度 15°。该地气候土壤条件如前文所述。

二、材料与方法

供试牧草为紫花苜蓿和牧场草。该试验于 2002～2004 年进行。2002 年 8 月,在 15°坡度的半阴坡整修成蓄水区宽度分别为 1.0m 和 1.5m 的水平阶,集水区宽度分别为1.0、2.0、3.0、4.0m 和 1.5、3.0、4.5、6.0m 的自然坡面,组成的相应集蓄比分别为 1:1、2:1、3:1、4:1 共 16 个试验小区,并在 15°的荒坡上分别种植紫花苜蓿和牧场草作为对照。9 月在蓄水区按照试验设计要求开沟条播紫花苜蓿、牧场草,行距 15～30cm,深度 2～3cm,覆土厚 1～2cm,每种处理 0.1hm²,试验总面积 1.8hm²(见表 3-34)。

表 3-34　集水种草试验设计

试验代号	草种	蓄水区宽度(m)	集水区宽度(m)	集蓄比
51－X－Y	牧场草	1.5	1.5	1:1
52－X－Y	牧场草	1.5	3.0	2:1
53－X－Y	牧场草	1.5	4.5	3:1
54－X－Y	牧场草	1.5	6.0	4:1
55－X－Y	牧场草	对照	15°荒坡种植	
71－X－Y	牧场草	1.0	1.0	1:1
72－X－Y	牧场草	1.0	2.0	2:1
73－X－Y	牧场草	1.0	3.0	3:1
74－X－Y	牧场草	1.0	4.0	4:1
61－X－Y	紫花苜蓿	1.5	1.5	1:1
62－X－Y	紫花苜蓿	1.5	3.0	2:1
63－X－Y	紫花苜蓿	1.5	4.5	3:1
64－X－Y	紫花苜蓿	1.5	6.0	4:1
65－X－Y	紫花苜蓿	对照	15°荒坡种植	
81－X－Y	紫花苜蓿	1.0	1.0	1:1
82－X－Y	紫花苜蓿	1.0	2.0	2:1
83－X－Y	紫花苜蓿	1.0	3.0	3:1
84－X－Y	紫花苜蓿	1.0	4.0	4:1

注:蓄水区为水平阶,集雨面保持自然坡面。

每年观测蓄水区 0～125cm 土层的土壤含水率 4 次,每次 18 个处理(包括 2 个对照处理),重复 5 次,每个点在 10、20、40、60、100cm 取 5 个土样(见表 3-35),该试验共取土样 3 600 份。并测定产草量(干草重)和单位整地面积的土方量、用工量、投入等。时段耗水量按土壤水量平衡计算式(3-1)和式(3-2)进行计算。

表 3-35　集水种草耗水量计算有关指标

项目	测土层次				
	1	2	3	4	5
测土深度(cm)	10	20	40	60	100
土层范围(cm)	0~15	15~30	30~50	50~80	80~125
H_i(cm)	15	15	20	30	45
γ_i(cm)	1.28	1.24	1.22	1.26	1.26

三、结果与分析

(一)不同集蓄比耗水量与耗水强度

对 2003、2004 年耗水量和耗水强度及两年平均耗水量和耗水强度进行计算(见表 3-36),通过分析可知:

(1)2003 年牧场草和紫花苜蓿的耗水强度均比 2004 年大。牧场草在蓄水区宽度为 1.5m 时,耗水强度 2003 年比 2004 年度大 11.11%~18.64%;在蓄水区宽度为 1.0m 时,耗水强度 2003 年度比 2004 年度大 13.25%~30.30%;自然荒坡下的耗水强度 2003 年度比 2004 年度大 9.93%。紫花苜蓿在蓄水区宽度为 1.5m 时,耗水强度 2003 年度比 2004 年度大 11.25%~19.53%;在蓄水区宽度为 1.0m 时,耗水强度 2003 年度比 2004 年度大 29.94%~37.50%;自然荒坡耗水强度 2003 年度比 2004 年度大 26.47%。

(2)牧场草在不同集蓄比的耗水量和耗水强度均高于自然荒坡。其中,蓄水区宽度 1.5m,集蓄比 3:1 的蓄水区耗水强度最大,比对照高 17.83%,集蓄比分别为 4:1、1:1、2:1 的蓄水区耗水强度分别比对照高 9.23 个、7.28 个、5.96 个百分点;蓄水区宽度 1.0m,集蓄比 2:1 时,蓄水区耗水强度最大,比对照高 9.26 个百分点,集蓄比分别为 1:1、3:1、4:1 的蓄水区耗水强度分别比对照高 6.62 个、0.22 个、0.13 个百分点。紫花苜蓿,蓄水区宽度 1.5m,不同集蓄比的耗水强度均小于对照;集蓄比分别为 1:1、2:1、3:1、4:1 的耗水强度分别比对照小 1.36 个、5.94 个、0.94 个、0.85 个百分点。在蓄水区宽度 1.0m,不同集蓄比的耗水强度均大于对照;集蓄比为 1:1、2:1、3:1、4:1 的耗水强度分别比对照高 3.31 个、3.66 个、3.75 个、7.90 个百分点。

(3)牧场草和紫花苜蓿在蓄水区宽度 1.5m、不同集蓄比下的耗水强度均高于对照;蓄水区宽度 1.0m,不同集蓄比下的耗水强度均低于对照。

(4)对 2003、2004 年两年的平均耗水强度分析,牧场草和紫花苜蓿在蓄水区宽度 1.5m 的耗水强度均高于对照;而在蓄水区宽度 1.0m 的耗水强度均低于对照。

(5)在两种牧草间,2003 年牧场草的耗水强度低于紫花苜蓿 0.12mm/d,2004 年牧场草的耗水强度高于紫花苜蓿 0.04mm/d。两种牧草两年平均耗水强度比较,紫花苜蓿的耗水强度大于牧场草 0.05mm/d。

表 3-36 集水种草耗水量和耗水强度计算结果

试验代号	2003 年			2004 年			年际间 ±(%)	平均		
	耗水量 (mm)	耗水强度 (mm/d)	比对照增减 (%)	耗水量 (mm)	耗水强度 (mm/d)	比对照增减 (%)		耗水量 (mm)	耗水强度 (mm/d)	比对照增减 (%)
51-X-Y	590.55	1.62	7.28	528.33	1.44	6.30	11.11	559.44	1.53	6.88
52-X-Y	582.40	1.60	5.96	500.54	1.37	0.70	14.38	541.47	1.48	3.45
53-X-Y	647.82	1.78	17.83	528.46	1.44	6.32	18.64	588.14	1.61	12.36
54-X-Y	603.28	1.65	9.23	509.65	1.39	2.54	15.76	556.47	1.52	6.31
71-X-Y	586.23	1.61	6.62	443.34	1.21	-10.80	24.84	514.79	1.41	-1.65
72-X-Y	600.73	1.65	9.26	420.71	1.15	-15.36	30.30	510.72	1.40	-2.43
73-X-Y	551.01	1.51	0.22	479.9	1.31	-3.45	13.25	515.46	1.41	-1.52
74-X-Y	550.52	1.51	0.13	453.30	1.24	-8.80	17.88	501.91	1.37	-4.11
对照	549.81	1.51	0	497.04	1.36	0	9.93	523.43	1.43	0
61-X-Y	614.48	1.68	-1.36	528.71	1.44	15.38	14.28	571.60	1.56	5.73
62-X-Y	585.94	1.60	-5.94	518.40	1.42	13.13	11.25	552.17	1.51	2.14
63-X-Y	617.12	1.69	-0.94	534.77	1.46	16.70	13.61	575.95	1.58	6.54
64-X-Y	617.66	1.69	-0.85	499.54	1.36	9.01	19.53	558.60	1.53	3.33
81-X-Y	643.56	1.76	3.31	429.12	1.17	-6.35	33.52	536.34	1.47	-0.79
82-X-Y	645.76	1.76	3.66	400.96	1.10	-12.50	37.50	523.36	1.43	-3.19
83-X-Y	646.33	1.77	3.75	454.33	1.24	-0.85	29.94	550.33	1.51	1.80
84-X-Y	672.15	1.84	7.90	424.36	1.16	-7.39	36.96	548.26	1.50	1.42
对照	622.96	1.70	0	458.24	1.25	0	26.47	540.60	1.48	0

(二)自然荒坡牧场草和紫花苜蓿各层土壤含水率分析

根据牧场草和紫花苜蓿在自然荒坡下各层土壤含水率(见表 3-37、表 3-38)分析可知:

(1)两种牧草在自然荒坡条件下,表层的土壤含水率均大于深层的土壤含水率。牧场草 0~15cm 的土壤含水率比 15~125cm 高 0.83 个百分点,0~30cm 土壤含水率比 30~125cm 高 0.59 个百分点, 0~50cm 土壤含水率比 50~125cm 高 0.86 个百分点;紫花苜蓿 0~15cm 的土壤含水率比 15~125cm 高 0.93 个百分点,0~30cm 土壤含水率比 30~125cm 高 1.04 个百分点 , 0~50cm 土壤含水率比 50~125cm 高 0.52 个百分点。

表 3-37　牧场草和紫花苜蓿在自然荒坡下各层土壤含水率　　　（%）

测墒时间 （年·月·日）	牧场草					紫花苜蓿				
	10cm	20cm	40cm	60cm	100cm	10cm	20cm	40cm	60cm	100cm
2002.11.24	16.0	14.0	16.0	15.0	12.0	15.0	18.0	18.0	18.0	17.0
2003.6.20	10.0	12.0	11.0	11.0	10.0	16.0	14.0	15.0	14.0	15.0
2003.8.10	17.0	21.0	15.0	12.0	14.0	20.0	18.0	18.0	17.0	17.0
2003.10.14	22.0	20.0	21.0	19.0	18.0	21.0	18.0	17.0	17.0	17.0
2004.3.26	19.0	19.0	20.0	20.0	18.0	16.0	17.0	19.0	18.0	18.0
2004.6.10	11.0	9.0	14.0	13.0	15.0	13.0	15.0	10.0	13.0	14.0
2004.9.4	19.0	18.0	18.0	18.0	16.0	19.0	18.0	12.0	14.0	12.0
2004.10.28	16.0	11.0	13.0	13.0	15.0	14.0	14.0	14.0	15.0	15.0
平均	16.25	15.50	16.0	15.13	14.75	16.75	16.5	15.38	15.75	15.63

表 3-38　两种牧草不同土层的土壤含水率比较

牧草	0~15cm (1)	15~125cm (2)	比较 (1)-(2)	0~30cm (3)	30~125cm (4)	比较 (3)-(4)	0~50cm (5)	50~125cm (6)	比较 (5)-(6)
牧场草	16.25	15.42	0.83	15.88	15.29	0.59	15.80	14.94	0.86
紫花苜蓿	16.75	15.82	0.93	16.63	15.59	1.04	16.21	15.69	0.52

(2)0~50cm 的土壤含水率牧场草比紫花苜蓿低 0.41 个百分点,50~125cm 土壤含水率牧场草比紫花苜蓿低 0.75 个百分点。

(3)两种牧场草在自然荒坡下种植,6 月份各层的土壤含水率最低。

(三)不同集蓄比条件下牧场草和紫花苜蓿各层土壤含水率

根据牧场草和紫花苜蓿不同集蓄比各层土壤含水率结果(见表 3-39),可知:

(1)两种牧草蓄水区宽度 1.0m、不同集蓄比下的蓄水区土壤含水率均高于自然荒坡下的含水率;而蓄水区宽度 1.5m、不同集蓄比蓄水区土壤含水率均低于自然荒坡下的含水率。

(2)牧场草在蓄水区宽度 1.0m,集蓄比 1:1、2:1、3:1、4:1 时蓄水区平均土壤含水率分别比自然荒坡下的高 8.36 个、7.45 个、3.40 个、2.42 个百分点;紫花苜蓿在蓄水区宽度 1.0m,集蓄比 1:1、2:1、3:1、4:1 时蓄水区平均土壤含水率分别比自然荒坡下的高 3.66 个、8.01 个、3.15 个、1.89 个百分点。所以在自然荒坡上种植牧场草和紫花苜蓿时,需整修成 1.0m 宽的水平阶,集蓄比为 1:1、2:1 时,土壤含水率最高。

表 3-39　牧场草和紫花苜蓿不同集蓄比下各层土壤平均含水率　　　　(%)

试验代号	不同土层深度的土壤含水率					平均	比对照增减
	10cm	20cm	40cm	60cm	100cm		
51-X-Y	14.38	15.38	15.75	14.87	15.38	15.15	-0.72
52-X-Y	14.75	15.87	14.75	15.00	15.50	15.21	-0.65
53-X-Y	14.75	15.83	14.87	15.00	15.38	15.19	-0.78
54-X-Y	15.50	15.63	15.87	16.50	13.75	15.19	-0.78
71-X-Y	15.75	16.25	16.38	16.88	16.88	16.59	8.36
72-X-Y	16.25	16.38	16.75	16.10	16.63	16.45	7.45
73-X-Y	15.00	15.00	14.75	15.87	16.63	15.83	3.40
74-X-Y	16.75	15.87	15.38	15.87	15.26	15.68	2.42
对照	16.25	15.49	16.00	15.12	15.26	15.31	0
61-X-Y	14.00	15.12	14.63	15.75	14.38	14.80	-6.68
62-X-Y	13.01	16.00	16.00	15.75	14.25	14.95	-5.74
63-X-Y	15.38	15.50	15.75	16.63	15.12	15.66	-1.26
64-X-Y	15.75	16.25	17.25	15.62	15.12	15.79	-0.44
81-X-Y	16.50	17.51	16.88	16.63	15.75	16.44	3.66
82-X-Y	15.12	17.63	18.12	17.25	17.12	17.13	8.01
83-X-Y	14.75	17.75	17.51	16.50	15.83	16.36	3.15
84-X-Y	16.63	17.00	16.25	16.25	15.63	16.16	1.89
对照	16.75	16.50	15.38	15.75	15.63	15.86	0

(四)不同处理的牧场草和紫花苜蓿产草量

通过样方测得牧场草和紫花苜蓿 2003 年和 2004 年不同集蓄比处理下的产草量(见表 3-40),可知:

(1)两种牧草在蓄水区宽度为 1.5m 的产草量均高于蓄水区宽度 1.0m 的草量,蓄水区宽度 1.5m 和 1.0m 两种牧草的产草量均显著高于自然荒坡下的。

(2)牧场草在蓄水区宽度 1.5m、集蓄比 3:1 和 1:1 时产草量高出自然荒坡下的 109.36% 和 87.18%。在蓄水区宽度 1.0m、集蓄比 3:1 时产草量高出自然荒坡产下的 78.1%,均达到极显著水平。

(3)紫花苜蓿在集水区宽度分别为 1.5m 和 1.0m、集蓄比 3:1 时产草量高出自然荒坡下的 41.8% 和 40.31%,达到显著水平。

(4)新引进的牧场草产草量均高于同水平种植条件下的紫花苜蓿产草量。

表 3-40 不同集蓄比牧场草和紫花苜蓿产草量结果

草种	试验处理	产草(干草)量(kg/hm²)			比对照提高（%）
		2003 年	2004 年	平均	
牧场草	51－X－Y	4 100.0	10 335.0	7217.5	87.18
	52－X－Y	4 181.0	8 889.2	6 535.1	69.48
	53－X－Y	4 583.0	11 563.2	8 073.1	109.36
	54－X－Y	4 422.0	6 504.3	5 463.2	41.68
	71－X－Y	2 814.0	6 937.9	4 876.0	52.39
	72－X－Y	4 342.0	9 395.1	6 868.6	37.84
	73－X－Y	5 065.0	5 565.0	5 315.0	78.13
	74－X－Y	4 020.0	5 854.0	4 937.0	28.03
	对照	2 653.0	5 059.0	3 856.0	0
紫花苜蓿	61－X－Y	1 001.8	4 854.8	2 928.3	13.44
	62－X－Y	924.7	6 010.7	3 467.7	34.34
	63－X－Y	1 155.7	5 548.3	3 352.1	41.80
	64－X－Y	1 310.0	6 010.7	3 660.4	29.86
	81－X－Y	1 001.8	4 700.7	2 851.3	10.46
	82－X－Y	1 310.0	4 546.5	2 928.3	13.44
	83－X－Y	1 387.1	4 569.5	2 978.3	40.31
	84－X－Y	1 618.3	5 625.4	3 621.9	15.38
	对照	693.5	4 469.5	2 581.3	0

（五）蓄水区不同宽度整地形式的用工量

在坡度为 15°的荒坡上种草，整修成 1.0m 和 1.5m 宽的水平阶，实际用工投资分别为 2 556 元/hm² 和 2 889 元/hm²，按照当地牧场草干粉 0.40 元/kg 和紫花苜蓿干粉 1.00 元/kg 计算，整地种植紫花苜蓿和牧场草，第二年就可收回全部投资并有盈余，经济效益与产草量成正比。因此，在黄土高塬沟壑区荒山整修成水平阶种草，有较好的经济效益、生态效益和社会效益。而紫花苜蓿的经济效益显著高于牧场草的经济效益。

四、小 结

在黄土高塬沟壑区采用集水种草能够有效拦截雨水，提高表层土壤含水率 1.89%～8.36%。

把荒山整修成水平阶种植牧场草和紫花苜蓿，水平阶宽度 1.5m 时，不同集蓄比下蓄水区的两种牧草耗水量和耗水强度均高于自然荒坡的耗水值，两种牧草蓄水区宽度 1.5m 土壤含水率均低于自然荒坡含水率；蓄水区宽度 1.0m 时的土壤含水率均高于自然荒坡含水率。

　　牧场草在蓄水区宽度1.5m、集蓄比为3:1和1:1时的产草量分别高于对照109.36%和87.18%,耗水强度分别高于对照12.36%和6.88%;在蓄水区宽度1.0m、集蓄比为3:1时,产草量高于自然荒坡下牧场草78.13%;紫花苜蓿在蓄水区宽度1.5m和1.0m、集蓄比为3:1时,产草量分别高于对照41.8%和40.3%。

　　因此,在黄土高塬沟壑区采用集水种草时,蓄水区宽度为1.0~1.5m、集蓄比为3:1时,产草量最高,经济效益和蓄水保土效益最好。可以应用于条件类似地区的退耕还草和生态修复工程建设中。

参 考 文 献

[1] 王克勤.集水造林与水分生态.北京:中国林业出版社,2002

[2] 穆兴民,徐学选,陈霁巍,等.黄土高原生态水文研究.北京:中国林业出版社,2001

[3] 赵松岭,李凤瑞,高世铭.集水农业引论.西安:陕西科学技术出版社,1996

[4] 李怀有,赵安成,郭永乐.黄土高塬沟壑区集雨节水灌溉技术.郑州:黄河水利出版社,2003

[5] 张祖新,龚时宏,王晓玲,等.雨水集蓄工程技术.北京:中国水利水电出版社,1999

[6] 穆兴民,徐学选,陈霁巍,等.黄土高原生态水文研究.北京:中国林业出版社,2001

[7] 信乃诠,赵聚宝.旱地农田水分状况与调控技术.北京:中国农业出版社,1992

[8] 王百田,王斌瑞.黄土高原干旱半干旱地区持续林业建设与降水资源合理利用.北京:中国林业出版社,1994

[9] 王斌瑞,等.黄土高原径流林业.北京:中国林业出版社,1996

[10] 王斌瑞,等.黄河上中游干旱半干旱地区造林技术.北京:中国农业出版社,2000

[11] 胡建忠,闫晓玲,雷启祥,等.水土保持优良植物引种试验研究.水利水电技术,2002(1):68~73

第四章　沟道水资源的调控利用

第一节　治沟骨干工程单坝合理控制面积研究

单坝控制面积和库容是坝系规划阶段和可行性研究阶段坝系布设和坝址选择非常重要的控制性指标,它直接影响坝系的布坝密度、结构、坝址选择和工程投资。在陇东黄土丘陵沟壑区第二、第五副区(以下简称丘二、丘五区)和黄土高塬沟壑区原水电部标准(SD 175—1986)规定:单坝控制面积 $3 \sim 5 km^2$ 和单坝库容 $\geqslant 50$ 万 m^3,《水土保持治沟骨干技术规范》(SL 289—2003)对强度侵蚀区(侵蚀模数 $5\,000 \sim 8\,000 t/(km^2 \cdot a)$)单坝控制面积扩大为 $3 \sim 8 km^2$,按这些标准和规范进行布坝时,存在许多新情况和新问题。主要问题如下:

(1)由于受小流域地形条件的限制,在陇东地区,$3 \sim 5 km^2$ 区间内,坝址选择的余地很小,理想坝址不多,库容条件也多不理想,治沟骨干工程布坝难度较大。

(2)由于单坝控制面积指标相对偏小,在布坝时,一些坝控面积较大、库容条件好、工程效益较高的坝址,因单坝投资大、超出水利部标准要求太多而只能采取增加布坝密度以达到相应控制面积目标的策略,从而增加了坝系工程的总体投资。

(3)由于单坝控制面积指标相对偏小,在坝系工程的设计中,不能也不敢在小流域的主沟道以及支沟道沟口的关键地段建立关键性控制工程,既影响了坝系工程尽快发挥效益,又使大中小淤地坝配置比例失调。支沟控制形式已成为主流布坝模式,$15 \sim 30 km^2$ 的小流域主沟道已难见到控制性骨干工程,骨干工程与中小淤地坝的配置比例在多数情况下很难满足 $1:3 \sim 1:5.5$ 的配置要求,有时甚至出现孤零零一座骨干坝,上游已很难再找到建设中的小型淤地坝位置的尴尬境地。据我们在环县的工作经历,规划阶段或可行性研究阶段单从 $1:10\,000$ 地形图上所确定的工程规模与坝址位置,其实际到位率只有 40% 左右。

因此,结合黄土高原各类型区的实际建设条件,进一步研究探讨适宜各类型区的单坝合理控制面积和库容规模,对于推动淤地坝工程建设向前发展、促进坝系建设、提高工程效益和投资效益具有非常重要的意义。影响治沟骨干工程单坝合理控制面积的主要因素是小流域沟道的地形条件以及在此基础上的工程效益与投资之间的技术经济合理性,而技术可行性问题并不是主要的限制因素。本文以处于多沙粗沙区的环县城西川小流域坝系工程为例,从技术经济分析入手,对陇东丘二、丘五区治沟骨干工程单坝合理的控制面积作一探讨。

一、城西川小流域坝系建设的基本条件

城西川流域位于甘肃省庆阳市环县县城西北约 25km 处,是泾河水系马莲河流域支

流——环江右岸的一条支沟,为黄土丘陵沟壑区第五副区(简称丘五区),处于多沙粗沙区范围内。流域总面积 79.6km²,海拔 1 254～1 707m,沟壑密度 2.9km/km²,人口密度 48人/km²。流域多年平均降水量 426.0mm,汛期降水量 277.0mm,占全年降水量的 65%;多年平均径流模数 3.27 万 m³/km²,多年平均侵蚀模数 8 500t/km²。流域主沟道长19km,平均比降 1.55%;流域面积大于 3km² 的沟道 11 条,平均比降 3.12%;流域面积1～3km² 的沟道 18 条,平均比降 6.87%;流域面积小于 1km² 的支毛沟 101 条,平均比降9.5%。

二、单坝控制面积技术经济分析

(一)坝址工程特性指标

经对流域综合勘测,除主沟道外,适宜于布设治沟骨干工程的坝址位置约有 16 处,其中,流域面积≤3km² 的坝址有 5 处,占 31.3%;3～5km² 的坝址有 5 处,占 31.3%;5～8km² 的坝址有 5 处,占 31.3%;≥8km² 的坝址有 1 处,占 6.1%。工程设计标准采用 20年一遇洪水设计(洪量模数 4.66 万 m³/km²),200 年一遇洪水校核(洪量模数 7.67 万m³/km²),库容原则上要不小于 50 万 m³,迎水坡 1:2.5,背水坡 1:2,放水工程采用卧管和输水涵管形式。各备选坝址工程的技术经济特性指标见表 4-1、表 4-2。

表 4-1　备选坝址工程特性指标(一)

序号	工程名称	坝控面积 (km²)	最大坝高 (m)	土方量 (万 m³)	投资 (万元)
G4	马掌沟	2.08	26.0	5.87	46.57
G3	周家阴山	2.25	23.0	5.60	45.15
G11	桃木掌	2.25	31.0	8.09	58.22
G5	毛沟卡	2.30	32.0	11.50	76.13
G1	徐旗寨	2.50	28.0	12.36	80.64
G7	木瓜台	3.45	21.0	3.32	33.18
G16	阳　湾	3.60	27.0	4.90	41.48
G9	周原原	3.83	19.0	5.43	44.26
G2	原西台	4.30	25.0	5.14	42.74
G6	贾台台	4.79	24.5	6.03	47.41
G14	许家后山	5.13	23.0	5.69	45.62
G13	董家山	6.15	30.0	4.83	41.11
G12	刘岔子	6.41	21.5	6.48	49.77
G15	王家山	7.47	21.0	5.01	42.05
G8	刘大掌沟	7.90	20.0	5.40	44.10
G10	董家淌洼	11.40	29.0	5.88	46.62

表 4-2　备选坝址工程特性指标(二)

序号	工程名称	坝控面积 (km²)	总库容 (万 m³)	滞洪库容 (万 m³)	拦泥库容 (万 m³)	淤积年限	可淤地面积 (hm²)
G4	马掌沟	2.08	50.16	15.95	34.21	25	4.93
G3	周家阴山	2.25	54.00	17.26	36.74	25	6.95
G11	桃木掌	2.25	54.00	17.26	36.74	25	3.98
G5	毛沟卡	2.30	55.20	17.64	37.56	25	5.30
G1	徐旗寨	2.50	59.73	19.18	40.56	25	2.78
G7	木瓜台	3.45	53.48	26.46	27.02	12	6.50
G16	阳　湾	3.60	55.80	27.61	28.19	12	3.80
G9	周原原	3.83	54.23	29.38	24.85	10	4.00
G2	原西台	4.30	66.65	32.98	33.67	12	6.15
G6	贾台台	4.79	67.82	36.74	31.08	10	4.30
G14	许家后山	5.13	72.63	39.35	33.29	10	6.30
G13	董家山	6.15	95.33	47.17	48.16	12	12.60
G12	刘岔子	6.41	90.76	49.16	41.59	10	5.00
G15	王家山	7.47	105.76	57.29	48.47	10	9.70
G8	刘大掌沟	7.90	111.85	60.59	51.26	10	11.00
G10	董家淌洼	11.40	176.70	87.44	89.26	12	26.40

(二)坝控面积分组及技术经济指标选择

为便于分析讨论,把 16 个坝址的单坝控制面积划分为 7 组:2～3km²,3～4km²,4～5km²,5～6km²,6～7km²,7～8km²,≥8km²。为综合分析比较不同坝控面积下工程的技术经济特性,拟选择 4 组、7 个指标进行分析,即工程投资、总库容、可淤地面积、单位土方量换库容、单位库容投资、单位土方量淤地、单位坝地投资。为消除各坝控面积组内各点的不确定影响因素,各组的技术经济指标值采用其组内各坝技术经济指标的算术平均数;同时,为对各不同量纲的指标进行对比分析,在点绘曲线前,用各指标系列的最大值除系列内各组值,使其无量纲化为 0～1 区间值。各项技术经济指标见表 4-3～表 4-5。

表 4-3　坝控面积分组技术经济指标

序号	坝控面积 (km²)	投　资		总库容		淤地面积	
		万元	无量纲化	万 m³	无量纲化	hm²	无量纲化
1	2～3	61.34	1.000	54.62	0.309	4.79	0.181
2	3～4	39.64	0.646	54.5	0.308	4.77	0.181
3	4～5	49.74	0.811	70.5	0.399	5.90	0.223
4	5～6	45.62	0.744	72.63	0.411	6.30	0.239
5	6～7	45.44	0.741	93.04	0.527	8.80	0.333
6	7～8	43.08	0.702	108.81	0.616	10.35	0.392
7	≥8	46.62	0.760	176.7	1.000	26.40	1.000

表 4-4　备选坝址工程技术经济特性

序号	工程名称	单位土方换库容(m³/m³)	单位库容投资(元/m³)	单位土方淤地(hm²/万 m³)	单位淤地投资(万元/hm²)
G4	马掌沟	8.55	0.93	0.84	9.45
G3	周家阴山	9.64	0.84	1.24	6.50
G11	桃木掌	6.67	1.08	0.49	14.63
G5	毛沟卡	4.80	1.38	0.46	14.36
G1	徐旗寨	4.83	1.35	0.22	29.01
G7	木瓜台	16.11	0.62	1.96	5.10
G16	阳　湾	11.39	0.74	0.78	10.91
G9	周原原	9.99	0.82	0.74	11.06
G2	原西台	12.97	0.64	1.20	6.95
G6	贾台台	11.25	0.70	0.71	11.03
G14	许家后山	12.77	0.63	1.11	7.24
G13	董家山	19.74	0.43	2.61	3.26
G12	刘岔子	14.01	0.55	0.77	9.95
G15	王家山	21.11	0.40	1.94	4.34
G8	刘大掌沟	20.71	0.39	2.04	4.01
G10	董家淌洼	30.05	0.26	4.49	1.77

(三)绘制单坝控制面积技术经济特性曲线

以单坝控制面积为 X 轴,以单坝工程投资和单坝总库容、单坝工程投资和单坝可淤地面积、单位工程量换库容与单位库容投资、单位工程量可淤地面积与单位坝地投资为 Y 轴,根据表 4-3、表 4-5 数据,点绘工程技术经济特性曲线。所点绘的 4 组特性曲线见

图 4-1～图 4-4。

(四)分析

由图 4-1 可以看出,单坝工程投资与单坝库容曲线的交点为 6.2,说明当单坝控制面积在 7.7 km²,即约在 8km² 附近时,工程投资水平与所获得的库容回报水平在理论上基本持平,工程的投资水平与工程规模相适应,比较合理。由图 4-2 可以看出,单坝工程投资与单坝可淤地面积曲线交点为 6.6,说明当单坝控制面积在 8.1km² 附近时,治沟骨干工程所取得的淤地能力与其投入水平相一致,比较合理。

由图 4-3 可以看出,单位工程量换库容与单位库容投资曲线的交点为 4.6,说明当单坝控制面积在 6km² 附近时,投资水平与其所取得的库容回报水平相一致,当单坝控制面积大于 6km² 而逐步增大时,单位工程量换库容增大,单位库容投资反而减小;反之,当单坝控制面积小于 6km² 而逐步减小时,则单位工程量换库容减少,而单位库容投资却越来越大。由图 4-4 可以看出,单位工程量淤地面积与单位坝地投资曲线的交点为 5.4,说明当单坝控制面积 7km² 附近时,工程投资水平与其所取得的淤地能力相适应;当单坝控制面积大于 7km² 而逐步增大时,单位工程量淤地面积增加,单位坝地投资反而减小;当单坝控制面积小于 7km² 而逐步减小时,单位工程量淤地面积减小而单位坝地投资却反而增加。

综上所述,单坝控制面积的适宜下限值定在 7～8km² 比较合理。

表 4-5　备选坝址工程技术经济特性

序号	坝控面积(km²)	单位土方换库容		单位库容投资		单位土方淤地		单位淤地投资	
		m³/m³	无量纲化	元/m³	无量纲化	hm²/万 m³	无量纲化	万元/hm²	无量纲化
1	2～3	6.90	0.230	1.11	1.000	0.65	0.145	14.79	1.000
2	3～4	12.49	0.416	0.73	0.658	1.16	0.258	9.03	0.611
3	4～5	12.11	0.403	0.67	0.604	0.95	0.212	8.99	0.608
4	5～6	12.77	0.425	0.63	0.568	1.11	0.246	7.24	0.490
5	6～7	16.87	0.561	0.49	0.441	1.69	0.376	6.61	0.447
6	7～8	20.91	0.696	0.40	0.360	1.99	0.443	4.17	0.282
7	≥8	30.05	1.000	0.26	0.234	4.49	1.000	1.77	0.120

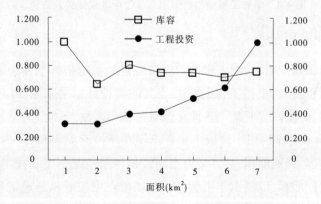

图 4-1　工程投资与库容关系曲线

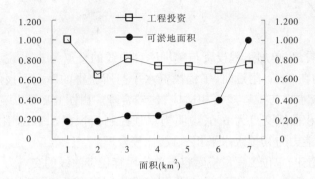

图 4-2　工程投资与可淤地面积关系曲线

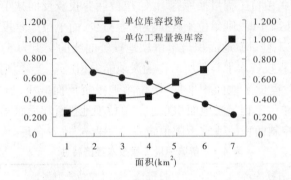

图 4-3　单位工程量换库容与单位库容投资关系曲线

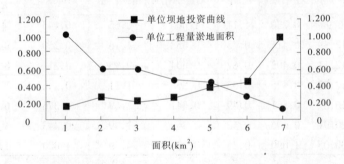

图 4-4　单位工程量淤地面积与单位坝地投资关系曲线

三、单坝合理库容分析

当单坝控制面积确定后,影响工程技术经济特性的控制指标主要为滞洪库容和拦泥库容。治沟骨干工程具有"上拦下保"作用,当其防洪设计标准采用 20 年一遇设计、200年一遇校核,所需的防洪库容对某一具体小流域可视为常数,而拦泥库容则随着淤积年限的变化而变化,表 4-6 为城西川小流域南沟骨干坝在坝控面积为 8km² 时,不同淤积年限情况下,其坝高、库容、淤地面积;表 4-7 为不同淤积年限情况下工程技术经济特性表(指标无量纲处理方法同前)。以淤积年限为 X 轴,以单位坝控面积淤地量和单位坝地投资为 Y 轴,依据表 4-7 资料,可点绘出图 4-5 关系曲线。

表 4-6　南沟坝不同淤积年限坝高、库容、淤地面积

淤积年限	坝高 （m）	坝体土方 （万 m³）	总库容 （万 m³）	防洪库容 （万 m³）	拦泥库容 （万 m³）
0	29.60	8.20	61.36	61.36	0
5	32.60	9.20	87.31	61.36	25.95
10	33.80	9.80	113.27	61.36	51.91
15	36.40	10.80	139.22	61.36	77.86
20	38.20	11.50	165.18	61.36	103.82
25	39.60	12.00	191.13	61.36	129.77

表 4-7　不同淤积年限情况下工程技术经济特性

淤积年限	淤地面积 （hm²）	投资 （万元）	单位面积淤地		单位坝地投资	
			hm²/km²	无量纲化	万元/hm²	无量纲化
0	8.50	61.50	1.06	0.454	7.24	1.000
5	11.70	69.00	1.46	0.625	5.90	0.815
10	13.00	73.50	1.63	0.694	5.65	0.781
15	15.70	81.00	1.96	0.839	5.16	0.713
20	17.50	86.25	2.19	0.935	4.93	0.681
25	18.70	90.00	2.34	1.000	4.81	0.665

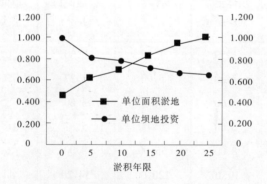

图 4-5　单位面积淤地与单位坝地投资关系曲线

由图 4-5 可知:在一定的坝控面积条件下,库容在满足基本的防洪要求后,其大小随淤积年限的延长而增大,淤积年限延长,拦泥库容增加,单位坝控面积内淤地面积提高,但工程所需总库容也进一步增大,工程投资也随之增加,其平衡点则为曲线的交点,当超过平衡点,淤积年限进一步延长,虽然拦泥库容在递增情况下,工程投资有递减趋势,但不利于坝地的早日利用和工程效益的及时发挥。曲线的交点值为 3.4,相当于淤积年限为 12年。因此,合理的淤积年限确定在 10～15 年之间较为合理。据此在 7～8km² 控制面积下,按 20 年一遇洪水设计,200 年一遇洪水校核,淤积年限按 10～15 年计,单坝库容应当在 99 万～140 万 m³ 之间。

四、分析与讨论

(1)陇东丘二、丘五区沟道小流域的地形条件决定了其单坝控制面积的下限比以陕北为代表的丘一区有所提高。对陇东丘二、丘五区而言,面积 5～10km² 的支沟道中下游沟底狭窄,两岸为 30°～50°的陡坡,并多见悬崖立岸,在 40～50m 高处为残存的小片台地,沟道变为较宽阔的平缓地段,再上则为 20°～30°的梁峁坡;沟道中下游纵断面比降 2%～2.5%,中上游纵断面比降 2.5%～5%,至沟脑处呈陡崖;其支毛沟的横断面多呈"V"字形,纵坡更大,沟底多盲谷、陷穴,两侧切沟密布,多不适宜于布坝。流域面积 10～20km² 沟道的地形特点与 5～10km² 沟道基本相似,只是沟道更宽阔而已。表 4-8 为南沟坝址(控制面积 8km²)不同坝高下坝体土方、库容、可淤坝地关系,由表 4-8 和图 4-6 可以看出,当库容由 55 万 m³ 提高到 120 万 m³ 时,亦即坝高由 29m 提高到 35m,单位工程量所换库容由 6.88 提高到 11.88,提高 72.7%,此时库容的变化阶段恰为单坝控制面积由 3～5km² 提高到 8km² 左右时,在 200 年校核洪水、淤积年限为 10 年的条件下,其总库容的变化水平(3km² 单坝控制面积所需库容 42.28 万 m³,5km² 单坝控制面积所需库容 70.79 万 m³,8km² 单坝控制面积所需库容 113.27 万 m³)。因此,单坝控制面积适当提高后,恰恰适应了陇东地区丘二、丘五区的地形条件特点和单位坝高所获库容显著增加的特点,表现了良好的技术经济特性。因此,沟道的纵、横断面特点决定了其单坝最优控制面积的下限水平。

表 4-8　南沟坝不同坝高情况下工程特性

序号	坝高 (m)	坝体土方 (万 m³)	库容 (万 m³)	淤地面积 (hm²)	单位工程 量换库容	说明
1	10	1.50	1.20	0.60	0.80	
2	15	2.20	5.00	1.27	2.27	
3	21	4.60	18.00	3.60	3.91	
4	25	6.00	37.00	5.67	6.17	
5	29	8.00	55.00	8.00	6.88	3、5、8km² 库容阶段
6	35	10.10	120.00	14.20	11.88	
7	39	11.70	180.00	18.13	15.38	
8	43	13.70	260.00	22.00	18.98	
9	47	15.70	300.00	25.33	19.11	
10	50	17.20	450.00	28.00	26.16	
11	60	22.30	800.00	37.33	35.87	

(2)陇东地区坝系建设的经验证明,适当提高单坝控制面积的下限,对于形成较为合理的坝系结构有着非常重要的意义。其一,提高单坝控制面积下限,有利于在坝系工程规

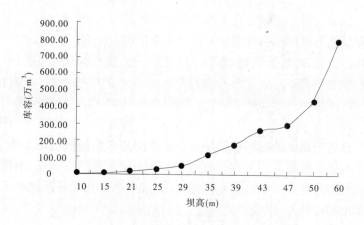

图 4-6　南沟骨干坝库容特性曲线

划设计阶段敢于在沟口、主沟道的关键部位建立控制性工程,形成比较理想的大中小淤地坝相结合的坝系结构,从而提高坝系工程的整体效益和防洪安全;其二,总结陇东地区坝系建设经验,一般都先从沟口附近开始筑坝(单坝控制面积多在 $8\sim30~km^2$ 之间),等坝地淤成后再在其上游建设骨干工程,可以起到"库坝结合,上拦下保,上蓄下灌"作用,上坝与下坝相互配套,既组成了坝系的基本配置结构,又能保证下坝的正常生产利用,同时也改善了沟道的交通条件,有利于坝系工程建设;其三,提高单坝控制面积下限,能够在坝系建设初期就在沟口、主沟道的关键部位筑坝,能利用沟口或主沟道控制面积大、泥沙来量多、能尽快淤成坝地、且坝地面积较大的特点,充分调动群众管理和维护坝系的积极性。

五、建　议

综合以上分析,建议将陇东丘二、丘五区的单坝控制面积的下限提高到 $7\sim8km^2$,单坝库容控制指标下限提高到 100 万～140 万 m^3。这样的控制指标其技术经济特性显得比较合理。

由于资料有限,对单坝控制面积、合理的库容控制标准的上限本文研究不够,建议在考虑资金投入的时间价值、坝地利用时间差价值、坝地利用和水资源利用效益以及坝系工程整体防洪要求等方面后,对此问题作进一步的研究,以利于坝系工程建设技术标准不断完善。

第二节　谷坊坝的设计与应用

在黄土高原地区及西南、华北地区,由于其独特的地形地貌和土壤组成,在短时暴雨的作用下易产生高含沙水流或泥石流。公路、管道伴行公路、铁路等开发建设项目在设计时,对于由于客观条件限制(无其他线路可选),线路必须在沟(谷)道两岸建设,路基设计时从经济合理角度出发,一般采用半挖半填的方式。挖方面形成高路堑边坡,采用挡土墙或护坡工程予以防护。填方面形成高路基边坡,对于主体工程等级高的项目或由于坡角稳定计算要求和减少路基坡角长期被洪水冲淘,一般采用浆砌石矮墙的方式进行防护(也考虑沟道的行洪能力);对于主体工程等级低的公(铁)路项目、管道伴行公路项目,一般主体设计时是在有长流水或沟道拐弯的地方设计工程护坡,其他部位不采取任何防护措施。填方形成的高路基边坡表面,据调查,由于主体工程施工技术本身的限制(分层碾压),在施工期和竣工后的前 3 年内,填方的表面总有 5cm 左右的疏松土层(有的含小砾石)存在,采取工程拦挡(矮墙的长度与路基同长),投资太大,得不偿失,植物措施(坡面种草)在施工期内又无法达到较大的拦蓄效益,线路又较长,这时应采取新的水土保持防治措施——谷坊坝。在黄土高原地区沟道易发生红土泻溜和水力侵蚀的地方采用谷坊坝,同样可以达到事半功倍的效果。在沟(谷)道沟床上打一定数量的谷坊坝,来拦蓄填方路基边坡表层和流域上游的高含沙水流或泥石流,在无常流水的黄土高原地区还可以利用拦蓄后形成的淤积土种植林木,提高防治效益,达到防治建设项目土壤侵蚀、保障主体工程安全运营的双赢和综合治理小流域水土流失的目的。

一、防治对象土壤侵蚀特点

(一)线性分布

公(铁)路的新建、改扩建,管道敷设时伴行路的新建,沟道红土泻溜、水力侵蚀(溯源侵蚀),使得该类建设项目的土壤侵蚀和沟道复合侵蚀沿道路和沟道呈线形分布的特点。

(二)土壤侵蚀的发生伴随着其他自然灾害

公(铁)路的新建、管道敷设伴行路的建设由于受地形条件的限制,有部分弃渣直接被洪水带走,淤积河道下游及水库,给下游防洪带来威胁,高路堑易发生滑塌甚至滑坡。

(三)土壤侵蚀的成因主要是人为破坏

公(铁)路的新建、管道敷设伴行路的路基建设,造成的土壤侵蚀成因主要是人为开发建设项目,破坏植被,开挖坡角,形成不稳定土体,人为弃土弃渣造成新增土壤侵蚀。

二、谷坊坝的设计

(一)谷坊坝的含义

通俗地说,谷坊坝就是具有谷坊的形式,淤地坝的功能,其外观形状、工程规模(一般坝高在 10m 以下)、控制范围(面积)接近谷坊的定义,同时具有防止沟床下切稳定沟床,后期利用拦蓄的淤积土种植林木,提高防治效益等谷坊的作用。而内部拦蓄的物质、拦蓄作用与目的、受力分析、稳定计算等又符合坝的技术要求;但又不同于通常所说的淤地坝,区别是拦蓄范围小于淤地坝,拦蓄目的是拦挡工程建设新增的土壤流失,淤积年限、投资和工程规模远远小于淤地坝。

(二)类型与应用条件

(1)按其平面形式分为重力型和拱型两种。拱型虽然受力条件好,断面尺寸小,节约投资,但应用条件较高,对于工程地质要求沟道坝肩处有基岩;重力型施工方便,对于筑坝材料要求较低,在黄土高原地区比较常见。

(2)按建筑材料分为片石坝、混凝土坝、笼坝、植物坝。片石坝是一种使用广泛和行之有效的坝型,有浆砌和干砌两种。浆砌片石坝标准较高,可拦蓄任何设计频率条件下的泥沙,应用条件要求有较好的工程地质条件。笼坝是用铅丝笼或竹笼装填石块筑成,应用于中小型高含沙水流拦蓄,是半永久性工程,在西南地区使用较多。植物坝是用活柳木桩两排打入地下和柳梢扎捆编篱而成,应用条件要求沟床为土质,附近有料,适用于坝高要求低、沟床坡度平缓、流量流速小的沟道(谷)。

(三)结构形式及各部名称与作用

谷坊坝的结构形式及各部名称见图4-7。

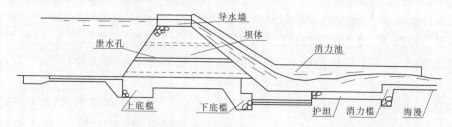

图4-7 谷坊坝的结构形式及各部名称

坝体是拦挡泥沙的主体结构,其稳定性是靠坝自身的重量来完成的;上下底槛是坝体深入基础的齿坎,起加强坝身抗滑的作用;泄水孔是用来排泄坝后淤泥中的清水的设施(拦泥不拦水);护坦是用以防止高含沙水流对坝脚的冲刷和撞击;消力槛是使坝下形成消力池;海漫是为了防止高含沙水流或泥石流流出消力池后继续产生冲刷;导水墙用以保护两岸不受高含沙水流或泥石流冲刷。

(四)坝高、间距的计算

坝高和间距计算不同于普通的谷坊和坝,先确定坝高然后计算间距。谷坊坝的坝高和间距采取试算的方法同时确定坝高和间距。

坝高的确定一般受下面几个条件的制约,一是坝顶高程为主体工程路面高程减去路基设计中的安全超高后再减0.5m(坝顶平均水深),然后计算其与沟床表面高程的差即为谷坊坝的坝高,称之为最大坝高 $H_{\max}$;二是依据拦蓄的泥沙数量和容积计算对应的坝高,称为设计坝高 H;当设计坝高大于最大坝高时,采用最大坝高,这时拦不下的那部分泥沙,采取增加谷坊坝数量的方法予以解决。下面就设计坝高的计算方法进行阐述。

1. 拦蓄量的计算

由于谷坊坝只拦泥不拦水,所以被拦蓄量的计算分为两种情况。一是开发建设项目路基边坡的土壤侵蚀模数($m^3/(km^2 \cdot a)$)乘以对应的面积(水平投影面积)后再乘以施工时段加上3年的时间(通过大量的调查,认为此类建设项目水土流失影响期平均为3年)就是谷坊坝的拦蓄量 V_L(体积)。二是侵蚀支毛沟道区间侵蚀模数乘以对应的面积后再乘以拦蓄年限(5a),就是谷坊坝需要的拦蓄量 V_L(体积)。

2. 路基边坡谷坊坝坝高与间距的确定

谷坊坝拦蓄的泥沙等淤积物几何形状可近似地认为是三棱体。首先假定一个坝高 h_i(一般取最大坝高数值 $H_{\max}$),然后依据测量的沟道纵比降 i 和淤积泥沙表面的比降 I,利用式(4-1)试算得谷坊坝的间距 L_i

$$L_i = H/(i - I) \tag{4-1}$$

式中: L_i 为坝与坝的间距,m; H 为假定坝高 h_i,m; i 为原沟道纵比降,%; I 为淤泥面纵比降,%,对于无长流水的沟道 I 为 i 的 3/4~1,对于有常流水的沟道 I 约为 i 的 1/2。

当假定了坝高 h_i(初试时 h_i 取 H_{max})时,可计算出对应的间距 L_i,这时可以利用三棱体公式(4-2)计算谷坊坝的设计容积 V_s。

$$V_s = S \cdot L_i \tag{4-2}$$

式中,S 的计算方法有两种,一是简易算法,即 V 形沟道按三角形计算面积,U 形沟道按梯形计算面积;二是求积仪量算沟道横断面与假定坝高围成的面积。

当设计容积 V_s 大于对应的被拦蓄量 V_L 时($V_s > V_L$),说明坝高偏大,应重新试算,直至设计容积 V_s 等于被拦蓄量 V_L 时,这时试算的假定坝高 h_i 即为设计坝高值 H,对应的间距为设计间距 L。

当设计容积 V_s 小于对应的被拦蓄量时($V_s < V_L$),说明坝高偏小,拦蓄不下对应的拦蓄量,这时坝高已达到最大坝高 H_{max},不能再增大坝高,否则会影响主体工程行洪安全,需要采取增加谷坊坝的个数来满足拦蓄要求,这时的设计坝高取最大坝高数值即可($H = H_{max}$),不再试算,对应的间距为设计间距 L。

3.侵蚀沟道谷坊坝坝高与间距的确定

计算方法基本上同上述建设项目谷坊坝的试算法,区别在于以最大坝高为 5m 开始试算,当设计容积等于拦蓄容积时的坝高为设计坝高。同理,当设计容积小于拦蓄容积时,采用增加坝的个数来满足拦蓄要求。

(五)断面设计

1.初拟断面尺寸

首先做高含沙水流(泥石流)过坝的水力计算,以确定整个坝的断面轮廓、消能的尺寸、护坦、海漫长度及加固类型等。然后依据断面轮廓按受力分析验算并确定断面尺寸。谷坊坝受的外力有土压力、水压力、坝体重量、坝底摩擦力、水浮力、渗透压力、堆积物压力、高含沙水流或泥石流冲击力等。由于工程等级低,一般不考虑地震力。

2.受力分析

(1)淤积物的土压力。用下式计算:

$$P = \frac{1}{2}\gamma_c h^2 \tan^2\left(45° - \frac{\varphi}{2}\right) \tag{4-3}$$

式中:P 为淤积物的土压力,t;h 为淤积物厚度,m;γ_c 为高含沙水流或泥石流容重,t/m³;φ 为淤积物的内摩擦角(°),一般取 35°。

(2)高含沙水流或泥石流的冲击力。用下式计算:

$$T = \frac{\gamma_c}{g}v_c^2 \sin^2\beta \tag{4-4}$$

式中:T 为高含沙水流或泥石流冲击力,t;g 为重力加速度,m/s²;β 为冲击方向与构造物受力面的夹角,(°);v_c 为高含沙水流或泥石流流速,m/s;γ_c 为高含沙水流或泥石流容重,t/m³。

(3)静水压力。用下式计算:

$$p_w = \frac{1}{2}\gamma_w H^2/\cos\alpha \tag{4-5}$$

式中：p_w 为静水压力，t；γ_w 为水的容重，t/m³；H 为坝高，m；α 为静水压力与构造物受力面的夹角，(°)。

(4)坝基渗透压力。用下式计算：

$$G_\gamma = \frac{1}{2}\alpha\gamma_w Bh \qquad (4\text{-}6)$$

式中：G_γ 为坝基渗透压力，t；α 为基础接触面积系数；γ_w 为水的容重，t/m³；B 为坝底宽，m；h 为淤积物厚度，m。

3.稳定校核

当上述式(4-3)～式(4-6)计算完成后，分别计算抗倾安全系数 k_c 和抗滑安全系数 k_o。要求 $k_c \geqslant 2$、$k_o \geqslant 1.2$。

$$k_c = 稳定力矩/倾覆力矩$$

$$k_o = (垂直力 \times 摩擦系数)/水平力$$

4.地基应力验算

地基应力验算公式为：

$$\sigma^{max}_{min} = \frac{\sum N}{A}(1 \pm \frac{6e}{B}) \qquad (4\text{-}7)$$

式中：σ^{max}_{min} 为最大基底应力与最小基底应力，t/m²；$\sum N$ 为垂直作用力总和，t；A 为基础底面积，m²；B 为基础宽度，m；e 为偏心距，$e = \frac{B}{2} - \chi$；χ 为合力作用点距坝前趾的距离，m，计算方法是稳定力矩减去倾覆力矩后除以垂直力。

要求最大基底应力应小于或等于地基的允许应力；最小基底应力应大于或等于零，即不产生拉应力。

三、结　语

本文从多年开发建设项目水土保持方案编制的实践出发，提出了线形建设项目沿沟道(谷)布设时，对于长距离的填方路基在施工期的水土流失提出新的防治措施——谷坊坝。并以最常用的重力型浆砌石坝型为例，从理论上阐述了谷坊坝的设计原理，以期更好地提高开发建设项目水土保持措施设计水平。

第三节　淤地坝坝体工程量计算新方法研究

目前淤地坝坝体压实土(石)方工程量的计算一般有三种方法，即地形图法、横断面法、经验公式法。本文重点介绍一种新的理论公式法——沟道横断面法，以期为坝系设计、工程审查、投资控制和验收管理提供科学依据。

坝系建设以其独特的优势已被实践证明是减少入黄泥沙和改善各地生态环境的一条至关重要的水土保持工程措施。淤地坝的规划可研、初步设计任务十分繁重，尤其是规划和可行性研究阶段如何正确快速地计算淤地坝坝体土(石)方量，减少设计变更率，使淤地坝的造价更加合理,我们结合多年的工程建设实践,提出了这套按照理论公式结合查表的计算方法,以达到准确、快速计算坝体土方量的目的。

一、方法原理

沟道横断面法计算坝体土方量,只需要按照外业测绘的坝轴线处沟道横断面图,利用1:5 000库区地形图进行工程水文计算得出设计坝高,按照国标和技术规范上不同坝高规定的其他设计参数要求,查表后,再按式(4-12)计算即可精确求得坝体土(石)方量。

二、绘制坝轴线处沟道横断面图

利用外业测量成果,绘制坝轴线横断面图(见图4-8),由设计坝高 H 和横断面图并考虑清基削坡因素,可直接求得横断面左岸、右岸边坡 N_z、N_y 和坝底宽 X 值(m)。由此可进一步求出坝轴线横断面面积 S,经削坡、清基后理论上可按不规则梯形面积[坝底宽(或沟道宽)实际不可能为零]计算。即

$$S = (1/2) \cdot [X + (0.3 + H \cdot N_z + X + HN_y + 0.3)] \cdot H$$
$$= (X + 0.3) \cdot H + (1/2) \cdot H^2 \cdot (N_z + N_y)$$
$$= XH + 0.3H + (1/2)H^2(N_z + N_y) \tag{4-8}$$

式中:S 为沟道横断面面积,m^2;X 为坝底宽(或沟道宽),m;H 为设计坝高,m;$1/2$ 为梯形面积常数;N_z 为坝左岸边坡(无量纲,具体计算见式(4-13));N_y 为坝右岸边坡(无量纲,具体计算见式(4-13));0.3 为削坡清基影响系数,m。

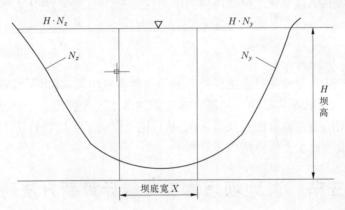

图 4-8　坝轴线横断面图

三、绘制设计坝体横断面图

绘制土坝横断面的设计图(见图4-9),将坝体分为 V_1、V_2、V_3 三部分。由设计坝高查技术规范可得出坝顶宽 b,迎水坡、背水坡坡比 m_1、m_2,马道数量与宽度 d,淤地坝迎水坡依据规范要求一般不设计马道。

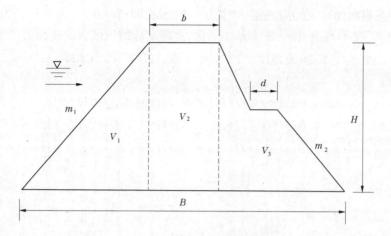

図 4-9　坝体横断面设计图

四、公式的数学推导

(一)基本公式的建立

设坝体土(石)方量由 V_1、V_2、V_3 三部分组成,即 $V = V_1 + V_2 + V_3$,并依据骨干工程规范,假定坝址处沟道纵比降变化不大,则有:

$$V = (1/3)S \cdot (H \cdot m_1) + S \cdot b + (1/3) \cdot S \cdot (H \cdot m_2 + d)$$
$$= (1/3)S \cdot [(H \cdot m_1) + (H \cdot m_2 + d) + 3b] \tag{4-9}$$
$$= (1/3) S \cdot [H(m_1 + m_2) + d + 3b]$$

将式(4-8)代入上式得:

$$V = (1/3)[(X + 0.3) \cdot H + (1/2) \cdot H^2 \cdot (N_z + N_y)] \cdot [H(m_1 + m_2) + d + 3b]$$
$$\tag{4-10}$$

式中:V 为坝体工程量,m^3;S 为沟道横断面面积,由式(4-8)求得,或由求积仪量算得到;H 为设计坝高,m;m_1、m_2 分别为设计上下游坝坡值(无量纲);d 为马道宽度,m;b 为坝顶宽,m;1/3 为体积计算常数。

式中 S 可以认为是由坝顶线、沟底线、两岸边坡线组成的多边形,一般为近似梯形。这样将多边形底面积可以分解为若干个三角形面积之和,而每个三角形底面对应的体积系数为 1/3,已经是众所周知,不需再证明,这样上述公式中的 1/3 常数从数学上就得到了证明。

上述式(4-10)是计算淤地坝坝体土石方工程量的基本公式原型,可以看出公式形式复杂,不便记忆和实践应用。为了能够准确快速地计算各种沟道形状和不同坝高、不同岸坡、不同坝坡、不同坝顶宽、不同数量马道对应的坝体工程量,进行数学变换:

令式(4-8)中 $0.3H + 1/2 \cdot H^2 \cdot (N_z + N_y) = C_1$

则
$$S = C_1 + X \cdot H$$

令式(4-9)中的 $(1/3) \cdot [H \cdot (m_1 + m_2) + d + 3b] = C_2 \tag{4-11}$$

则有 $V = C_2 \cdot S$

将坝轴线横断面对应的沟底宽 X 作为一个变量，即 $X=0$ 时，沟道形式为三角形（就是通常说的"V"字形沟道）作为一个基本断面，此时对应的坝轴线横断面面积为 S_0。

$$S_0 = 0.3H + 1/2(N_z + N_y)H^2 = C_1 + 0H$$

依此有：

$X=0$ 时　　$S_0 = 0.3H + 1/2(N_z + N_y)H^2 = C_1 + 0H$

$X=1$ 时　　$S_1 = 0.3H + 1/2(N_z + N_y)H^2 + 1H = C_1 + 1H$

$X=2$ 时　　$S_2 = 0.3H + 1/2(N_z + N_y)H^2 + 2H = C_1 + 2H$

……

$X=x$ 时　　$S_x = 0.3H + 1/2(N_z + N_y)H^2 + xH = C_1 + xH$

则坝体土（石）方量对应为

$$V_0 = C_2 \cdot S_0 = C_2 \cdot (C_1 + 0H) = C_2 \cdot C_1$$

$$V_1 = C_2 \cdot S_1 = C_2 \cdot (C_1 + 1H) = C_2 \cdot C_1 + C_2 \cdot (1H) = V_0 + C_2 \cdot 1H$$

$$V_2 = C_2 \cdot S_2 = C_2 \cdot (C_1 + 2H) = C_2 \cdot C_1 + C_2 \cdot (2H) = V_0 + C_2 \cdot 2H$$

$$V_3 = C_2 \cdot S_3 = C_2 \cdot (C_1 + 3H) = C_2 \cdot C_1 + C_2 \cdot (3H) = V_0 + C_2 \cdot 3H$$

……

$$V_x = C_2 \cdot S_x = C_2 \cdot (C_1 + xH) = C_2 \cdot C_1 + C_2 \cdot (xH) = V_0 + C_2 \cdot xH$$

即　　　　　　　　　　　　$$V_x = V_0 + C_2 \cdot xH$$

为便于应用将 C_2 记为 C，则有：

$$V_x = V_0 + C \cdot X \cdot H \tag{4-12}$$

式中：V_x 为坝体工程量，即沟底宽为 x 时对应的土（石）方量，m^3；V_0 为基本工程量，即沟底宽 x 为零时对应的土（石）方量，由附表查得，m^3；C 为坝体横断面的设计参数，由附表查得，也可直接由式(4-11)计算得到。注意 C 与 V_0 为对应关系；X 为实测的沟底宽数值，m；H 为设计坝高，m。

上述式(4-12)就是所推求新公式的变种，为本文推荐的常用公式。为方便应用，将基本工程量 V_0 和参数 C 制作成通俗易懂的表格（见附表）。

为了消除削坡、清基对工程量的影响并结合施工实际情况，在查算表格 V_0 制作过程中，当坝高小于10m，公式中 H 取值时增加1m高度，X 取值增加4m；当坝高在 $11\sim19m$ 之间，公式中 H 取值时增加1.5m，X 取值增加4m；当坝高大于20m，公式中 H 取值时增加2m高度，X 取值增加4m（机械作业最少宽度要求）。

（二）V_0 和 C 查算表

为了方便坝体压实方量的计算，依据骨干工程技术规范(SL 289—2003)和实践经验将设计坝高从5m到40m，坝轴线横断面左、右岸边坡 N_z、N_y 从 3.0、1.4、…、0.5 进行排列组合，求出不同设计坝高 H，不同坝顶宽 b，不同上下游设计坝坡 m_1、m_2 排列组合下的 V_0 和 C 值表（见附表）。

坝轴线横断面左右岸边坡 N_z、N_y 值上、下限的设定按规范 (SL 289—2003) 要求，土质岸坡水坠坝不应陡于1:1，碾压坝不应陡于1:1.5，石质岸坡不应陡于1:0.5。

C 由式(4-11)可知:设计坝高、设计坝坡、坝顶宽和马道确定下来后 C 值为一常数,将其列入 V_0 对应的表中供查用,或直接用式(4-11)求解。

(三)公式和查算表实践应用中特殊情况的数学处理

1.第一种情况

当坝轴线横断面为复式断面(见图 4-10),应用本公式时,将复式断面从复式处分开,即将坝高 H 分为 H_1 和 H_2,分别查 H_1 和 H_2 对应的 V_{01}、V_{02} 和 C_{01}、C_{02},然后分别代入经验公式进行计算得 V_{x1}、V_{x2},最后将二者相加就是所求坝体土方量 V_x。注意计算时 X 变为 H_1 对应的 X_1 和 H_2 对应的 X_2。

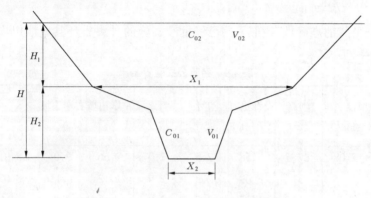

图 4-10　沟道横断面为复式断面示意图

2.第二种情况

坝轴线处沟道横断面左右岸边坡 N_z、N_y 变化复杂时(见图 4-11),采用两种不同的方法进行处理。

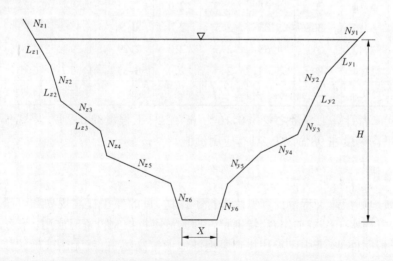

图 4-11　沟道横断面左右岸边坡 N_z、N_y 示意图

(1)方法一。将坝轴线横断面左右岸边坡首先进行均值化处理,可采用长度加权平均法或算术平均值法。这里仅以长度加权法为例进行说明。

左岸边坡均值：$N_z = (N_{z1}L_{z1} + N_{z2}L_{z2} + \cdots)/(L_{z1} + L_{z2} + \cdots)$
右岸边坡均值：$N_y = (N_{y1}L_{y1} + N_{y2}L_{y2} + \cdots)/(L_{y1} + L_{y2} + \cdots)$ $\qquad$ (4-13)

得到 N_z、N_y 后可按设计坝高 H，设计坝坡 m_1、m_2 和设计坝顶宽 b 及背水坡有几条马道来查相应的 V_0 和 C 值，然后求得坝体方量 $V_x = V_0 + C \cdot X \cdot H$。

（2）方法二。如果是初步设计阶段要求精度较高时，首先将坝高 H 按照左右岸边坡折点分为 H_1、H_2、H_3、$\cdots$、H_i 的方法分别求 V_1、V_2、V_3、$\cdots$、V_i，最后相加即可求得 V_x 值。

五、公式的验证

为了验证公式的准确性，我们采用已经批准实施的甘肃省环县城西川坝系进行公式的验证（见表 4-9）。

表 4-9 经验公式验算结果

序号	工程名称	坝控面积（km²）	坝高（m）	设计土方（万 m³）	迎水坡比	背水坡比	左岸边坡 N_z	右岸边坡 N_y	新公式计算查表土方（万 m³）	二者差别（万 m³）
1	马掌沟	2.08	27.5	9.58	2.5	2.0	2.66	2.0	9.91	0.33
2	桃木掌	2.25	31	8.09	2.5	2.0	1.12	1.42	8.07	-0.02
3	毛沟卡	2.3	32	11.5	2.5	2.0	1.4	2.0	11.9	0.4
4	木瓜台	3.45	21	3.32	2.5	2.0	0.72	1.68	3.32	0
5	阳湾	3.6	27	4.1	2.5	2.0	0.9	0.43	4.0	-0.1
6	塬西台	4.3	25	6.4	2.5	2.0	1.8	2.24	6.36	-0.04
7	许家山	5.13	23	5.01	2.5	2.0	2.05	1.59	4.73	-0.28
8	董家山	6.15	30	5.83	2.5	2.0	0.5	1.43	5.83	0
9	王家山	7.47	21	4.65	2.5	2.0	2.29	1.29	4.4	-0.25
10	董家洼	11.4	29	5.88	2.5	2.0	0.65	1.55	6.0	0.12
	合计			64.34					64.52	0.16

由表 4-9 二者计算工程量之差为 0.16 万 m³，占总工程量的 0.2%，误差小于 2%，也就是说公式平均精度在 98% 以上，具有应用价值。

六、结　语

本文对淤地坝坝体工程量计算方法进行了探讨，目的在于提高规划和可研阶段坝系设计的水平，方便水土保持工作者，特别是管理人员审批控制投资时应用。传统使用的地形图法，在上报文件、图纸中已无法找到原坝址地形等高线，也就无法准确校核坝体工程量，使用本方法快速准确，只需要设计基本参数和坝址沟道横断面图（坝系规划和可研阶段的设计深度，在上报文件和设计图中有资料和图）就可以利用式（4-10）直接计算或采用查表的方法精确地计算坝体工程量，公式在建立和推导过程中纯数学处理，逻辑严谨。结合表格的查用，可为广大水土保持科技工作者实际应用提供较大的便利。

附表

附表1 坝高6m时淤地坝坝体压实土(石)方基本工程量 V_0、设计参数 C 查算表

坝高 H	6m	坝顶宽 b	6m	2m	设计参数 C	8.42
上游坝坡 m_1	1.5	下游坝坡 m_2	1.5	1.25	马道宽 d	0

基本工程量 V_0 查算表

坝轴横断面左岸边坡 N_z	坝轴横断面右岸边坡 N_y												
	3.0	2.8	2.6	2.4	2.2	2.0	1.8	1.6	1.4	1.2	1.0	0.8	0.5
3.0	1 373	1 332	1 290	1 249	1 208	1 167	1 125	1 084	1 043	1 002	960	919	857
2.8	1 332	1 290	1 249	1 208	1 167	1 125	1 084	1 043	1 002	960	919	878	816
2.6	1 290	1 249	1 208	1 167	1 125	1 084	1 043	1 002	960	919	878	837	775
2.4	1 249	1 208	1 167	1 125	1 084	1 043	1 002	960	919	878	837	795	734
2.2	1 208	1 167	1 125	1 084	1 043	1 002	960	919	878	837	795	754	692
2.0	1 167	1 125	1 084	1 043	1 002	960	919	878	837	795	754	713	651
1.8	1 125	1 084	1 043	1 002	960	919	878	837	795	754	713	672	610
1.6	1 084	1 043	1 002	960	919	878	837	795	754	713	672	630	569
1.4	1 043	1 002	960	919	878	837	795	754	713	672	630	589	527
1.2	1 002	960	919	878	837	795	754	713	672	630	589	548	486
1.0	960	919	878	837	795	754	713	672	630	589	548	507	445
0.8	919	878	837	795	754	713	672	630	589	548	507	465	404
0.5	857	816	775	734	692	651	610	569	527	486	445	404	342

坝高 H	坝顶宽 b	下游坝坡 m_2	设计参数 C
6m	2m		10.17
上游坝坡 m_1		马道宽 d	
2	1.5	0	

基本工程量 V_0 查算表

坝轴横断面左岸边坡 N_z	坝轴横断面右岸边坡 N_y												
	3.0	2.8	2.6	2.4	2.2	2.0	1.8	1.6	1.4	1.2	1.0	0.8	0.5
3.0	1 658	1 608	1 559	1 509	1 459	1 409	1 359	1 309	1 260	1 210	1 160	1 110	1 035
2.8	1 608	1 559	1 509	1 459	1 409	1 359	1 309	1 260	1 210	1 160	1 110	1 060	986
2.6	1 559	1 509	1 459	1 409	1 359	1 309	1 260	1 210	1 160	1 110	1 060	1 011	936
2.4	1 509	1 459	1 409	1 359	1 309	1 260	1 210	1 160	1 110	1 060	1 011	961	886
2.2	1 459	1 409	1 359	1 309	1 260	1 210	1 160	1 110	1 060	1 011	961	911	836
2.0	1 409	1 359	1 309	1 260	1 210	1 160	1 110	1 060	1 011	961	911	861	786
1.8	1 359	1 309	1 260	1 210	1 160	1 110	1 060	1 011	961	911	861	811	737
1.6	1 309	1 260	1 210	1 160	1 110	1 060	1 011	961	911	861	811	761	687
1.4	1 260	1 210	1 160	1 110	1 060	1 011	961	911	861	811	761	712	637
1.2	1 210	1 160	1 110	1 060	1 011	961	911	861	811	761	712	662	587
1.0	1 160	1 110	1 060	1 011	961	911	861	811	761	712	662	612	537
0.8	1 110	1 060	1 011	961	911	861	811	761	712	662	612	562	487
0.5	1 035	986	936	886	836	786	737	687	637	587	537	487	413

坝高 H	坝顶宽 b	设计参数 C
6m	3m	9.42
上游坝坡 m_1	下游坝坡 m_2	马道宽 d
1.5	1.25	0

基本工程量 V_0 查算表

坝轴横断面左岸边坡 N_z	坝轴横断面右岸边坡 N_y												
	0.5	0.8	1.0	1.2	1.4	1.6	1.8	2.0	2.2	2.4	2.6	2.8	3.0
3.0	959	1 028	1 074	1 121	1 167	1 213	1 259	1 305	1 351	1 397	1 444	1 490	1 536
2.8	913	982	1 028	1 074	1 121	1 167	1 213	1 259	1 305	1 351	1 397	1 444	1 490
2.6	867	936	982	1 028	1 074	1 121	1 167	1 213	1 259	1 305	1 351	1 397	1 444
2.4	821	890	936	982	1 028	1 074	1 121	1 167	1 213	1 259	1 305	1 351	1 397
2.2	775	844	890	936	982	1 028	1 074	1 121	1 167	1 213	1 259	1 305	1 351
2.0	728	798	844	890	936	982	1 028	1 074	1 121	1 167	1 213	1 259	1 305
1.8	682	751	798	844	890	936	982	1 028	1 074	1 121	1 167	1 213	1 259
1.6	636	705	751	798	844	890	936	982	1 028	1 074	1 121	1 167	1 213
1.4	590	659	705	751	798	844	890	936	982	1 028	1 074	1 121	1 167
1.2	544	613	659	705	751	798	844	890	936	982	1 028	1 074	1 121
1.0	498	567	613	659	705	751	798	844	890	936	982	1 028	1 074
0.8	452	521	567	613	659	705	751	798	844	890	936	982	1 028
0.5	382	452	498	544	590	636	682	728	775	821	867	913	959

续附表1

坝高 H	坝顶宽 b	设计参数 C
6m	3m	11.17
上游坝坡 m_1	下游坝坡 m_2	马道宽 d
2	1.5	0

基本工程量 V_0 查算表

坝轴横断面 左岸边坡 N_z	坝轴横断面右岸边坡 N_y												
	3.0	2.8	2.6	2.4	2.2	2.0	1.8	1.6	1.4	1.2	1.0	0.8	0.5
3.0	1 821	1 767	1 712	1 657	1 602	1 548	1 493	1 438	1 384	1 329	1 274	1 219	1 137
2.8	1 767	1 712	1 657	1 602	1 548	1 493	1 438	1 384	1 329	1 274	1 219	1 165	1 083
2.6	1 712	1 657	1 602	1 548	1 493	1 438	1 384	1 329	1 274	1 219	1 165	1 110	1 028
2.4	1 657	1 602	1 548	1 493	1 438	1 384	1 329	1 274	1 219	1 165	1 110	1 055	973
2.2	1 602	1 548	1 493	1 438	1 384	1 329	1 274	1 219	1 165	1 110	1 055	1 001	918
2.0	1 548	1 493	1 438	1 384	1 329	1 274	1 219	1 165	1 110	1 055	1 001	946	864
1.8	1 493	1 438	1 384	1 329	1 274	1 219	1 165	1 110	1 055	1 001	946	891	809
1.6	1 438	1 384	1 329	1 274	1 219	1 165	1 110	1 055	1 001	946	891	836	754
1.4	1 384	1 329	1 274	1 219	1 165	1 110	1 055	1 001	946	891	836	782	700
1.2	1 329	1 274	1 219	1 165	1 110	1 055	1 001	946	891	836	782	727	645
1.0	1 274	1 219	1 165	1 110	1 055	1 001	946	891	836	782	727	672	590
0.8	1 219	1 165	1 110	1 055	1 001	946	891	836	782	727	672	618	535
0.5	1 137	1 083	1 028	973	918	864	809	754	700	645	590	535	453

附表 2　坝高 8m 时淤地坝坝体压实土（石）方基本工程量 V_0、设计参数 C 查算表

坝高 H	8m	坝顶宽 b	2m	设计参数 C	10.25
上游坝坡 m_1	1.5	下游坝坡 m_2	1.25	马道宽 d	0

基本工程量 V_0 查算表

坝轴横断面左岸边坡 N_z	坝轴横断面右岸边坡 N_y												
	3.0	2.8	2.6	2.4	2.2	2.0	1.8	1.6	1.4	1.2	1.0	0.8	0.5
3.0	2 703	2 620	2 537	2 454	2 371	2 288	2 205	2 122	2 039	1 956	1 873	1 790	1 665
2.8	2 620	2 537	2 454	2 371	2 288	2 205	2 122	2 039	1 956	1 873	1 790	1 707	1 582
2.6	2 537	2 454	2 371	2 288	2 205	2 122	2 039	1 956	1 873	1 790	1 707	1 624	1 499
2.4	2 454	2 371	2 288	2 205	2 122	2 039	1 956	1 873	1 790	1 707	1 624	1 541	1 416
2.2	2 371	2 288	2 205	2 122	2 039	1 956	1 873	1 790	1 707	1 624	1 541	1 458	1 333
2.0	2 288	2 205	2 122	2 039	1 956	1 873	1 790	1 707	1 624	1 541	1 458	1 375	1 250
1.8	2 205	2 122	2 039	1 956	1 873	1 790	1 707	1 624	1 541	1 458	1 375	1 292	1 167
1.6	2 122	2 039	1 956	1 873	1 790	1 707	1 624	1 541	1 458	1 375	1 292	1 208	1 084
1.4	2 039	1 956	1 873	1 790	1 707	1 624	1 541	1 458	1 375	1 292	1 208	1 125	1 001
1.2	1 956	1 873	1 790	1 707	1 624	1 541	1 458	1 375	1 292	1 208	1 125	1 042	918
1.0	1 873	1 790	1 707	1 624	1 541	1 458	1 375	1 292	1 208	1 125	1 042	959	835
0.8	1 790	1 707	1 624	1 541	1 458	1 375	1 292	1 208	1 125	1 042	959	876	752
0.5	1 665	1 582	1 499	1 416	1 333	1 250	1 167	1 084	1 001	918	835	752	627

坝高 H		坝顶宽 b	设计参数 C
8m		3m	13.50
上游坝坡 m_1	下游坝坡 m_2	马道宽 d	
2	1.5	0	

基本工程量 V_0 查算表

坝轴横断面左岸边坡 N_z	坝轴横断面右岸边坡 N_y												
	3.0	2.8	2.6	2.4	2.2	2.0	1.8	1.6	1.4	1.2	1.0	0.8	0.5
3.0	3 560	3 451	3 341	3 232	3 123	3 013	2 904	2 795	2 685	2 576	2 466	2 357	2 193
2.8	3 451	3 341	3 232	3 123	3 013	2 904	2 795	2 685	2 576	2 466	2 357	2 248	2 084
2.6	3341	3 232	3 123	3 013	2 904	2 795	2 685	2 576	2 466	2 357	2 248	2 138	1 974
2.4	3 232	3 123	3 013	2 904	2 795	2 685	2 576	2 466	2 357	2 248	2 138	2 029	1 865
2.2	3 123	3 013	2 904	2 795	2 685	2 576	2 466	2 357	2 248	2 138	2 029	1 920	1 756
2.0	3 013	2 904	2 795	2 685	2 576	2 466	2 357	2 248	2 138	2 029	1 920	1 810	1 646
1.8	2 904	2 795	2 685	2 576	2 466	2 357	2 248	2 138	2 029	1 920	1 810	1 701	1 537
1.6	2 795	2 685	2 576	2 466	2 357	2 248	2 138	2 029	1 920	1 810	1 701	1 592	1 428
1.4	2 685	2 576	2 466	2 357	2 248	2 138	2 029	1 920	1 810	1 701	1 592	1 482	1 318
1.2	2 576	2 466	2 357	2 248	2 138	2 029	1 920	1 810	1 701	1 592	1 482	1 373	1 209
1.0	2 466	2 357	2 248	2 138	2 029	1 920	1 810	1 701	1 592	1 482	1 373	1 264	1 100
0.8	2 357	2 248	2 138	2 029	1 920	1 810	1 701	1 592	1 482	1 373	1 264	1 154	990
0.5	2 193	2 084	1974	1 865	1 756	1 646	1 537	1 428	1 318	1 209	1 100	990	826

坝高 H	坝顶宽 b	设计参数 C
8m	3m	11.25
上游坝坡 m₁	下游坝坡 m₂	马道宽 d
1.5	1.25	0

基本工程量 V_0 查算表

坝轴横断面左岸边坡 N_z	坝轴横断面右岸边坡 N_y												
	3.0	2.8	2.6	2.4	2.2	2.0	1.8	1.6	1.4	1.2	1.0	0.8	0.5
3.0	2 967	2 876	2 784	2 693	2 602	2 511	2 420	2 329	2 238	2 147	2 055	1 964	1 828
2.8	2 876	2 784	2 693	2 602	2 511	2 420	2 329	2 238	2 147	2 055	1 964	1 873	1 736
2.6	2 784	2 693	2 602	2 511	2 420	2 329	2 238	2 147	2 055	1 964	1 873	1 782	1 645
2.4	2 693	2 602	2 511	2 420	2 329	2 238	2 147	2 055	1 964	1 873	1 782	1 691	1 554
2.2	2 602	2 511	2 420	2 329	2 238	2 147	2 055	1 964	1 873	1 782	1 691	1 600	1 463
2.0	2 511	2 420	2 329	2 238	2 147	2 055	1 964	1 873	1 782	1 691	1 600	1 509	1 372
1.8	2 420	2 329	2 238	2 147	2 055	1 964	1 873	1 782	1 691	1 600	1 509	1 418	1 281
1.6	2 329	2 238	2 147	2 055	1 964	1 873	1 782	1 691	1 600	1 509	1 418	1 326	1 190
1.4	2 238	2 147	2 055	1 964	1 873	1 782	1 691	1 600	1 509	1 418	1 326	1 235	1 099
1.2	2 147	2 055	1 964	1 873	1 782	1 691	1 600	1 509	1 418	1 326	1 235	1 144	1 007
1.0	2 055	1 964	1 873	1 782	1 691	1 600	1 509	1 418	1 326	1 235	1 144	1 053	916
0.8	1 964	1 873	1 782	1 691	1 600	1 509	1 418	1 326	1 235	1 144	1 053	962	825
0.5	1 828	1 736	1 645	1 554	1 463	1 372	1 281	1 190	1 099	1 007	916	825	689

续附表 2

坝高 H	坝顶宽 b	设计参数 C
上游坝坡 m₁	下游坝坡 m₂	马道宽 d
8m	2m	12.50
2	1.5	0

基本工程量 V_0 查算表

坝轴横断面左岸边坡 N_z	坝轴横断面右岸边坡 N_y												
	3.0	2.8	2.6	2.4	2.2	2.0	1.8	1.6	1.4	1.2	1.0	0.8	0.5
3.0	3 296	3 195	3 094	2 993	2 891	2 790	2 689	2 588	2 486	2 385	2 284	2 183	2 031
2.8	3 195	3 094	2 993	2 891	2 790	2 689	2 588	2 486	2 385	2 284	2 183	2 081	1 929
2.6	3 094	2 993	2 891	2 790	2 689	2 588	2 486	2 385	2 284	2 183	2 081	1 980	1 828
2.4	2 993	2 891	2 790	2 689	2 588	2 486	2 385	2 284	2 183	2 081	1 980	1 879	1 727
2.2	2 891	2 790	2 689	2 588	2 486	2 385	2 284	2 183	2 081	1 980	1 879	1 778	1 626
2.0	2 790	2 689	2 588	2 486	2 385	2 284	2 183	2 081	1 980	1 879	1 778	1 676	1 524
1.8	2 689	2 588	2 486	2 385	2 284	2 183	2 081	1 980	1 879	1 778	1 676	1 575	1 423
1.6	2 588	2 486	2 385	2 284	2 183	2 081	1 980	1 879	1 778	1 676	1 575	1 474	1 322
1.4	2 486	2 385	2 284	2 183	2 081	1 980	1 879	1 778	1 676	1 575	1 474	1 373	1 221
1.2	2 385	2 284	2 183	2 081	1 980	1 879	1 778	1 676	1 575	1 474	1 373	1 271	1 119
1.0	2 284	2 183	2 081	1 980	1 879	1 778	1 676	1 575	1 474	1 373	1 271	1 170	1 018
0.8	2 183	2 081	1 980	1 879	1 778	1 676	1 575	1 474	1 373	1 271	1 170	1 069	917
0.5	2 031	1 929	1 828	1 727	1 626	1 524	1 423	1 322	1 221	1 119	1 018	917	765

附表 3　坝高 10m 时淤地坝坝体压实土（石）方基本工程量 V_0、设计参数 C 查算表

坝高 H	10m	坝顶宽 b	2m	设计参数 C	12.54
上游坝坡 m_1	1.5	下游坝坡 m_2	1.25	马道宽 d	0

基本工程量 V_0 查算表

坝轴横断面左岸边坡 N_z \ 坝轴横断面右岸边坡 N_y	0.5	0.8	1.0	1.2	1.4	1.6	1.8	2.0	2.2	2.4	2.6	2.8	3.0
3.0	3 379	3 627	3 793	3 959	4 125	4 291	4 457	4 623	4 788	4 954	5 120	5 286	5 452
2.8	3 213	3 462	3 627	3 793	3 959	4 125	4 291	4 457	4 623	4 788	4 954	5 120	5 286
2.6	3 047	3 296	3 462	3 627	3 793	3 959	4 125	4 291	4 457	4 623	4 788	4 954	5 120
2.4	2 881	3 130	3 296	3 462	3 627	3 793	3 959	4 125	4 291	4 457	4 623	4 788	4 954
2.2	2 715	2 964	3 130	3 296	3 462	3 627	3 793	3 959	4 125	4 291	4 457	4 623	4 788
2.0	2 549	2 798	2 964	3 130	3 296	3 462	3 627	3 793	3 959	4 125	4 291	4 457	4 623
1.8	2 383	2 632	2 798	2 964	3 130	3 296	3 462	3 627	3 793	3 959	4 125	4 291	4 457
1.6	2 218	2 466	2 632	2 798	2 964	3 130	3 296	3 462	3 627	3 793	3 959	4 125	4 291
1.4	2 052	2 300	2 466	2 632	2 798	2 964	3 130	3 296	3 462	3 627	3 793	3 959	4 125
1.2	1 886	2 135	2 301	2 466	2 632	2 798	2 964	3 130	3 296	3 462	3 627	3 793	3 959
1.0	1 720	1 969	2 135	2 300	2 466	2 632	2 798	2 964	3 130	3 296	3 462	3 627	3 793
0.8	1 554	1 803	1 969	2 135	2 301	2 466	2 632	2 798	2 964	3 130	3 296	3 462	3 627
0.5	1 305	1 554	1 720	1 886	2 052	2 218	2 383	2 549	2 715	2 881	3 047	3 213	3 379

续附表 3

坝高 H	坝顶宽 b	10m	2m	设计参数 C	15.42
上游坝坡 m_1	下游坝坡 m_2	2	1.5	马道宽 d	0

基本工程量 V_0 查算表

坝轴横断面左岸边坡 N_z \ 坝轴横断面右岸边坡 N_y	3.0	2.8	2.6	2.4	2.2	2.0	1.8	1.6	1.4	1.2	1.0	0.8	0.5
3.0	6 702	6 498	6 294	6 090	5 886	5 682	5 478	5 274	5 071	4 867	4 663	4 459	4 153
2.8	6 498	6 294	6 090	5 886	5 682	5 478	5 274	5 071	4 867	4 663	4 459	4 255	3 949
2.6	6 294	6 090	5 886	5 682	5 478	5 274	5 071	4 867	4 663	4 459	4 255	4 051	3 745
2.4	6 090	5 886	5 682	5 478	5 274	5 071	4 867	4 663	4 459	4 255	4 051	3 847	3 541
2.2	5 886	5 682	5 478	5 274	5 071	4 867	4 663	4 459	4 255	4 051	3 847	3 643	3 338
2.0	5 682	5 478	5 274	5 071	4 867	4 663	4 459	4 255	4 051	3 847	3 643	3 439	3 134
1.8	5 478	5 274	5 071	4 867	4 663	4 459	4 255	4 051	3 847	3 643	3 439	3 236	2 930
1.6	5 274	5 071	4 867	4 663	4 459	4 255	4 051	3 847	3 643	3 439	3 236	3 032	2 726
1.4	5 071	4 867	4 663	4 459	4 255	4 051	3 847	3 643	3 439	3 236	3 032	2 828	2 522
1.2	4 867	4 663	4 459	4 255	4 051	3 847	3 643	3 439	3 236	3 032	2 828	2 624	2 318
1.0	4 663	4 459	4 255	4 051	3 847	3 643	3 439	3 236	3 032	2 828	2 624	2 420	2 114
0.8	4 459	4 255	4 051	3 847	3 643	3 439	3 236	3 032	2 828	2 624	2 420	2 216	1 910
0.5	4 153	3 949	3 745	3 541	3 338	3 134	2 930	2 726	2 522	2 318	2 114	1 910	1 605

坝高 H	坝顶宽 b	设计参数 C
10m	3m	13.54
上游坝坡 m_1	下游坝坡 m_2	马道宽 d
1.5	1.25	0

基本工程量 V_0 查算表

坝轴横断面 左岸边坡 N_z	\multicolumn{13}{c}{坝轴横断面右岸边坡 N_y}
	3.0	2.8	2.6	2.4	2.2	2.0	1.8	1.6	1.4	1.2	1.0	0.8	0.5
3.0	5 887	5 707	5 528	5 349	5 170	4 991	4 812	4 633	4 454	4 275	4 096	3 917	3 648
2.8	5 707	5 528	5 349	5 170	4 991	4 812	4 633	4 454	4 275	4 096	3 917	3 738	3 469
2.6	5 528	5 349	5 170	4 991	4 812	4 633	4 454	4 275	4 096	3 917	3 738	3 558	3 290
2.4	5 349	5 170	4 991	4 812	4 633	4 454	4 275	4 096	3 917	3 738	3 558	3 379	3 111
2.2	5 170	4 991	4 812	4 633	4 454	4 275	4 096	3 917	3 738	3 558	3 379	3 200	2 932
2.0	4 991	4 812	4 633	4 454	4 275	4 096	3 917	3 738	3 558	3 379	3 200	3 021	2 753
1.8	4 812	4 633	4 454	4 275	4 096	3 917	3 738	3 558	3 379	3 200	3 021	2 842	2 573
1.6	4 633	4 454	4 275	4 096	3 917	3 738	3 558	3 379	3 200	3 021	2 842	2 663	2 394
1.4	4 454	4 275	4 096	3 917	3 738	3 558	3 379	3 200	3 021	2 842	2 663	2 484	2 215
1.2	4 275	4 096	3 917	3 738	3 558	3 379	3 200	3 021	2 842	2 663	2 484	2 305	2 036
1.0	4 096	3 917	3 738	3 558	3 379	3 200	3 021	2 842	2 663	2 484	2 305	2 126	1 857
0.8	3 917	3 738	3 558	3 379	3 200	3 021	2 842	2 663	2 484	2 305	2 126	1 947	1 678
0.5	3 648	3 469	3 290	3 111	2 932	2 753	2 573	2 394	2 215	2 036	1 857	1 678	1 409

坝高 H	坝顶宽 b	设计参数 C	16.42
上游坝坡 m₁	下游坝坡 m₂	马道宽 d	0
10m	3m	1.5	—

上游坝坡 m_1：10m／2.0　下游坝坡 m_2：3m／1.5

基本工程量 V_0 查算表

坝轴横断面右岸边坡 N_y

坝轴横断面左岸边坡 N_z	3.0	2.8	2.6	2.4	2.2	2.0	1.8	1.6	1.4	1.2	1.0	0.8	0.5
3.0	7 136	6 919	6 702	6 485	6 268	6 051	5 834	5 617	5 399	5 182	4 965	4 748	4 422
2.8	6 919	6 702	6 485	6 268	6 051	5 834	5 617	5 399	5 182	4 965	4 748	4 531	4 205
2.6	6 702	6 485	6 268	6 051	5 834	5 617	5 399	5 182	4 965	4 748	4 531	4 314	3 988
2.4	6 485	6 268	6 051	5 834	5 617	5 399	5 182	4 965	4 748	4 531	4 314	4 097	3 771
2.2	6 268	6 051	5 834	5 617	5 399	5 182	4 965	4 748	4 531	4 314	4 097	3 880	3 554
2.0	6 051	5 834	5 617	5 399	5 182	4 965	4 748	4 531	4 314	4 097	3 880	3 663	3 337
1.8	5 834	5 617	5 399	5 182	4 965	4 748	4 531	4 314	4 097	3 880	3 663	3 445	3 120
1.6	5 617	5 399	5 182	4 965	4 748	4 531	4 314	4 097	3 880	3 663	3 445	3 228	2 903
1.4	5 399	5 182	4 965	4 748	4 531	4 314	4 097	3 880	3 663	3 445	3 228	3 011	2 686
1.2	5 182	4 965	4 748	4 531	4 314	4 097	3 880	3 663	3 445	3 228	3 011	2 794	2 468
1.0	4 965	4 748	4 531	4 314	4 097	3 880	3 663	3 445	3 228	3 011	2 794	2 577	2 251
0.8	4 748	4 531	4 314	4 097	3 880	3 663	3 445	3 228	3 011	2 794	2 577	2 360	2 034
0.5	4 422	4 205	3 988	3 771	3 554	3 337	3 120	2 903	2 686	2 468	2 251	2 034	1 709

坝高 H	坝顶宽 b	设计参数 C	14.54
10m	4m		
上游坝坡 m_1	下游坝坡 m_2	马道宽 d	0
1.5	1.25		

基本工程量 V_0 查算表

坝轴横断面左岸边坡 N_z	坝轴横断面右岸边坡 N_y												
	3.0	2.8	2.6	2.4	2.2	2.0	1.8	1.6	1.4	1.2	1.0	0.8	0.5
3.0	6 321	6 129	5 937	5 744	5 552	5 360	5 167	4 975	4 783	4 590	4 398	4 206	3 917
2.8	6 129	5 937	5 744	5 552	5 360	5 167	4 975	4 783	4 590	4 398	4 206	4 014	3 725
2.6	5 937	5 744	5 552	5 360	5 167	4 975	4 783	4 590	4 398	4 206	4 014	3 821	3 533
2.4	5 744	5 552	5 360	5 167	4 975	4 783	4 590	4 398	4 206	4 014	3 821	3 629	3 340
2.2	5 552	5 360	5 167	4 975	4 783	4 590	4 398	4 206	4 014	3 821	3 629	3 437	3 148
2.0	5 360	5 167	4 975	4 783	4 590	4 398	4 206	4 014	3 821	3 629	3 437	3 244	2 956
1.8	5 167	4 975	4 783	4 590	4 398	4 206	4 014	3 821	3 629	3 437	3 244	3 052	2 763
1.6	4 975	4 783	4 590	4 398	4 206	4 014	3 821	3 629	3 437	3 244	3 052	2 860	2 571
1.4	4 783	4 590	4 398	4 206	4 014	3 821	3 629	3 437	3 244	3 052	2 860	2 667	2 379
1.2	4 590	4 398	4 206	4 014	3 821	3 629	3 437	3 244	3 052	2 860	2 667	2 475	2 187
1.0	4 398	4 206	4 014	3 821	3 629	3 437	3 244	3 052	2 860	2 667	2 475	2 283	1 994
0.8	4 206	4 014	3 821	3 629	3 437	3 244	3 052	2 860	2 667	2 475	2 283	2 090	1 802
0.5	3 917	3 725	3 533	3 340	3 148	2 956	2 763	2 571	2 379	2 187	1 994	1 802	1 513

坝高 H	坝顶宽 b	设计参数 C
10m	4m	17.42

上游坝坡 m_1	下游坝坡 m_2	马道宽 d
2	1.5	0

基本工程量 V_0 查算表

坝轴横断面左岸边坡 N_z	坝轴横断面右岸边坡 N_y												
	3.0	2.8	2.6	2.4	2.2	2.0	1.8	1.6	1.4	1.2	1.0	0.8	0.5
3.0	7 571	7 341	7 110	6 880	6 650	6 419	6 189	5 959	5 728	5 498	5 268	5 037	4 692
2.8	7 341	7 110	6 880	6 650	6 419	6 189	5 959	5 728	5 498	5 268	5 037	4 807	4 462
2.6	7 110	6 880	6 650	6 419	6 189	5 959	5 728	5 498	5 268	5 037	4 807	4 577	4 231
2.4	6 880	6 650	6 419	6 189	5 959	5 728	5 498	5 268	5 037	4 807	4 577	4 346	4 001
2.2	6 650	6 419	6 189	5 959	5 728	5 498	5 268	5 037	4 807	4 577	4 346	4 116	3 770
2.0	6 419	6 189	5 959	5 728	5 498	5 268	5 037	4 807	4 577	4 346	4 116	3 886	3 540
1.8	6 189	5 959	5 728	5 498	5 268	5 037	4 807	4 577	4 346	4 116	3 886	3 655	3 310
1.6	5 959	5 728	5 498	5 268	5 037	4 807	4 577	4 346	4 116	3 886	3 655	3 425	3 079
1.4	5 728	5 498	5 268	5 037	4 807	4 577	4 346	4 116	3 886	3 655	3 425	3 195	2 849
1.2	5 498	5 268	5 037	4 807	4 577	4 346	4 116	3 886	3 655	3 425	3 195	2 964	2 619
1.0	5 268	5 037	4 807	4 577	4 346	4 116	3 886	3 655	3 425	3 195	2 964	2 734	2 388
0.8	5 037	4 807	4 577	4 346	4 116	3 886	3 655	3 425	3 195	2 964	2 734	2 504	2 158
0.5	4 692	4 462	4 231	4 001	3 770	3 540	3 310	3 079	2 849	2 619	2 388	2 158	1 813

附表 4　坝高 12m 时淤地坝坝体压实土(石)方基本工程量 V_0、设计参数 C 查算表

坝高 H	12m	坝顶宽 b	3m	设计参数 C	15.38
上游坝坡 m_1	1.5	下游坝坡 m_2	1.25	马道宽 d	0

基本工程量 V_0 查算表

坝轴横断面左岸边坡 N_z	坝轴横断面右岸边坡 N_y												
	3.0	2.8	2.6	2.4	2.2	2.0	1.8	1.6	1.4	1.2	1.0	0.8	0.5
3.0	9 091	8 811	8 531	8 251	7 970	7 690	7 410	7 130	6 850	6 569	6 289	6 009	5 589
2.8	8 811	8 531	8 251	7 970	7 690	7 410	7 130	6 850	6 569	6 289	6 009	5 729	5 308
2.6	8 531	8 251	7 970	7 690	7 410	7 130	6 850	6 569	6 289	6 009	5 729	5 449	5 028
2.4	8 251	7 970	7 690	7 410	7 130	6 850	6 569	6 289	6 009	5 729	5 449	5 168	4 748
2.2	7 970	7 690	7 410	7 130	6 850	6 569	6 289	6 009	5 729	5 449	5 168	4 888	4 468
2.0	7 690	7 410	7 130	6 850	6 569	6 289	6 009	5 729	5 449	5 168	4 888	4 608	4 188
1.8	7 410	7 130	6 850	6 569	6 289	6 009	5 729	5 449	5 168	4 888	4 608	4 328	3 907
1.6	7 130	6 850	6 569	6 289	6 009	5 729	5 449	5 168	4 888	4 608	4 328	4 047	3 627
1.4	6 850	6 569	6 289	6 009	5 729	5 449	5 168	4 888	4 608	4 328	4 047	3 767	3 347
1.2	6 569	6 289	6 009	5 729	5 449	5 168	4 888	4 608	4 328	4 047	3 767	3 487	3 067
1.0	6 289	6 009	5 729	5 449	5 168	4 888	4 608	4 328	4 047	3 767	3 487	3 207	2 787
0.8	6 009	5 729	5 449	5 168	4 888	4 608	4 328	4 047	3 767	3 487	3 207	2 927	2 506
0.5	5 589	5 308	5 028	4 748	4 468	4 188	3 907	3 627	3 347	3 067	2 787	2 506	2 086

续附表 4

坝高 H	坝顶宽 b	设计参数 C
12m	3m	18.75
上游坝坡 m_1	下游坝坡 m_2	马道宽 d
1.5	2	0

基本工程量 V_0 查算表

坝轴横断面左岸边坡 N_z	坝轴横断面右岸边坡 N_y												
	3.0	2.8	2.6	2.4	2.2	2.0	1.8	1.6	1.4	1.2	1.0	0.8	0.5
3	11 087	10 745	10 403	10 062	9 720	9 378	9 037	8 695	8 353	8 011	7 670	7 328	6 815
2.8	10 745	10 403	10 062	9 720	9 378	9 037	8 695	8 353	8 011	7 670	7 328	6 986	6 474
2.6	10 403	10 062	9 720	9 378	9 037	8 695	8 353	8 011	7 670	7 328	6 986	6 645	6 132
2.4	10 062	9 720	9 378	9 037	8 695	8 353	8 011	7 670	7 328	6 986	6 645	6 303	5 790
2.2	9 720	9 378	9 037	8 695	8 353	8 011	7 670	7 328	6 986	6 645	6 303	5 961	5 449
2.0	9 378	9 037	8 695	8 353	8 011	7 670	7 328	6 986	6 645	6 303	5 961	5 619	5 107
1.8	9 037	8 695	8 353	8 011	7 670	7 328	6 986	6 645	6 303	5 961	5 619	5 278	4 765
1.6	8 695	8 353	8 011	7 670	7 328	6 986	6 645	6 303	5 961	5 619	5 278	4 936	4 423
1.4	8 353	8 011	7 670	7 328	6 986	6 645	6 303	5 961	5 619	5 278	4 936	4 594	4 082
1.2	8 011	7 670	7 328	6 986	6 645	6 303	5 961	5 619	5 278	4 936	4 594	4 253	3 740
1.0	7 670	7 328	6 986	6 645	6 303	5 961	5 619	5 278	4 936	4 594	4 253	3 911	3 398
0.8	7 328	6 986	6 645	6 303	5 961	5 619	5 278	4 936	4 594	4 253	3 911	3 569	3 056
0.5	6 815	6 474	6 132	5 790	5 449	5 107	4 765	4 423	4 082	3 740	3 398	3 056	2 544

坝高 H	坝顶宽 b		设计参数 C
	12m	4m	16.38
上游坝坡 m_1	下游坝坡 m_2	马道宽 d	
1.5	1.25	0	

基本工程量 V_0 查算表

坝轴横断面左岸边坡 N_z	坝轴横断面右岸边坡 N_y												
	3.0	2.8	2.6	2.4	2.2	2.0	1.8	1.6	1.4	1.2	1.0	0.8	0.5
3.0	9 683	9 384	9 086	8 787	8 489	8 190	7 892	7 593	7 295	6 997	6 698	6 400	5 952
2.8	9 384	9 086	8 787	8 489	8 190	7 892	7 593	7 295	6 997	6 698	6 400	6 101	5 654
2.6	9 086	8 787	8 489	8 190	7 892	7 593	7 295	6 997	6 698	6 400	6 101	5 803	5 355
2.4	8 787	8 489	8 190	7 892	7 593	7 295	6 997	6 698	6 400	6 101	5 803	5 504	5 057
2.2	8 489	8 190	7 892	7 593	7 295	6 997	6 698	6 400	6 101	5 803	5 504	5 206	4 758
2.0	8 190	7 892	7 593	7 295	6 997	6 698	6 400	6 101	5 803	5 504	5 206	4 908	4 460
1.8	7 892	7 593	7 295	6 997	6 698	6 400	6 101	5 803	5 504	5 206	4 908	4 609	4 162
1.6	7 593	7 295	6 997	6 698	6 400	6 101	5 803	5 504	5 206	4 908	4 609	4 311	3 863
1.4	7 295	6 997	6 698	6 400	6 101	5 803	5 504	5 206	4 908	4 609	4 311	4 012	3 565
1.2	6 997	6 698	6 400	6 101	5 803	5 504	5 206	4 908	4 609	4 311	4 012	3 714	3 266
1.0	6 698	6 400	6 101	5 803	5 504	5 206	4 908	4 609	4 311	4 012	3 714	3 415	2 968
0.8	6 400	6 101	5 803	5 504	5 206	4 908	4 609	4 311	4 012	3 714	3 415	3 117	2 669
0.5	5 952	5 654	5 355	5 057	4 758	4 460	4 162	3 863	3 565	3 266	2 968	2 669	2 222

坝高 H	12m	上游坝坡 m_1	2
坝顶宽 b	4m	下游坝坡 m_2	1.5
设计参数 C	1 9.75	马道宽 d	0

基本工程量 V_0 查算表

坝轴横断面 左岸边坡 N_z	坝轴横断面右岸边坡 N_y												
	3.0	2.8	2.6	2.4	2.2	2.0	1.8	1.6	1.4	1.2	1.0	0.8	0.5
3.0	11 678	11 318	10 958	10 598	10 238	9 878	9 519	9 159	8 799	8 439	8 079	7 719	7 179
2.8	11 318	10 958	10 598	10 238	9 878	9 519	9 159	8 799	8 439	8 079	7 719	7 359	6 819
2.6	10 958	10 598	10 238	9 878	9 519	9 159	8 799	8 439	8 079	7 719	7 359	6 999	6 459
2.4	10 598	10 238	9 878	9 519	9 159	8 799	8 439	8079	7 719	7 359	6 999	6 639	6 099
2.2	10 238	9 878	9 519	9 159	8 799	8 439	8 079	7 719	7 359	6 999	6 639	6 279	5 739
2.0	9 878	9 519	9 159	8 799	8 439	8 079	7 719	7 359	6 999	6 639	6 279	5 919	5 379
1.8	9 519	9 159	8 799	8 439	8 079	7 719	7 359	6 999	6 639	6 279	5 919	5 559	5 019
1.6	9 159	8 799	8 439	8 079	7 719	7 359	6 999	6 639	6 279	5 919	5 559	5 199	4 659
1.4	8 799	8 439	8 079	7 719	7 359	6 999	6 639	6 279	5 919	5 559	5 199	4 839	4 299
1.2	8 439	8 079	7 719	7 359	6 999	6 639	6 279	5 919	5 559	5 199	4 839	4 479	3 939
1.0	8 079	7 719	7 359	6 999	6 639	6 279	5 919	5 559	5 199	4 839	4 479	4 119	3 579
0.8	7 719	7 359	6 999	6 639	6 279	5 919	5 559	5 199	4 839	4 479	4 119	3 759	3 219
0.5	7 179	6 819	6 459	6 099	5 739	5 379	5 019	4 659	4 299	3 939	3 579	3 219	2 680

附表 5 坝高 14m 时淤地坝坝体实土(石)方基本工程量 V_0,设计参数 C 查算表

坝高 H	坝顶宽 b	设计参数 C
14m	3m	17.21
上游坝坡 m_1	下游坝坡 m_2	马道宽 d
1.5	1.25	0

基本工程量 V_0 查算表

坝轴横断面左岸边坡 N_z	坝轴横断面右岸边坡 N_y												
	3.0	2.8	2.6	2.4	2.2	2.0	1.8	1.6	1.4	1.2	1.0	0.8	0.5
3.0	13 283	12 870	12 456	12 043	11 629	11 216	10 803	10 389	9 976	9 562	9 149	8 735	8 115
2.8	12 870	12 456	12 043	11 629	11 216	10 803	10 389	9 976	9 562	9 149	8 735	8 322	7 702
2.6	12 456	12 043	11 629	11 216	10 803	10 389	9 976	9 562	9 149	8 735	8 322	7 909	7 288
2.4	12 043	11 629	11 216	10 803	10 389	9 976	9 562	9 149	8 735	8 322	7 909	7 495	6 875
2.2	11 629	11 216	10 803	10 389	9 976	9 562	9 149	8 735	8 322	7 909	7 495	7 082	6 462
2.0	11 216	10 803	10 389	9 976	9 562	9 149	8 735	8 322	7 909	7 495	7 082	6 668	6 048
1.8	10 803	10 389	9 976	9 562	9 149	8 735	8 322	7 909	7 495	7 082	6 668	6 255	5 635
1.6	10 389	9 976	9 562	9 149	8 735	8 322	7 909	7 495	7 082	6 668	6 255	5 841	5 221
1.4	9 976	9 562	9 149	8 735	8 322	7 909	7 495	7 082	6 668	6 255	5 841	5 428	4 808
1.2	9 562	9 149	8 735	8 322	7 909	7 495	7 082	6 668	6 255	5 841	5 428	5 015	4 394
1.0	9 149	8 735	8 322	7 909	7 495	7 082	6 668	6 255	5 841	5 428	5 015	4 601	3 981
0.8	8 735	8 322	7 909	7 495	7 082	6 668	6 255	5 841	5 428	5 015	4 601	4 188	3 568
0.5	8 115	7 702	7 288	6 875	6 462	6 048	5 635	5 221	4 808	4 394	3 981	3 568	2 947

坝高 H	坝顶宽 b	设计参数 C	21.08
14m	3m		
上游坝坡 m_1	下游坝坡 m_2	马道宽 d	0
2	1.5		

基本工程量 V_0 查算表

坝轴横断面左岸边坡 N_z	坝轴横断面右岸边坡 N_y												
	0.5	0.8	1.0	1.2	1.4	1.6	1.8	2.0	2.2	2.4	2.6	2.8	3.0
3.0	9 943	10 702	11 209	11 715	12 222	12 729	13 235	13 742	14 248	14 755	15 261	15 768	16 274
2.8	9 436	10 196	10 702	11 209	11 715	12 222	12 729	13 235	13 742	14 248	14 755	15 261	15 768
2.6	8 930	9 689	10 196	10 702	11 209	11 715	12 222	12 729	13 235	13 742	14 248	14 755	15 261
2.4	8 423	9 183	9 689	10 196	10 702	11 209	11 715	12 222	12 729	13 235	13 742	14 248	14 755
2.2	7 917	8 676	9 183	9 689	10 196	10 702	11 209	11 715	12 222	12 729	13 235	13 742	14 248
2.0	7 410	8 170	8 676	9 183	9 689	10 196	10 702	11 209	11 715	12 222	12 729	13 235	13 742
1.8	6 903	7 663	8 170	8 676	9 183	9 689	10 196	10 702	11 209	11 715	12 222	12 729	13 235
1.6	6 397	7 157	7 663	8 170	8 676	9 183	9 689	10 196	10 702	11 209	11 715	12 222	12 729
1.4	5 890	6 650	7 157	7 663	8 170	8 676	9 183	9 689	10 196	10 702	11 209	11 715	12 222
1.2	5 384	6 144	6 650	7 157	7 663	8 170	8 676	9 183	9 689	10 196	10 702	11 209	11 715
1.0	4 877	5 637	6 144	6 650	7 157	7 663	8 170	8 676	9 183	9 689	10 196	10 702	11 209
0.8	4 371	5 131	5 637	6 144	6 650	7 157	7 663	8 170	8 676	9 183	9 689	10 196	10 702
0.5	3 611	4 371	4 877	5 384	5 890	6 397	6 903	7 410	7 917	8 423	8 930	9 436	9 943

坝高 H	坝顶宽 b	设计参数 C	1 8.21
14m	4m		
上游坝坡 m_1	下游坝坡 m_2	马道宽 d	0
1.5	1.25		

基本工程量 V_0 查算表

坝轴横断面左岸边坡 N_z	坝轴横断面右岸边坡 N_y												
	3.0	2.8	2.6	2.4	2.2	2.0	1.8	1.6	1.4	1.2	1.0	0.8	0.5
3.0	14 055	13 618	13 180	12 743	12 305	11 868	11 430	10 993	10 555	10 118	9 680	9 243	8 587
2.8	13 618	13 180	12 743	12 305	11 868	11 430	10 993	10 555	10 118	9 680	9 243	8 806	8 149
2.6	13 180	12 743	12 305	1 1868	11 430	10 993	10 555	10 118	9 680	9 243	8 806	8 368	7 712
2.4	12 743	12 305	11 868	11 430	10 993	10 555	10 118	9 680	9 243	8 806	8 368	7 931	7 274
2.2	12 305	11 868	11 430	10 993	10 555	10 118	9 680	9 243	8 806	8 368	7 931	7 493	6 837
2.0	11 868	11 430	10 993	10 555	10 118	9 680	9 243	8 806	8 368	7 931	7 493	7 056	6 400
1.8	11 430	10 993	10 555	10 118	9 680	9 243	8 806	8 368	7 931	7 493	7 056	6 618	5 962
1.6	10 993	10 555	10 118	9 680	9 243	8 806	8 368	7 931	7 493	7 056	6 618	6 181	5 525
1.4	10 555	10 118	9 680	9 243	8 806	8 368	7 931	7 493	7 056	6 618	6 181	5 743	5 087
1.2	10 118	9 680	9 243	8 806	8 368	7 931	7 493	7 056	6 618	6 181	5 743	5 306	4 650
1.0	9 680	9 243	8 806	8 368	7 931	7 493	7 056	6 618	6 181	5 743	5 306	4 868	4 212
0.8	9 243	8 806	8 368	7 931	7 493	7 056	6 618	6 181	5 743	5 306	4 868	4 431	3 775
0.5	8 587	8 149	7 712	7 274	6 837	6 400	5 962	5 525	5 087	4 650	4 212	3 775	3 119

坝高 H	14m	坝顶宽 b	4m	设计参数 C	22.08
上游坝坡 m_1	2	下游坝坡 m_2	1.5	马道宽 d	0

基本工程量 V_0 查算表

坝轴横断面 左岸边坡 N_z	坝轴横断面右岸边坡 N_y												
	3.0	2.8	2.6	2.4	2.2	2.0	1.8	1.6	1.4	1.2	1.0	0.8	0.5
3	17 046	16 516	15 985	15 454	14 924	14 393	13 863	13 332	12 802	12 271	11 741	11 210	10 414
2.8	16 516	15 985	15 454	14 924	14 393	13 863	13 332	12 802	12 271	11 741	11 210	10 680	9 884
2.6	15 985	15 454	14 924	14 393	13 863	13 332	12 802	12 271	11 741	11 210	10 680	10 149	9 353
2.4	15 454	14 924	14 393	13 863	13 332	12 802	12 271	11 741	11 210	10 680	10 149	9 618	8 823
2.2	14 924	14 393	13 863	13 332	12 802	12 271	11 741	11 210	10 680	10 149	9 618	9 088	8 292
2.0	14 393	13 863	13 332	12 802	12 271	11 741	11 210	10 680	10 149	9 618	9 088	8 557	7 761
1.8	13 863	13 332	12 802	12 271	11 741	11 210	10 680	10 149	9 618	9 088	8 557	8 027	7 231
1.6	13 332	12 802	12 271	11 741	11 210	10 680	10 149	9 618	9 088	8 557	8 027	7 496	6 700
1.4	12 802	12 271	11 741	11 210	10 680	10 149	9 618	9 088	8 557	8 027	7 496	6 966	6 170
1.2	12 271	11 741	11 210	10 680	10 149	9 618	9 088	8 557	8 027	7 496	6 966	6 435	5 639
1.0	11 741	11 210	10 680	10 149	9 618	9 088	8 557	8 027	7 496	6 966	6 435	5 905	5 109
0.8	11 210	10 680	10 149	9 618	9 088	8 557	8 027	7 496	6 966	6 435	5 905	5 374	4 578
0.5	10 414	9 884	9 353	8 823	8 292	7 761	7 231	6 700	6 170	5 639	5 109	4 578	3 782

附表 6 坝高 16m 时淤地坝坝体实土(石)方基本工程量 V_0、设计参数 C 查算表

坝高 H	16m	坝顶宽 b	3m	设计参数 C	19.00
上游坝坡 m_1	1.5	下游坝坡 m_2	1.25	马道宽 d	0

基本工程量 V_0 查算表

坝轴横断面左岸边坡 N_z	坝轴横断面右岸边坡 N_y												
	3.0	2.8	2.6	2.4	2.2	2.0	1.8	1.6	1.4	1.2	1.0	0.8	0.5
3.0	18 594	18 011	17 428	16 845	16 262	15 678	15 095	14 512	13 929	13 346	12 763	12 180	11 305
2.8	18 011	17 428	16 845	16 262	15 678	15 095	14 512	13 929	13 346	12 763	12 180	11 596	10 722
2.6	17 428	16 845	16 262	15 678	15 095	14 512	13 929	13 346	12 763	12 180	11 596	11 013	10 138
2.4	16 845	16 262	15 678	15 095	14 512	13 929	13 346	12 763	12 180	11 596	11 013	10 430	9 555
2.2	16 262	15 678	15 095	14 512	13 929	13 346	12 763	12 180	11 596	11 013	10 430	9 847	8 972
2.0	15 678	15 095	14 512	13 929	13 346	12 763	12 180	11 596	11 013	10 430	9 847	9 264	8 389
1.8	15 095	14 512	13 929	13 346	12 763	12 180	11 596	11 013	10 430	9 847	9 264	8 681	7 806
1.6	14 512	13 929	13 346	12 763	12 180	11 596	11 013	10 430	9 847	9 264	8 681	8 097	7 223
1.4	13 929	13 346	12 763	12 180	11 596	11 013	10 430	9 847	9 264	8 681	8 097	7 514	6 640
1.2	13 346	12 763	12 180	11 596	11 013	10 430	9 847	9 264	8 681	8 097	7 514	6 931	6 056
1.0	12 763	12 180	11 596	11 013	10 430	9 847	9 264	8 681	8 097	7 514	6 931	6 348	5 473
0.8	12 180	11 596	11 013	10 430	9 847	9 264	8 681	8 097	7 514	6 931	6 348	5 765	4 890
0.5	11 305	10 722	10 138	9 555	8 972	8 389	7 806	7 223	6 640	6 056	5 473	4 890	4 015

续附表 6

坝高 H	坝顶宽 b	设计参数 C
16m	3m	23.00
上游坝坡 m_1	下游坝坡 m_2	马道宽 d
2	1.5	0

基本工程量 V_0 查算表

坝轴横断面左岸边坡 N_z	坝轴横断面右岸边坡 N_y												
	3.0	2.8	2.6	2.4	2.2	2.0	1.8	1.6	1.4	1.2	1.0	0.8	0.5
3.0	22 866	22 149	21 432	20 715	19 998	19 281	18 564	17 846	17 129	16 412	15 695	14 978	13 902
2.8	22 149	21 432	20 715	19 998	19 281	18 564	17 846	17 129	16 412	15 695	14 978	14 261	13 185
2.6	21 432	20 715	19 998	19 281	18 564	17 846	17 129	16 412	15 695	14 978	14 261	13 544	12 468
2.4	20 715	19 998	19 281	18 564	17 846	17 129	16 412	15 695	14 978	14 261	13 544	12 826	11 751
2.2	19 998	19 281	18 564	17 846	17 129	16 412	15 695	14 978	14 261	13 544	12 826	12 109	11 034
2.0	19 281	18 564	17 846	17 129	16 412	15 695	14 978	14 261	13 544	12 826	12 109	11 392	10 317
1.8	18 564	17 846	17 129	16 412	15 695	14 978	14 261	13 544	12 826	12 109	11 392	10 675	9 599
1.6	17 846	17 129	16 412	15 695	14 978	14 261	13 544	12 826	12 109	11 392	10 675	9 958	8 882
1.4	17 129	16 412	15 695	14 978	14 261	13 544	12 826	12 109	11 392	10 675	9 958	9 241	8 165
1.2	16 412	15 695	14 978	14 261	13 544	12 826	12 109	11 392	10 675	9 958	9 241	8 524	7 448
1.0	15 695	14 978	14 261	13 544	12 826	12 109	11 392	10 675	9 958	9 241	8 524	7 807	6 731
0.8	14 978	14 261	13 544	12 826	12 109	11 392	10 675	9 958	9 241	8 524	7 807	7 089	6 014
0.5	13 902	13 185	12 468	11 751	11 034	10 317	9 599	8 882	8 165	7 448	6 731	6 014	4 938

坝高 H		坝顶宽 b		设计参数 C	20.00
16m		4m			
上游坝坡 m_1		下游坝坡 m_2		马道宽 d	0
1.5		1.25			

基本工程量 V_0 查算表

坝轴横断面左岸边坡 N_z	坝轴横断面右岸边坡 N_y												
	3.0	2.8	2.6	2.4	2.2	2.0	1.8	1.6	1.4	1.2	1.0	0.8	0.5
3.0	19 571	18 957	18 343	17 729	17 116	16 502	15 888	15 274	14 660	14 047	13 433	12 819	11 898
2.8	18 957	18 343	17 729	17 116	16 502	15 888	15 274	14 660	14 047	13 433	12 819	12 205	11 285
2.6	18 343	17 729	17 116	16 502	15 888	15 274	14 660	14 047	13 433	12 819	12 205	11 592	10 671
2.4	17 729	17 116	16 502	15 888	15 274	14 660	14 047	13 433	12 819	12 205	11 592	10 978	10 057
2.2	17 116	16 502	15 888	15 274	14 660	14 047	13 433	12 819	12 205	11 592	10 978	10 364	9 443
2.0	16 502	15 888	15 274	14 660	14 047	13 433	12 819	12 205	11 592	10 978	10 364	9 750	8 830
1.8	15 888	15 274	14 660	14 047	13 433	12 819	12 205	11 592	10 978	10 364	9 750	9 136	8 216
1.6	15 274	14 660	14 047	13 433	12 819	12 205	11 592	10 978	10 364	9 750	9 136	8 523	7 602
1.4	14 660	14 047	13 433	12 819	12 205	11 592	10 978	10 364	9 750	9 136	8 523	7 909	6 988
1.2	14 047	13 433	12 819	12 205	11 592	10 978	10 364	9 750	9 136	8 523	7 909	7 295	6 375
1.0	13 433	12 819	12 205	11 592	10 978	10 364	9 750	9 136	8 523	7 909	7 295	6 681	5 761
0.8	12 819	12 205	11 592	10 978	10 364	9 750	9 136	8 523	7 909	7 295	6 681	6 068	5 147
0.5	11 898	11 285	10 671	10 057	9 443	8 830	8 216	7 602	6 988	6 375	5 761	5 147	4 226

坝高 H	坝顶宽 b	设计参数 C
16m	4m	24.42
上游坝坡 m_1	下游坝坡 m_2	马道宽 d
2	1.5	0

基本工程量 V_0 查算表

坝轴横断面左岸边坡 N_z	坝轴横断面右岸边坡 N_y												
	3.0	2.8	2.6	2.4	2.2	2.0	1.8	1.6	1.4	1.2	1.0	0.8	0.5
3.0	23 843	23 095	22 347	21 600	20 852	20 104	19 356	18 609	17 861	17 113	16 365	15 618	14 496
2.8	23 095	22 347	21 600	20 852	20 104	19 356	18 609	17 861	17 113	16 365	15 618	14 870	13 748
2.6	22 347	21 600	20 852	20 104	19 356	18 609	17 861	17 113	16 365	15 618	14 870	14 122	13 000
2.4	21 600	20 852	20 104	19 356	18 609	17 861	17 113	16 365	15 618	14 870	14 122	13 374	12 253
2.2	20 852	20 104	19 356	18 609	17 861	17 113	16 365	15 618	14 870	14 122	13 374	12 626	11 505
2.0	20 104	19 356	18 609	17 861	17 113	16 365	15 618	14 870	14 122	13 374	12 626	11 879	10 757
1.8	19 356	18 609	17 861	17 113	16 365	15 618	14 870	14 122	13 374	12 626	11 879	11 131	10 009
1.6	18 609	17 861	17 113	16 365	15 618	14 870	14 122	13 374	12 626	11 879	11 131	10 383	9 262
1.4	17 861	17 113	16 365	15 618	14 870	14 122	13 374	12 626	11 879	1 1131	10 383	9 635	8 514
1.2	17 113	16 365	15 618	14 870	14 122	13 374	12 626	1 1879	1 1131	10 383	9 635	8 888	7 766
1.0	16 365	15 618	14 870	14 122	13 374	12 626	11 879	11 131	10 383	9 635	8 888	8 140	7 018
0.8	15 618	14 870	14 122	13 374	12 626	11 879	11 131	10 383	9 635	8 888	8 140	7 392	6 271
0.5	14 496	13 748	13 000	12 253	11 505	10 757	10 009	9 262	8 514	7 766	7 018	6 271	5 149

附表 7 坝高 18m 时淤地坝坝体压实土(石)方基本工程量 V_0、设计参数 C 查算表

坝高 H	坝顶宽 b	设计参数 C		
18m	3m	20.88		
上游坝坡 m_1	下游坝坡 m_2	马道宽 d		
1.5	1.25	0		

基本工程量 V_0 查算表

坝轴横断面左岸边坡 N_z	\	坝轴横断面右岸边坡 N_y											
	3.0	2.8	2.6	2.4	2.2	2.0	1.8	1.6	1.4	1.2	1.0	0.8	0.5
3.0	25 156	24 363	23 569	22 775	21 981	21 188	20 394	19 600	18 806	18 013	17 219	16 425	15 234
2.8	24 363	23 569	22 775	21 981	21 188	20 394	19 600	18 806	18 013	17 219	16 425	15 631	14 441
2.6	23 569	22 775	21 981	21 188	20 394	19 600	18 806	18 013	17 219	16 425	15 631	14 837	13 647
2.4	22 775	21 981	21 188	20 394	19 600	18 806	18 013	17 219	16 425	15 631	14 837	14 044	12 853
2.2	21 981	21 188	20 394	19 600	18 806	18 013	17 219	16 425	15 631	14 837	14 044	13 250	12 059
2.0	21 188	20 394	19 600	18 806	18 013	17 219	16 425	15 631	14 837	14 044	13 250	12 456	11 265
1.8	20 394	19 600	18 806	18 013	17 219	16 425	15 631	14 837	14 044	13 250	12 456	11 662	10 472
1.6	19 600	18 806	18 013	17 219	16 425	15 631	14 837	14 044	13 250	12 456	11 662	10 869	9 678
1.4	18 806	18 013	17 219	16 425	15 631	14 837	14 044	13 250	12 456	11 662	10 869	10 075	8 884
1.2	18 013	17 219	16 425	15 631	14 837	14 044	13 250	12 456	11 662	10 869	10 075	9 281	8 090
1.0	17 219	16 425	15 631	14 837	14 044	13 250	12 456	11 662	10 869	10 075	9 281	8 487	7 297
0.8	16 425	15 631	14 837	14 044	13 250	12 456	11 662	10 869	10 075	9 281	8 487	7 693	6 503
0.5	15 234	14 441	13 647	12 853	12 059	11 265	10 472	9 678	8 884	8 090	7 297	6 503	5 312

坝高 H	坝顶宽 b	设计参数 C
		25.75
上游坝坡 m_1	下游坝坡 m_2	马道宽 d
18m	3m	0
2	1.5	

基本工程量 V_0 查算表

坝轴横断面左岸边坡 N_z	坝轴横断面右岸边坡 N_y												
	3.0	2.8	2.6	2.4	2.2	2.0	1.8	1.6	1.4	1.2	1.0	0.8	0.5
3.0	31 031	30 052	29 073	28 094	27 115	26 136	25 156	24 177	23 198	22 219	21 240	20 261	18 792
2.8	30 052	29 073	28 094	27 115	26 136	25 156	24 177	23 198	22 219	21 240	20 261	19 282	17 813
2.6	29 073	28 094	27 115	26 136	25 156	24 177	23 198	22 219	21 240	20 261	19 282	18 302	16 834
2.4	28 094	27 115	26 136	25 156	24 177	23 198	22 219	21 240	20 261	19 282	18 302	17 323	15 855
2.2	27 115	26 136	25 156	24 177	23 198	22 219	21 240	20 261	19 282	18 302	17 323	16 344	14 875
2.0	26 136	25 156	24 177	23 198	22 219	21 240	20 261	19 282	18 302	17 323	16 344	15 365	13 896
1.8	25 156	24 177	23 198	22 219	21 240	20 261	19 282	18 302	17 323	16 344	15 365	14 386	12 917
1.6	24 177	23 198	22 219	21 240	20 261	19 282	18 302	17 323	16 344	15 365	14 386	13 407	11 938
1.4	23 198	22 219	21 240	20 261	19 282	18 302	17 323	16 344	15 365	14 386	13 407	12 428	10 959
1.2	22 219	21 240	20 261	19 282	18 302	17 323	16 344	15 365	14 386	13 407	12 428	11 448	9 980
1.0	21 240	20 261	19 282	18 302	17 323	16 344	15 365	14 386	13 407	12 428	11 448	10 469	9 001
0.8	20 261	19 282	18 302	17 323	16 344	15 365	14 386	13 407	12 428	11 448	10 469	9 490	8 021
0.5	18 792	17 813	16 834	15 855	14 875	13 896	12 917	11 938	10 959	9 980	9 001	8 021	6 553

续附表 7

坝高 H	坝顶宽 b	设计参数 C	21.88
18m	4m		
上游坝坡 m_1	下游坝坡 m_2	马道宽 d	0
1.5	1.25		

基本工程量 V_0 查算表

坝轴横断面左岸边坡 N_z	坝轴横断面右岸边坡 N_y												
	3.0	2.8	2.6	2.4	2.2	2.0	1.8	1.6	1.4	1.2	1.0	0.8	0.5
3.0	26 362	25 530	24 698	23 866	23 034	22 203	21 371	20 539	19 707	18 875	18 044	17 212	15 964
2.8	25 530	24 698	23 866	23 034	22 203	21 371	20 539	19 707	18 875	18 044	17 212	16 380	15 132
2.6	24 698	23 866	23 034	22 203	21 371	20 539	19 707	18 875	18 044	17 212	16 380	15 548	14 301
2.4	23 866	23 034	22 203	21 371	20 539	19 707	18 875	18 044	17 212	16 380	15 548	14 716	13 469
2.2	23 034	22 203	21 371	20 539	19 707	18 875	18 044	17 212	16 380	15 548	14 716	13 885	12 637
2.0	22 203	21 371	20 539	19 707	18 875	18 044	17 212	16 380	15 548	14 716	13 885	13 053	11 805
1.8	21 371	20 539	19 707	18 875	18 044	17 212	16 380	15 548	14 716	13 885	13 053	12 221	10 973
1.6	20 539	19 707	18 875	18 044	17 212	16 380	15 548	14 716	13 885	13 053	12 221	11 389	10 142
1.4	19 707	18 875	18 044	17 212	16 380	15 548	14 716	13 885	13 053	12 221	11 389	10 557	9 310
1.2	18 875	18 044	17 212	16 380	15 548	14 716	13 885	13 053	12 221	11 389	10 557	9 726	8 478
1.0	18 044	17 212	16 380	15 548	14 716	13 885	13 053	12 221	11 389	10 557	9 726	8 894	7 646
0.8	17 212	16 380	15 548	14 716	13 885	13 053	12 221	11 389	10 557	9 726	8 894	8 062	6 814
0.5	15 964	15 132	14 301	13 469	12 637	11 805	10 973	10 142	9 310	8 478	7 646	6 814	5 567

坝高 H	坝顶宽 b	设计参数 C
18m	4m	26.75
上游坝坡 m_1	下游坝坡 m_2	马道宽 d
2	1.5	0

基本工程量 V_0 查算表

坝轴横断面左岸边坡 N_z / 坝轴横断面右岸边坡 N_y	3.0	2.8	2.6	2.4	2.2	2.0	1.8	1.6	1.4	1.2	1.0	0.8	0.5
3.0	32 236	31 219	30 202	29 185	28 168	27 151	26 133	25 116	24 099	23 082	22 065	21 048	19 522
2.8	31 219	30 202	29 185	28 168	27 151	26 133	25 116	24 099	23 082	22 065	21 048	20 030	18 505
2.6	30 202	29 185	28 168	27 151	26 133	25 116	24 099	23 082	22 065	21 048	20 030	19 013	17 487
2.4	29 185	28 168	27 151	26 133	25 116	24 099	23 082	22 065	21 048	20 030	19 013	17 996	16 470
2.2	28 168	27 151	26 133	25 116	24 099	23 082	22 065	21 048	20 030	19 013	17 996	16 979	15 453
2.0	27 151	26 133	25 116	24 099	23 082	22 065	21 048	20 030	19 013	17 996	16 979	15 962	14 436
1.8	26 133	25 116	24 099	23 082	22 065	21 048	20 030	19 013	17 996	16 979	15 962	14 945	13 419
1.6	25 116	24 099	23 082	22 065	21 048	20 030	19 013	17 996	16 979	15 962	14 945	13 927	12 402
1.4	24 099	23 082	22 065	21 048	20 030	19 013	17 996	16 979	15 962	14 945	13 927	12 910	11 384
1.2	23 082	22 065	21 048	20 030	19 013	17 996	16 979	15 962	14 945	13 927	12 910	11 893	10 367
1.0	22 065	21 048	20 030	19 013	17 996	16 979	15 962	14 945	13 927	12 910	11 893	10 876	9 350
0.8	21 048	20 030	19 013	17 996	16 979	15 962	14 945	13 927	12 910	11 893	10 876	9 859	8 333
0.5	19 522	18 505	17 487	16 470	15 453	14 436	13 419	12 402	11 384	10 367	9 350	8 333	6 807

附表8 坝高20m时淤地坝坝体压实土(石)方基本工程量 V_0、设计参数 C 查算表

坝高 H	坝顶宽 b	设计参数 C
20m	3m	23.67
上游坝坡 m_1	下游坝坡 m_2	马道宽 d
1.5	1.25	1.5m

基本工程量 V_0 查算表

坝轴横断面左岸边坡 N_z \ 坝轴横断面右岸边坡 N_y	3.0	2.8	2.6	2.4	2.2	2.0	1.8	1.6	1.4	1.2	1.0	0.8	0.5
3.0	36 603	35 457	34 312	33 166	32 021	30 876	29 730	28 585	27 439	26 294	25 148	24 003	22 285
2.8	35 457	34 312	33 166	32 021	30 876	29 730	28 585	27 439	26 294	25 148	24 003	22 857	21 139
2.6	34 312	33 166	32 021	30 876	29 730	28 585	27 439	26 294	25 148	24 003	22 857	21 712	19 994
2.4	33 166	32 021	30 876	29 730	28 585	27 439	26 294	25 148	24 003	22 857	21 712	20 566	18 848
2.2	32 021	30 876	29 730	28 585	27 439	26 294	25 148	24 003	22 857	21 712	20 566	19 421	17 703
2.0	30 876	29 730	28 585	27 439	26 294	25 148	24 003	22 857	21 712	20 566	19 421	18 275	16 557
1.8	29 730	28 585	27 439	26 294	25 148	24 003	22 857	21 712	20 566	19 421	18 275	17 130	15 412
1.6	28 585	27 439	26 294	25 148	24 003	22 857	21 712	20 566	19 421	18 275	17 130	15 984	14 266
1.4	27 439	26 294	25 148	24 003	22 857	21 712	20 566	19 421	18 275	17 130	15 984	14 839	13 121
1.2	26 294	25 148	24 003	22 857	21 712	20 566	19 421	18 275	17 130	15 984	14 839	13 694	11 975
1.0	25 148	24 003	22 857	21 712	20 566	19 421	18 275	17 130	15 984	14 839	13 694	12 548	10 830
0.8	24 003	22 857	21 712	20 566	19 421	18 275	17 130	15 984	14 839	13 694	12 548	11 403	9 684
0.5	22 285	21 139	19 994	18 848	17 703	16 557	15 412	14 266	13 121	11 975	10 830	9 684	7 966

续附表 8

坝高 H	坝顶宽 b	设计参数 C	29.17
20m	3m		
上游坝坡 m_1	下游坝坡 m_2	马道宽 d	1.5m
2	1.5		

基本工程量 V_0 查算表

坝轴横断面左岸边坡 N_z	坝轴横断面右岸边坡 N_y												
	0.5	0.8	1.0	1.2	1.4	1.6	1.8	2	2.2	2.4	2.6	2.8	3.0
3.0	27 463	29 581	30 993	32 404	33 816	35 228	36 639	38 051	39 463	40 874	42 286	43 698	45 109
2.8	26 052	28 169	29 581	30 993	32 404	33 816	35 228	36 639	38 051	39 463	40 874	42 286	43 698
2.6	24 640	26 758	28 169	29 581	30 993	32 404	33 816	35 228	36 639	38 051	39 463	40 874	42 286
2.4	23 228	25 346	26 758	28 169	29 581	30 993	32 404	33 816	35 228	36 639	38 051	39 463	40 874
2.2	21 817	23 934	25 346	26 758	28 169	29 581	30 993	32 404	33 816	35 228	36 639	38 051	39 463
2.0	20 405	22 523	23 934	25 346	26 758	28 169	29 581	30 993	32 404	33 816	35 228	36 639	38 051
1.8	18 993	21 111	22 523	23 934	25 346	26 758	28 169	29 581	30 993	32 404	33 816	35 228	36 639
1.6	17 582	19 699	21 111	22 523	23 934	25 346	26 758	28 169	29 581	30 993	32 404	33 816	35 228
1.4	16 170	18 288	19 699	21 111	22 523	23 934	25 346	26 758	28 169	29 581	30 993	32 404	33 816
1.2	14 758	16 876	18 288	19 699	21 111	22 523	23 934	25 346	26 758	28 169	29 581	30 993	32 404
1.0	13 347	15 464	16 876	18 288	19 699	21 111	22 523	23 934	25 346	26 758	28 169	29 581	30 993
0.8	11 935	14 053	15 464	16 876	18 288	19 699	21 111	22 523	23 934	25 346	26 758	28 169	29 581
0.5	9 818	11 935	13 347	14 758	16 170	17 582	18 993	20 405	21 817	23 228	24 640	26 052	27 463

坝高 H	坝顶宽 b	设计参数 C	30.17
20m	4m		
上游坝坡 m_1	下游坝坡 m_2	马道宽 d	1.5m
2	1.5		

基本工程量 V_0 查算表

坝轴横断面左岸边坡 N_z	坝轴横断面右岸边坡 N_y												
	3.0	2.8	2.6	2.4	2.2	2.0	1.8	1.6	1.4	1.2	1.0	0.8	0.5
3.0	46 656	45 196	43 736	42 276	40 816	39 355	37 895	36 435	34 975	33 515	32 055	30 595	28 405
2.8	45 196	43 736	42 276	40 816	39 355	37 895	36 435	34 975	33 515	32 055	30 595	29 135	26 945
2.6	43 736	42 276	40 816	39 355	37 895	36 435	34 975	33 515	32 055	30 595	29 135	27 675	25 485
2.4	42 276	40 816	39 355	37 895	36 435	34 975	33 515	32 055	30 595	29 135	27 675	2 6215	24 025
2.2	40 816	39 355	37 895	36 435	34 975	33 515	32 055	30 595	29 135	27 675	26 215	24 755	22 565
2.0	39 355	37 895	36 435	34 975	33 515	32 055	30 595	29 135	27 675	26 215	24 755	23 295	21 105
1.8	37 895	36 435	34 975	33 515	32 055	30 595	29 135	27 675	26 215	24 755	23 295	21 835	19 645
1.6	36 435	34 975	33 515	32 055	30 595	29 135	27 675	26 215	24 755	23 295	21 835	20 375	18 184
1.4	34 975	33 515	32 055	30 595	29 135	27 675	26 215	24 755	23295	21 835	20 375	18 915	16 724
1.2	33 515	32 055	30 595	29 135	27 675	26 215	24 755	23 295	21 835	20 375	18 915	17 454	15 264
1.0	32 055	30 595	29 135	27 675	26 215	24 755	23 295	21 835	20 375	18 915	17 454	15 994	13 804
0.8	30 595	29 135	27 675	26 215	24 755	23 295	21-835	20 375	18 915	17 454	15 994	14 534	12 344
0.5	28 405	26 945	25 485	24 025	22 565	21 105	19 645	18 184	16 724	15 264	13 804	12 344	10 154

续附表 8

坝高 H	坝顶宽 b	设计参数 C
20m	4m	3 7.50
上游坝坡 m_1	下游坝坡 m_2	马道宽 d
2.5	2	1.5m

基本工程量 V_0 查算表

坝轴横断面左岸边坡 N_z	坝轴横断面右岸边坡 N_y												
	3.0	2.8	2.6	2.4	2.2	2.0	1.8	1.6	1.4	1.2	1.0	0.8	0.5
3.0	57 998	56 183	54 368	52 553	50 738	48 923	47 108	45 293	43 478	41 663	39 848	38 033	35 310
2.8	56 183	54 368	52 553	50 738	48 923	47 108	45 293	43 478	41 663	39 848	38 033	36 218	33 496
2.6	54 368	52 553	50 738	48 923	47 108	45 293	43 478	41 663	39 848	38 033	36 218	34 403	31 680
2.4	52 553	50 738	48 923	47 108	45 293	43 478	41 663	39 848	38 033	36 218	34 403	32 588	29 865
2.2	50 738	48 923	47 108	45 293	43 478	41 663	39 848	38 033	36 218	34 403	32 588	30 773	28 050
2.0	48 923	47 108	45 293	43 478	41 663	39 848	38 033	36 218	34 403	32 588	30 773	28 958	26 235
1.8	47 108	45 293	43 478	41 663	39 848	38 033	36 218	34 403	32 588	30 773	28 958	27 143	24 420
1.6	45 293	43 478	41 663	39 848	38 033	36 218	34 403	32 588	30 773	28 958	27 143	25 328	22 605
1.4	43 478	41 663	39 848	38 033	36 218	34 403	32 588	30 773	28 958	27 143	25 328	23 513	20 790
1.2	41 663	39 848	38 033	36 218	34 403	32 588	30 773	28 958	27 143	25 328	23 513	21 698	18 975
1.0	39 848	38 033	36 218	34 403	32 588	30 773	28 958	27 143	25 328	23 513	21 698	19 883	17 160
0.8	38 033	36 218	34 403	32 588	30 773	28 958	27 143	25 328	23 513	21 698	19 883	18 068	15 345
0.5	35 310	33 495	31 680	29 865	28 050	26 235	24 420	22 605	20 790	18 975	17 160	15 345	12 623

续附表 8

坝高 H	坝顶宽 b	设计参数 C	31.17
		马道宽 d	1.5m
上游坝坡 m_1	下游坝坡 m_2		
20m	5m		
2	1.5		

基本工程量 V_0 查算表

坝轴横断面左岸边坡 N_z \ 坝轴横断面右岸边坡 N_y	3.0	2.8	2.6	2.4	2.2	2.0	1.8	1.6	1.4	1.2	1.0	0.8	0.5
3.0	48 202	46 694	45 185	43 677	42 169	40 660	39 152	37 643	36 135	34 626	33 118	31 609	29 347
2.8	46 694	45 185	43 677	42 169	40 660	39 152	37 643	36 135	34 626	33 118	31 609	30 101	27 838
2.6	45 185	43 677	42 169	40 660	39 152	37 643	36 135	34 626	33 118	31 609	30 101	28 592	26 330
2.4	43 677	42 169	40 660	39 152	37 643	36 135	34 626	33 118	31 609	30 101	28 592	27 084	24 821
2.2	42 169	40 660	39 152	37 643	36 135	34 626	33 118	31 609	30 101	28 592	27 084	25 575	23 313
2.0	40 660	39 152	37 643	36 135	34 626	33 118	31 609	30 101	28 592	27 084	25 575	24 067	21 804
1.8	39 152	37 643	36 135	34 626	33 118	31 609	30 101	28 592	27 084	25 575	24 067	22 558	20 296
1.6	37 643	36 135	34 626	33 118	31 609	30 101	28 592	27 084	25 575	24 067	22 558	21 050	18 787
1.4	36 135	34 626	33 118	31 609	30 101	28 592	27 084	25 575	24 067	22 558	21 050	19 542	17 279
1.2	34 626	33 118	31 609	30 101	28 592	27 084	25 575	24 067	22 558	21 050	19 542	18 033	15 770
1.0	33 118	31 609	30 101	28 592	27 084	25 575	24 067	22 558	21 050	19 542	18 033	16 525	14 262
0.8	31 609	30 101	28 592	27 084	25 575	24 067	22 558	21 050	19 542	18 033	16 525	15 016	12 753
0.5	29 347	27 838	26 330	24 821	23 313	21 804	20 296	18 788	17 279	15 770	14 262	12 753	10 491

坝高 H	坝顶宽 b	设计参数 C	38.50
20m	5m		
上游坝坡 m_1	下游坝坡 m_2	马道宽 d	1.5m
2.5	2		

基本工程量 V_0 查算表

坝轴横断面左岸边坡 N_z	坝轴横断面右岸边坡 N_y												
	0.5	0.8	1.0	1.2	1.4	1.6	1.8	2.0	2.2	2.4	2.6	2.8	3.0
3.0	36 252	39 047	40 910	42 774	44 637	46 500	48 364	50 227	52 091	53 954	55 817	57 681	59 544
2.8	34 388	37 183	39 047	40 910	42 774	44 637	46 500	48 364	50 227	52 091	53 954	55 817	57 681
2.6	32 525	35 320	37 183	39 047	40 910	42 774	44 637	46 500	48 364	50 227	52 091	53 954	55 817
2.4	30 661	33 457	35 320	37 183	39 047	40 910	42 774	44 637	46 500	48 364	50 227	52 091	53 954
2.2	28 798	31 593	33 457	35 320	37 183	39 047	40 910	42 774	44 637	46 500	48 364	50 227	52 091
2.0	26 935	29 730	31 593	33 457	35 320	37 183	39 047	40 910	42 774	44 637	46 500	48 364	50 227
1.8	25 071	27 866	29 730	31 593	33 457	35 320	37183	39 047	40 910	42 774	44 637	46 500	48 364
1.6	23 208	26 003	27 866	29 730	31 593	33 457	35 320	37 183	39 047	40 910	42 774	44 637	46 500
1.4	21 344	24 140	26 003	27 866	29 730	31 593	33 457	35 320	37 183	39 047	40 910	42 774	44 637
1.2	19 481	22 276	24 140	26 003	27 866	29 730	31 593	33 457	35 320	37 183	39 047	40 910	42 774
1.0	17 618	20 413	22 276	24 140	26 003	27 866	29 730	31 593	33 457	35 320	37 183	39 047	40 910
0.8	15 754	18 549	20 413	22 276	24 140	26 003	27 866	29 730	31 593	33 457	35 320	37 183	39 047
0.5	12 959	15 754	17 618	19 481	21 344	23 208	25 071	26 935	28 798	30 661	32 525	34 388	36 252

附表9 坝高 22m 时淤地坝坝体压实土(石)方基本工程量 V₀、设计参数 C 查算表

坝高 H	22m	坝顶宽 b	4m	设计参数 C	32.50
上游坝坡 m_1	2	下游坝坡 m_2	1.5	马道宽 d	1.5m

基本工程量 V_0 查算表

坝轴横断面左岸边坡 N_z	坝轴横断面右岸边坡 N_y												
	3.0	2.8	2.6	2.4	2.2	2.0	1.8	1.6	1.4	1.2	1.0	0.8	0.5
3.0	59 514	57 642	55 770	53 898	52 026	50 154	48 282	46 410	44 538	42 666	40 794	38 922	36 114
2.8	57 642	55 770	53 898	52 026	50 154	48 282	46 410	44 538	42 666	40 794	38 922	37 050	34 242
2.6	55 770	53 898	52 026	50 154	48 282	46 410	44 538	42 666	40 794	38 922	37 050	35 178	32 370
2.4	53 898	52 026	50 154	48 282	46 410	44 538	42 666	40 794	38 922	37 050	35 178	33 306	30 498
2.2	52 026	50 154	48 282	46 410	44 538	42 666	40 794	38 922	37 050	35 178	33 306	31 434	28 626
2.0	50 154	48 282	46 410	44 538	42 666	40 794	38 922	37 050	35 178	33 306	31 434	29 562	26 754
1.8	48 282	46 410	44 538	42 666	40 794	38 922	37 050	35 178	33 306	31 434	29 562	27 690	24 882
1.6	46 410	44 538	42 666	40 794	38 922	37 050	35 178	33 306	31 434	29 562	27 690	25 818	23 010
1.4	44 538	42 666	40 794	38 922	37 050	35 178	33 306	31 434	29 562	27 690	25 818	23 946	21 138
1.2	42 666	40 794	38 922	37 050	35 178	33 306	31 434	29 562	27 690	25 818	23 946	22 074	19 266
1.0	40 794	38 922	37 050	35 178	33 306	31 434	29 562	27 690	25 818	23 946	22 074	20 202	17 394
0.8	38 922	37 050	35 178	33 306	31 434	29 562	27 690	25 818	23 946	22 074	20 202	18 330	15 522
0.5	36 114	34 242	32 370	30 498	28 626	26 754	24 882	23 010	21 138	19 266	17 394	15 522	12 714

续附表 9

坝高 H	坝顶宽 b	设计参数 C
22m	4m	40.50
上游坝坡 m_1	下游坝坡 m_2	马道宽 d
2.5	2	1.5m

基本工程量 V_0 查算表

坝轴横断面左岸边坡 N_z	坝轴横断面右岸边坡 N_y												
	3.0	2.8	2.6	2.4	2.2	2.0	1.8	1.6	1.4	1.2	1.0	0.8	0.5
3.0	74 164	71 831	69 498	67 165	64 832	62 500	60 167	57 834	55 501	53 168	50 836	48 503	45 004
2.8	71 831	69 498	67 165	64 832	62 500	60 167	57 834	55 501	53 168	50 836	48 503	46 170	42 671
2.6	69 498	67 165	64 832	62 500	60 167	57 834	55 501	53 168	50 836	48 503	46 170	43 837	40 338
2.4	67 165	64 832	62 500	60 167	57 834	55 501	53 168	50 836	48 503	46 170	43 837	41 504	38 005
2.2	64 832	62 500	60 167	57 834	55 501	53 168	50 836	48 503	46 170	43 837	41 504	39 172	35 672
2.0	62 500	60 167	57 834	55 501	53 168	50 836	48 503	46 170	43 837	41 504	39 172	36 839	33 340
1.8	60 167	57 834	55 501	53 168	50 836	48 503	46 170	43 837	41 504	39 172	36 839	34 506	31 007
1.6	57 834	55 501	53 168	50 836	48 503	46 170	43 837	41 504	39 172	36 839	34 506	32 173	28 674
1.4	55 501	53 168	50 836	48 503	46 170	43 837	41 504	39 172	36 839	34 506	32 173	29 840	26 341
1.2	53 168	50 836	48 503	46 170	43 837	41 504	39 172	36 839	34 506	32 173	29 840	27 508	24 008
1.0	50 836	48 503	46 170	43 837	41 504	39 172	36 839	34 506	32 173	29 840	27 508	25 175	21 676
0.8	48 503	46 170	43 837	41 504	39 172	36 839	34 506	32 173	29 840	27 508	25 175	22 842	19 343
0.5	45 004	42 671	40 338	38 005	35 672	33 340	31 007	28 674	26 341	24 008	21 676	19 343	15 844

续附表 9

坝高 H	坝顶宽 b	设计参数 C
22m	5m	33.50
上游坝坡 m_1	下游坝坡 m_2	马道宽 d
2	1.5	1.5m

基本工程量 V_0 查算表

坝轴横断面左岸边坡 N_z	\multicolumn{13}{c}{坝轴横断面右岸边坡 N_y}
	3.0	2.8	2.6	2.4	2.2	2	1.8	1.6	1.4	1.2	1	0.8	0.5
3.0	61 345	59 416	57 486	55 556	53 627	51 697	49 768	47 838	45 908	43 979	42 049	40 120	37 225
2.8	59 416	57 486	55 556	53 627	51 697	49 768	47 838	45 908	43 979	42 049	40 120	38 190	35 296
2.6	57 486	55 556	53 627	51 697	49 768	47 838	45 908	43 979	42 049	40 120	38 190	36 260	33 366
2.4	55 556	53 627	51 697	49 768	47 838	45 908	43 979	42 049	40 120	38 190	36 260	34 331	31 436
2.2	53 627	51 697	49 768	47 838	45 908	43 979	42 049	40 120	38 190	36260	34331	32401	29507
2.0	5 1697	49 768	47 838	45 908	43 979	42 049	40 120	38 190	36 260	34 331	32 401	30 472	27 577
1.8	49 768	47 838	45 908	43 979	42 049	40 120	38 190	36 260	34 331	32 401	30 472	28 542	25 648
1.6	47 838	45 908	43 979	42 049	40 120	38 190	36 260	34 331	32 401	30 472	28 542	26 612	23 718
1.4	45 908	43 979	42 049	40 120	38 190	36 260	34 331	32 401	30 472	28 542	26 612	24 683	21 788
1.2	43 979	42 049	40 120	38 190	36 260	34 331	32 401	30 472	28 542	26 612	24 683	22 753	19 859
1.0	42 049	40 120	38 190	36 260	34 331	32 401	30 472	28 542	26 612	24 683	22 753	20 824	17 929
0.8	40 120	38 190	36 260	34 331	32 401	30 472	28 542	26 612	24 683	22 753	20 824	18 894	16 000
0.5	37 225	35 296	33 366	31 436	29 507	27 577	25 648	23 718	21 788	19 859	17 929	16 000	13 105

续附表 9

坝高 H	22m	坝顶宽 b	5m	设计参数 C	41.50
上游坝坡 m_1	2.5	下游坝坡 m_2	2	马道宽 d	1.5m

基本工程量 V_0 查算表

坝轴横断面 左岸边坡 N_z	坝轴横断面右岸边坡 N_y												
	3.0	2.8	2.6	2.4	2.2	2.0	1.8	1.6	1.4	1.2	1.0	0.8	0.5
3.0	75 995	73 604	71 214	68 824	66 433	64 043	61 652	59 262	56 872	54 481	52 091	49 700	46 115
2.8	73 604	71 214	68 824	66 433	64 043	61 652	59 262	56 872	54 481	52 091	49 700	47 310	43 724
2.6	71 214	68 824	66 433	64 043	61 652	59 262	56 872	54 481	52 091	49 700	47 310	44 920	41 334
2.4	68 824	66 433	64 043	61 652	59 262	56 872	54 481	52 091	49 700	47 310	44 920	42 529	38 944
2.2	66 433	64 043	61 652	59 262	56 872	54 481	52 091	49 700	47 310	44 920	42 529	40 139	36 553
2.0	64 043	61 652	59 262	56 872	54 481	52 091	49 700	47 310	44 920	42 529	40 139	37 748	34 163
1.8	61 652	59 262	56 872	54 481	52 091	49 700	47 310	44 920	42 529	40 139	37 748	35 358	31 772
1.6	59 262	56 872	54 481	52 091	49 700	47 310	44 920	42 529	40 139	37 748	35 358	32 968	29 382
1.4	56 872	54 481	52 091	49 700	47 310	44 920	42 529	40 139	37 748	35 358	32 968	30 577	26 992
1.2	54 481	52 091	49 700	47 310	44 920	42 529	40 139	37 748	35 358	32 968	30 577	28 187	24 601
1.0	52 091	49 700	47 310	44 920	42 529	40 139	37 748	35 358	32 968	30 577	28 187	25 796	22 211
0.8	49 700	47 310	44 920	42 529	40 139	37 748	35 358	32 968	30 577	28 187	25 796	23 406	19 820
0.5	46 115	43 724	41 334	38 944	36 553	34 163	31 772	29 382	26 992	24 601	22 211	19 820	16 235

附表10 坝高24m时淤地坝坝体实土(石)方基本工程量 V_0、设计参数 C 查算表

坝高 H	24m	坝顶宽 b	4m	设计参数 C	34.83
上游坝坡 m_1	2	下游坝坡 m_2	1.5	马道宽 d	1.5m

基本工程量 V_0 查算表

坝轴横断面左岸边坡 N_z	坝轴横断面右岸边坡 N_y												
	3.0	2.8	2.6	2.4	2.2	2.0	1.8	1.6	1.4	1.2	1.0	0.8	0.5
3.0	74 536	72 182	69 827	67 472	65 117	62 763	60 408	58 053	55 699	53 344	50 989	48 634	45 102
2.8	72 182	69 827	67 472	65 117	62 763	60 408	58 053	55 699	53 344	50 989	48 634	46 280	42 747
2.6	6 9827	67 472	65 117	62 763	60 408	58 053	55 699	53 344	50 989	48 634	46 280	43 925	40 393
2.4	67 472	65 117	62 763	60 408	58 053	55 699	53 344	50 989	48 634	46 280	43 925	41 570	38 038
2.2	65 117	62 763	60 408	58 053	55 699	53 344	50 989	48 634	46 280	43 925	41 570	39 215	35 683
2.0	62 763	60 408	58 053	55 699	53 344	50 989	48 634	46 280	43 925	41 570	39 215	36 861	33 329
1.8	60 408	58 053	55 699	53 344	50 989	48 634	46 280	43 925	41 570	39 215	36 861	34 506	30 974
1.6	58 053	55 699	53 344	50 989	48 634	46 280	43 925	41 570	39 215	36 861	34 506	32 151	28 619
1.4	55 699	53 344	50 989	48 634	46 280	43 925	41 570	39 215	36 861	34 506	32 151	29 796	26 264
1.2	53 344	50 989	48 634	46 280	43 925	41 570	39 215	36 861	34 506	32 151	29 796	27 442	23 910
1.0	50 989	48 634	46 280	43 925	41 570	39 215	36 861	34 506	32 151	29 796	27 442	25 087	21 555
0.8	48 634	46 280	43 925	41 570	39 215	36 861	34 506	32 151	29 796	27 442	25 087	22 732	19 200
0.5	45 102	42 747	40 393	38 038	35 683	33 329	30 974	28 619	26 264	23 910	21 555	19 200	15 668

续附表 10

坝高 H	24m	坝顶宽 b	4m	设计参数 C	43.50
上游坝坡 m_1	2.5	下游坝坡 m_2	2	马道宽 d	1.5m

基本工程量 V_0 查算表

坝轴横断面右岸边坡 N_y

坝轴横断面左岸边坡 N_z	0.5	0.8	1.0	1.2	1.4	1.6	1.8	2.0	2.2	2.4	2.6	2.8	3.0
3.0	56 324	60 735	63 675	66 616	69 557	72 497	75 438	78 378	81 319	84 260	87 200	90 141	93 081
2.8	53 383	57 794	60 735	63 675	66 616	69 557	72 497	75 438	78 378	81 319	84 260	87 200	90 141
2.6	50 443	54 854	57 794	60 735	63 675	66 616	69 557	72 497	75 438	78 378	81 319	84 260	87 200
2.4	47 502	51 913	54 854	57 794	60 735	63 675	66 616	69 557	72 497	75 438	78 378	81 319	84 260
2.2	44 561	48 972	51 913	54 854	57 794	60 735	63 675	66 616	69 557	72 497	75 438	78 378	81 319
2.0	41 621	46 032	48 972	51 913	54 854	57 794	60 735	63 675	66 616	69 557	72 497	75 438	78 378
1.8	38 680	43 091	46 032	48 972	51 913	54 854	57 794	60 735	63 675	66 616	69 557	72 497	75 438
1.6	35 740	40 151	43 091	46 032	48 972	51 913	54 854	57 794	60 735	63 675	66 616	69 557	72 497
1.4	32 799	37 210	40 151	43 091	46 032	48 972	51 913	54 854	57 794	60 735	63 675	66 616	69 557
1.2	29 858	34 269	37 210	40 151	43 091	46 032	48 972	51 913	54 854	57 794	60 735	63 675	66 616
1.0	26 918	31 329	34 269	37 210	40 151	43 091	46 032	48 972	51 913	54 854	57 794	60 735	63 675
0.8	23 977	28 388	31 329	34 269	37 210	40 151	43 091	46 032	48 972	51 913	54 854	57 794	60 735
0.5	19 566	23 977	26 918	29 858	32 799	35 740	38 680	41 621	44 561	47 502	50 443	53 383	56 324

续附表 10

坝高 H	24m	坝顶宽 b	5m	设计参数 C	35.83
上游坝坡 m_1	2	下游坝坡 m_2	1.5	马道宽 d	1.5m

基本工程量 V_0 查算表

坝轴横断面左岸边坡 N_z						坝轴横断面右岸边坡 N_y							
	3.0	2.8	2.6	2.4	2.2	2.0	1.8	1.6	1.4	1.2	1.0	0.8	0.5
3.0	76 676	74 254	71 832	69 409	66 987	64 565	62 142	59 720	57 298	54 875	52 453	50 031	46 397
2.8	74 254	71 832	69 409	66 987	64 565	62 142	59 720	57 298	54 875	52 453	50 031	47 608	43 975
2.6	71 832	69 409	66 987	64 565	62 142	59 720	57 298	54 875	52 453	50 031	47 608	45 186	41 552
2.4	69 409	66 987	64 565	62 142	59 720	57 298	54 875	52 453	50 031	47 608	45 186	42 764	39 130
2.2	66 987	64 565	62 142	59 720	57 298	54 875	52 453	50 031	47 608	45 186	42 764	40 341	36 708
2.0	64 565	62 142	59 720	57.298	54 875	52 453	50 031	47 608	45 186	42 764	40 341	37 919	34 285
1.8	62 142	59 720	57 298	54 875	52 453	50 031	47 608	45 186	42 764	40 341	37 919	35 497	31 863
1.6	59 720	57 298	54 875	52 453	50 031	47 608	45 186	42 764	40 341	37 919	35 497	33 074	29 441
1.4	57 298	54 875	52 453	50 031	47 608	45 186	42 764	40 341	37 919	35 497	33 074	30 652	27 018
1.2	54 875	52 453	50 031	47 608	45 186	42 764	40 341	37 919	35 497	33 074	30 652	28 230	24 596
1.0	52 453	50 031	47 608	45 186	42 764	40 341	37 919	35 497	33 074	30 652	28 230	25 807	22 174
0.8	50 031	476 08	45 186	42 764	40 341	37 919	35 497	33 074	30 652	28 230	25 807	23 385	19 751
0.5	46 397	43 975	41 552	39 130	36 708	34 285	31 863	29 441	27 018	24 596	22 174	19 751	16 118

续附表 10

坝高 H	坝顶宽 b	设计参数 C	44.50
24m	5m	马道宽 d	1.5m
上游坝坡 m_1	下游坝坡 m_2		
2.5	2		

基本工程量 V_0 查算表

坝轴横断面右岸边坡 N_y

坝轴横断面左岸边坡 N_z	0.5	0.8	1.0	1.2	1.4	1.6	1.8	2.0	2.2	2.4	2.6	2.8	3.0
3.0	57 619	62 131	65 139	68 147	71 156	74 164	77 172	80 180	83 188	86 197	89 205	92 213	95 221
2.8	54 610	59 123	62 131	65 139	68 147	71 156	74 164	77 172	80 180	83 188	86 197	89 205	92 213
2.6	51 602	56 115	59 123	62 131	65 139	68 147	71 156	74 164	77 172	80 180	83 188	86 197	89 205
2.4	48 594	53 106	56 115	59 123	62 131	65 139	68 147	71 156	74 164	77 172	80 180	83 188	86 197
2.2	45 586	50 098	53 106	56 115	59 123	62 131	65 139	68 147	71 156	74 164	77 172	80 180	83 188
2.0	42 578	47 090	50 098	53 106	56 115	59 123	62 131	65 139	68 147	71 156	74 164	77 172	80 180
1.8	39 569	44 082	47 090	50 098	53 106	56 115	59 123	62 131	65 139	68 147	71 156	74 164	77 172
1.6	36 561	41 074	44 082	47 090	50 098	53 106	56 115	59 123	62 131	65 139	68 147	71 156	74 164
1.4	33 553	38 065	41 074	44 082	47 090	50 098	53 106	56 115	59 123	62 131	65 139	68 147	71 156
1.2	30 545	35 057	38 065	41 074	44 082	47 090	50 098	53 106	56 115	59 123	62 131	65 139	68 147
1.0	27 537	32 049	35 057	38 065	41 074	44 082	47 090	50 098	53 106	56 115	59 123	62 131	65 139
0.8	24 528	29 041	32 049	35 057	38 065	41 074	44 082	47 090	50 098	53 106	56 115	59 123	62 131
0.5	20 016	24 528	27 537	30 545	33 553	36 561	39 569	42 578	45 586	48 594	51 602	54 610	57 619

附表 11 坝高 26m(一个马道)时淤地坝坝体实土(石)方基本工程量 V_0、设计参数 C 查算表

坝高 H	26m	坝顶宽 b	4m	设计参数 C	37.17
上游坝坡 m_1	2	下游坝坡 m_2	1.5	马道宽 d	1.5m

基本工程量 V_0 查算表

坝轴横断面左岸边坡 N_z	坝轴横断面右岸边坡 N_y												
	3.0	2.8	2.6	2.4	2.2	2.0	1.8	1.6	1.4	1.2	1.0	0.8	0.5
3.0	91 891	88 977	86 063	83 149	80 235	77 322	74 408	71 494	68 580	65 666	62 752	59 838	55 468
2.8	88 977	86 063	83 149	80 235	77 322	74 408	71 494	68 580	65 666	62 752	59 838	56 924	52 554
2.6	86 063	83 149	80 235	77 322	74 408	71 494	68 580	65 666	62 752	59 838	56 924	54 011	49 640
2.4	83 149	80 235	77 322	74 408	71 494	68 580	65 666	62 752	59 838	56 924	54 011	51 097	46 726
2.2	80 235	77 322	74 408	71 494	68 580	65 666	62 752	59 838	56 924	54 011	51 097	48 183	43 812
2.0	77 322	74 408	71 494	68 580	65 666	62 752	59 838	56 924	54 011	51 097	48 183	45269	40 898
1.8	74 408	71 494	68 580	65 666	62 752	59 838	56 924	54 011	51 097	48 183	45 269	42 355	37 984
1.6	71 494	68 580	65 666	62 752	59 838	56 924	54 011	51 097	48 183	45 269	42 355	39 441	35 070
1.4	68 580	65 666	62 752	59 838	56 924	54 011	51 097	48 183	45 269	42 355	39 441	36 527	32 157
1.2	65 666	62 752	59 838	56 924	54 011	51 097	48 183	45 269	42 355	39 441	36 527	33 614	29 243
1.0	62 752	59 838	56 924	54 011	51 097	48 183	45 269	42 355	39 441	36 527	33 614	30 700	26 329
0.8	59 838	56 924	54 011	51 097	48 183	45 269	42 355	39 441	36 527	33 614	30 700	27 786	23 415
0.5	55 468	52 554	49 640	46 726	43 812	40 898	37 984	35 070	32 157	29 243	26 329	23 415	19 044

续附表 11

坝高 H	坝顶宽 b	设计参数 C	46.50
上游坝坡 m_1	下游坝坡 m_2	马道宽 d	1.5m
26m	4m		
2.5	2		

基本工程量 V_0 查算表

坝轴横断面左岸边坡 N_z	坝轴横断面右岸边坡 N_y												
	3.0	2.8	2.6	2.4	2.2	2.0	1.8	1.6	1.4	1.2	1.0	0.8	0.5
3.0	114 967	111 321	107 675	104 030	100 384	96 739	93 093	89 447	85 802	82 156	78 511	74 865	69 397
2.8	111 321	107 675	104 030	100 384	96 739	93 093	89 447	85 802	82 156	78 511	74 865	71 219	65 751
2.6	10 7675	104 030	100 384	96 739	93 093	89 447	85 802	82 156	78 511	74 865	71 219	67 574	62 105
2.4	104 030	100 384	96 739	93 093	89 447	85 802	82 156	78 511	74 865	71 219	67 574	63 928	58 460
2.2	100 384	96 739	93 093	89 447	85 802	82 156	78 511	74 865	71 219	67 574	63 928	60 283	54 814
2.0	96 739	93 093	89 447	85 802	82 156	78 511	74 865	71 219	67 574	63 928	60 283	56 637	51 169
1.8	93 093	89 447	85 802	82 156	78 511	74 865	71 219	67 574	63 928	60 283	56 637	52 991	47 523
1.6	89 447	85 802	82 156	78 511	74 865	71 219	67 574	63 928	60 283	56 637	52 991	49 346	43 877
1.4	85 802	82 156	78 511	74 865	71 219	67 574	63 928	60 283	56 637	52 991	49 346	45 700	40 232
1.2	82 156	78 511	74 865	71 219	67 574	63 928	60 283	56 637	52 991	49 346	45 700	42 055	36 586
1.0	78 511	74 865	71 219	67 574	63 928	60 283	56 637	52 991	49 346	45 700	42 055	38 409	32 941
0.8	74 865	71 219	67 574	63 928	60 283	56 637	52 991	49 346	45 700	42 055	38 409	34 763	29 295
0.5	69 397	65 751	62 105	58 460	54 814	51 169	47 523	43 877	40 232	36 586	32 941	29 295	23 827

续附表 11

坝高 H	坝顶宽 b	设计参数 C
26m	5m	38.17
上游坝坡 m_1	下游坝坡 m_2	马道宽 d
2	1.5	1.5m

基本工程量 V_0 查算表

坝轴横断面左岸边坡 N_z	坝轴横断面右岸边坡 N_y												
	0.5	0.8	1.0	1.2	1.4	1.6	1.8	2.0	2.2	2.4	2.6	2.8	3.0
3.0	56 960	61 448	64 441	67 433	70 425	73 417	76 410	79 402	82 394	85 386	88 379	91 371	94 363
2.8	53 968	58 456	61 448	64 441	67 433	70 425	73 417	76 410	79 402	82 394	85 386	88 379	91 371
2.6	50 975	55 464	58 456	61 448	64 441	67 433	70 425	73 417	76 410	79 402	82 394	85 386	88 379
2.4	47 983	52 472	55 464	58 456	61 448	64 441	67 433	70 425	73 417	76 410	79 402	82 394	85 386
2.2	44 991	49 479	52 472	55 464	58 456	61 448	64 441	67 433	70 425	73 417	76 410	79 402	82 394
2.0	41 999	46 487	49 479	52 472	55 464	58 456	61 448	64 441	67 433	70 425	73 417	76 410	79 402
1.8	39 006	43 495	46 487	49 479	52 472	55 464	58 456	61 448	64 441	67 433	70 425	73 417	76 410
1.6	36 014	40 502	43 495	46 487	49 479	52 472	55 464	58 456	61 448	64 441	67 433	70 425	73 417
1.4	33 022	37 510	40 502	43 495	46 487	49 479	52 472	55 464	58 456	61 448	64 441	67 433	70 425
1.2	30 030	34 518	37 510	40 502	43 495	46 487	49 479	52 472	55 464	58 456	61 448	64 441	67 433
1.0	27 037	31 526	34 518	37 510	40 502	43 495	46 487	49 479	52 472	55 464	58 456	61 448	64 441
0.8	24 045	28 533	31 526	34 518	37 510	40 502	43 495	46 487	49 479	52 472	55 464	58 456	61 448
0.5	19 557	24 045	27 037	30 030	33 022	36 014	39 006	41 999	44 991	47 983	50 975	53 968	56 960

续附表 11

坝高 H	坝顶宽 b	设计参数 C	47.50
上游坝坡 m_1	下游坝坡 m_2	马道宽 d	1.5m
2.5	2		
26m	5m		

基本工程量 V_0 查算表

坝轴横断面左岸边坡 N_z	坝轴横断面右岸边坡 N_y												
	3.0	2.8	2.6	2.4	2.2	2.0	1.8	1.6	1.4	1.2	1.0	0.8	0.5
3.0	117 439	113 715	109 991	106 267	102 543	98 819	95 095	91 371	87 647	83 923	80 199	76 475	70 889
2.8	113 715	109 991	106 267	102 543	98 819	95 095	91 371	87 647	83 923	80 199	76 475	72 751	67 165
2.6	109 991	106 267	102 543	98 819	95 095	91 371	87 647	83 923	80 199	76 475	72 751	69 027	63 441
2.4	106 267	102 543	98 819	95 095	91 371	87 647	83 923	80 199	76 475	72 751	69 027	65 303	59 717
2.2	102 543	98 819	95 095	91 371	87 647	83 923	80 199	76 475	72 751	69 027	65 303	61 579	55 993
2.0	98 819	95 095	91 371	87 647	83 923	80 199	76 475	72 751	69 027	65 303	61 579	57 855	52 269
1.8	95 095	91 371	87 647	83 923	80 199	76 475	72 751	69 027	65 303	61 579	57 855	54 131	48 545
1.6	91 371	87 647	83 923	80 199	76 475	72 751	69 027	65 303	61 579	57 855	54 131	50 407	44 821
1.4	87 647	83 923	80 199	76 475	72 751	69 027	65 303	61 579	57 855	54 131	50 407	46 683	41 097
1.2	83 923	80 199	76 475	72 751	69 027	65 303	61 579	57 855	54 131	50 407	46 683	42 959	37 373
1.0	80 199	76 475	72 751	69 027	65 303	61 579	57 855	54 131	50 407	46 683	42 959	39 235	33 649
0.8	76 475	72 751	69 027	65 303	61 579	57 855	54 131	50 407	46 683	42 959	39 235	35 511	29 925
0.5	70 889	67 165	63 441	59 717	55 993	52 269	48 545	44 821	41 097	37 373	33 649	29 925	24 339

坝高 H	26m	坝顶宽 b	4m	设计参数 C	37.67
上游坝坡 m_1	2	下游坝坡 m_2	1.5	马道宽 d	3m

基本工程量 V_0 查算表

坝轴横断面左岸边坡 N_z	\multicolumn{13}{c}{坝轴横断面右岸边坡 N_y}
	3.0	2.8	2.6	2.4	2.2	2.0	1.8	1.6	1.4	1.2	1.0	0.8	0.5
3.0	93 127	90 174	87 221	84 268	81 315	78 362	75 409	72 456	69 503	66 549	63 596	60 643	56 214
2.8	90 174	87 221	84 268	81 315	78 362	75 409	72 456	69 503	66 549	63 596	60 643	57 690	53 261
2.6	87 221	84 268	81 315	78 362	75 409	72 456	69 503	66 549	63 596	60 643	57 690	54 737	50 308
2.4	84 268	81 315	78 362	75 409	72 456	69 503	66 549	63 596	60 643	57 690	54 737	51 784	47 355
2.2	81 315	78 362	75 409	72 456	69 503	66 549	63 596	60 643	57 690	54 737	51 784	48 831	44 401
2.0	78 362	75 409	72 456	69 503	66 549	63 596	60 643	57 690	54 737	51 784	48 831	45 878	41 448
1.8	75 409	72 456	69 503	66 549	63 596	60 643	57 690	54 737	51 784	48 831	45 878	42 925	38 495
1.6	72 456	69 503	66 549	63 596	60 643	57 690	54 737	51 784	48 831	45 878	42 925	39 972	35 542
1.4	69 503	66 549	63 596	60 643	57 690	54 737	51 784	48 831	45 878	42 925	39 972	37 019	32 589
1.2	66 549	63 596	60 643	57 690	54 737	51 784	48 831	45 878	42 925	39 972	37 019	34 066	29 636
1.0	63 596	60 643	57 690	54 737	51 784	48 831	45 878	42 925	39 972	37 019	34 066	31 113	26 683
0.8	60 643	57 690	54 737	51 784	48 831	45 878	42 925	39 972	37 019	34 066	31 113	28 160	23 730
0.5	56 214	53 261	50 308	47 355	44 401	41 448	38 495	35 542	32 589	29 636	26 683	23 730	19 300

坝高 H	坝顶宽 b	设计参数 C	47.00
上游坝坡 m_1	下游坝坡 m_2	马道宽 d	3m
26m	4m		
2.5	2		

基本工程量 V_0 查算表

坝轴横断面左岸边坡 N_z	坝轴横断面右岸边坡 N_y												
	3.0	2.8	2.6	2.4	2.2	2.0	1.8	1.6	1.4	1.2	1.0	0.8	0.5
3.0	116 203	112 518	108 833	105 148	101 464	97 779	94 094	90 409	86 724	83 040	79 355	75 670	70 143
2.8	112 518	108 833	105 148	101 464	97 779	94 094	90 409	86 724	83 040	79 355	75 670	71 985	6 6458
2.6	108 833	105 148	101 464	97 779	94 094	90 409	86 724	83 040	79 355	75 670	71 985	68 300	62 773
2.4	105 148	101 464	97 779	94 094	90 409	86 724	83 040	79 355	75 670	71 985	68 300	64 616	59 088
2.2	101 464	97 779	94 094	90 409	86 724	83 040	79 355	75 670	71 985	68 300	64 616	60 931	55 404
2.0	97 779	94 094	90 409	86 724	83 040	79 355	75 670	71 985	68 300	64 616	60 931	57 246	51 719
1.8	94 094	90 409	86 724	83 040	79 355	75 670	71 985	68 300	64 616	60 931	57 246	53 561	48 034
1.6	90 409	86 724	83 040	79 355	75 670	71 985	68 300	64 616	60 931	57 246	53 561	49 876	44 349
1.4	86 724	83 040	79 355	75 670	71 985	68 300	64 616	60 931	57 246	53 561	49 876	46 192	40 664
1.2	83 040	79 355	75 670	71 985	68 300	64 616	60 931	57 246	53 561	49 876	46 192	42 507	36 980
1.0	79 355	75 670	71 985	68 300	64 616	60 931	57 246	53 561	49 876	46 192	42 507	38 822	33 295
0.8	75 670	71 985	68 300	64 616	60 931	57 246	53 561	49 876	46 192	42 507	38 822	35 137	29 610
0.5	70 143	66 458	62 773	59 088	55 404	51 719	48 034	44 349	40 664	36 980	33 295	29 610	24 083

坝高 H	坝顶宽 b	设计参数 C	38.67
26m	5m		
上游坝坡 m_1	下游坝坡 m_2	马道宽 d	3m
2	1.5		

基本工程量 V_0 查算表

坝轴横断面右岸边坡 N_y

坝轴横断面左岸边坡 N_z	3.0	2.8	2.6	2.4	2.2	2.0	1.8	1.6	1.4	1.2	1.0	0.8	0.5
3.0	95 599	92 568	89 537	86 505	83 474	80 442	77 411	74 379	71 348	68 316	65 285	62 253	57 706
2.8	92 568	89 537	86 505	83 474	80 442	77 411	74 379	71 348	68 316	65 285	62 253	59 222	54 675
2.6	89 537	86 505	83 474	80 442	77 411	74 379	71 348	68 316	65 285	62 253	59 222	56 190	51 643
2.4	86 505	83 474	80 442	77 411	74 379	71 348	68 316	65 285	62 253	59 222	56 190	53 159	48 612
2.2	83 474	80 442	77 411	74 379	71 348	68 316	65 285	62 253	59 222	56 190	53 159	50 127	45 580
2.0	80 442	77 411	74 379	71 348	68 316	65 285	62 253	59 222	56 190	53 159	50 127	47 096	42 549
1.8	77 411	74 379	71 348	68 316	65 285	62 253	59 222	56 190	53 159	50 127	47 096	44 065	39 517
1.6	74 379	71 348	68 316	65 285	62 253	59 222	56 190	53 159	50 127	47 096	44 065	41 033	36 486
1.4	71 348	68 316	65 285	62 253	59 222	56 190	53 159	50 127	47 096	44 065	41 033	38 002	33 454
1.2	68 316	65 285	62 253	59 222	56 190	53 159	50 127	47 096	44 065	41 033	38 002	34 970	30 423
1.0	65 285	62 253	59 222	56 190	53 159	50 127	47 096	44 065	41 033	38 002	34 970	31 939	27 391
0.8	62 253	59 222	56 190	53 159	50 127	47 096	44 065	41 033	38 002	34 970	31 939	28 907	24 360
0.5	57 706	54 675	51 643	48 612	45 580	42 549	39 517	36 486	33 454	30 423	27 391	24 360	19 813

续附表 12

坝高 H	坝顶宽 b	设计参数 C
26m	5m	48.00
上游坝坡 m_1	下游坝坡 m_2	马道宽 d
2.5	2	3m

基本工程量 V_0 查算表

坝轴横断面左岸边坡 N_z ＼ 坝轴横断面右岸边坡 N_y	3.0	2.8	2.6	2.4	2.2	2.0	1.8	1.6	1.4	1.2	1.0	0.8	0.5
3.0	118 675	114 912	111 149	107 386	103 622	99 859	96 096	92 333	88 570	84 806	81 043	77 280	71 635
2.8	114 912	111 149	107 386	103 622	99 859	96 096	92 333	88 570	84 806	81 043	77 280	73 517	67 872
2.6	111 149	107 386	103 622	99 859	96 096	92 333	88 570	84 806	81 043	77 280	73 517	69 754	64 109
2.4	107 386	103 622	99 859	96 096	92 333	88 570	84 806	81 043	77 280	73 517	69 754	65 990	60 346
2.2	103 622	99 859	96 096	92 333	88 570	84 806	81 043	77 280	73 517	69 754	65 990	62 227	56 582
2.0	99 859	96 096	92 333	88 570	84 806	81 043	77 280	73 517	69 754	65 990	62 227	58 464	52 819
1.8	96 096	92 333	88 570	84 806	81 043	77 280	73 517	69 754	65 990	62 227	58 464	54 701	49 056
1.6	92 333	88 570	84 806	81 043	77 280	73 517	69 754	65 990	62 227	58 464	54 701	50 938	45 293
1.4	88 570	84 806	81 043	77 280	73 517	69 754	65 990	62 227	58 464	54 701	50 938	47 174	41 530
1.2	84 806	81 043	77 280	73 517	69 754	65 990	62 227	58 464	54 701	50 938	47 174	43 411	37 766
1.0	81 043	77 280	73 517	69 754	65 990	62 227	58 464	54 701	50 938	47 174	43 411	39 648	34 003
0.8	77 280	73 517	69 754	65 990	62 227	58 464	54 701	50 938	47 174	43 411	39 648	35 885	30 240
0.5	71 635	67 872	64 109	60 346	56 582	52 819	49 056	45 293	41 530	37 766	34 003	30 240	24 595

附表 13 坝高 28m(一个马道)时淤地坝坝体压实土(石)方基本工程量 V_0、设计参数 C 查算表

坝高 H	28m	坝顶宽 b	4m	设计参数 C	39.50
上游坝坡 m_1	2	下游坝坡 m_2	1.5	马道宽 d	1.5m

基本工程量 V_0 查算表

坝轴横断面左岸边坡 N_z	坝轴横断面右岸边坡 N_y												
	3.0	2.8	2.6	2.4	2.2	2.0	1.8	1.6	1.4	1.2	1.0	0.8	0.5
3.0	111 746	108 191	104 636	101 081	97 526	93 971	90 416	86 861	83 306	79 751	76 196	72 641	67 308
2.8	108 191	104 636	101 081	97 526	93 971	90 416	86 861	83 306	79 751	76 196	72 641	69 086	63 753
2.6	104 636	101 081	97 526	93 971	90 416	86 861	83 306	79 751	76 196	72 641	69 086	65 531	6 0198
2.4	101 081	97 526	93 971	90 416	86 861	83 306	79 751	76 196	72 641	69 086	65 531	61 976	56 643
2.2	97 526	93 971	90 416	86 861	83 306	79 751	76 196	72 641	69 086	65 531	61 976	58 421	53 088
2.0	93 971	90 416	86 861	83 306	79 751	76 196	72 641	69 086	65 531	61 976	58 421	54 866	49 533
1.8	90 416	86 861	83 306	79 751	76 196	72 641	69 086	65 531	61 976	58 421	54 866	51 311	45 978
1.6	86 861	83 306	79 751	76 196	72 641	69 086	65 531	61 976	58 421	54 866	51 311	47 756	42 423
1.4	83 306	79 751	76 196	72 641	69 086	65 531	61 976	58 421	54 866	51 311	47 756	44 201	38 868
1.2	79 751	76 196	72 641	69 086	65 531	61 976	58 421	54 866	51 311	47 756	44 201	40 646	35 313
1.0	76 196	72 641	69 086	65 531	61 976	58 421	54 866	51 311	47 756	44 201	40 646	37 091	31 758
0.8	72 641	69 086	65 531	61 976	58 421	54 866	51 311	47 756	44 201	40 646	37 091	33 536	28 203
0.5	67 308	63 753	60 198	56 643	53 088	49 533	45 978	42 423	38 868	35 313	31 758	28 203	22 871

坝高 H		坝顶宽 b	设计参数 C	49.50
28m		4m		
上游坝坡 m_1		下游坝坡 m_2	马道宽 d	1.5m
2.5		2		

基本工程量 V_0 查算表

坝轴横断面左岸边坡 N_z	坝轴横断面右岸边坡 N_y												
	3.0	2.8	2.6	2.4	2.2	2.0	1.8	1.6	1.4	1.2	1.0	0.8	0.5
3.0	140 036	135 581	131 126	126 671	122 216	117 761	113 306	108 851	104 396	99 941	95 486	91 031	84 348
2.8	135 581	131 126	126 671	122 216	117 761	113 306	108 851	104 396	99 941	95 486	91 031	86 576	79 893
2.6	131 126	126 671	122 216	117 761	113 306	108 851	104 396	99 941	95 486	91 031	86 576	82 121	75 438
2.4	126 671	122 216	117 761	113 306	108 851	104 396	99 941	95 486	91 031	86 576	82 121	77 666	70 983
2.2	122 216	117 761	113 306	108 851	104 396	99 941	95 486	91 031	86 576	82 121	77 666	73 211	66 528
2.0	117 761	113 306	108 851	104 396	99 941	95 486	91 031	86 576	82 121	77 666	73 211	68 756	62 073
1.8	113 306	108 851	104 396	99 941	95 486	91 031	86 576	82 121	77 666	73 211	68 756	64 301	57 618
1.6	108 851	104 396	99 941	95 486	91 031	86 576	82 121	77 666	73 211	68 756	64 301	59 846	53 163
1.4	104 396	99 941	95 486	91 031	86 576	82 121	77 666	73 211	68 756	64 301	59 846	55 391	48 708
1.2	99 941	95 486	91 031	86 576	82 121	77 666	73 211	68 756	64 301	59 846	55 391	50 936	44 253
1.0	95 486	91 031	86 576	82 121	77 666	73 211	68 756	64 301	59 846	55 391	50 936	46 481	39 798
0.8	91 031	86 576	82 121	77 666	73 211	68 756	64 301	59 846	55 391	50 936	46 481	42 026	35 343
0.5	84 348	79 893	75 438	70 983	66 528	62 073	57 618	53 163	48 708	44 253	39 798	35 343	28 661

续附表 13

坝高 H	坝顶宽 b	设计参数 C	40.50
28m	5m		1.5m
上游坝坡 m_1	下游坝坡 m_2	马道宽 d	
2	1.5		

基本工程量 V_0 查算表

坝轴横断面左岸边坡 N_z	坝轴横断面右岸边坡 N_y												
	3.0	2.8	2.6	2.4	2.2	2.0	1.8	1.6	1.4	1.2	1.0	0.8	0.5
3.0	114 575	110 930	107 285	103 640	99 995	96 350	92 705	89 060	85 415	81 770	78 125	74 480	69 012
2.8	110 930	107 285	103 640	99 995	96 350	92 705	89 060	85 415	81 770	78 125	74 480	70 835	65 367
2.6	107 285	103 640	99 995	96 350	92 705	89 060	85 415	81 770	78 125	74 480	70 835	67 190	61 722
2.4	103 640	99 995	96 350	92 705	89 060	85 415	81 770	78 125	74 480	70 835	67 190	6 3 545	58 077
2.2	99 995	96 350	92 705	89 060	85 415	81 770	78 125	74 480	70 835	67 190	63 545	59 900	54 432
2.0	96 350	92 705	89 060	85 415	81 770	78 125	74 480	70 835	67 190	63 545	59 900	56 255	50 787
1.8	92 705	89 060	85 415	81 770	78 125	74 480	70 835	67 190	63 545	59 900	56 255	52 610	47 142
1.6	89 060	85 415	81 770	78 125	74 480	70 835	67 190	63 545	59 900	56 255	52 610	48 965	43 497
1.4	85 415	81 770	78 125	74 480	70 835	67 190	63 545	59 900	56 255	52 610	48 965	45 320	39 852
1.2	81 770	78 125	74 480	70 835	67 190	63 545	59 900	56 255	52 610	48 965	45 320	41 675	36 207
1.0	78 125	74 480	70 835	67 190	63 545	59 900	56 255	52 610	48 965	45 320	41 675	38 030	32 562
0.8	74 480	70 835	67 190	63 545	59 900	56 255	52 610	48 965	45 320	41 675	38 030	34 385	28 917
0.5	69 012	65 367	61 722	58 077	54 432	50 787	47 142	43 497	39 852	36 207	32 562	28 917	23 450

续附表 13

坝高 H	坝顶宽 b	设计参数 C
28m	5m	50.50
上游坝坡 m_1	下游坝坡 m_2	马道宽 d
2.5	2	1.5m

基本工程量 V_0 查算表

坝轴横断面左岸边坡 N_z	坝轴横断面右岸边坡 N_y												
	3.0	2.8	2.6	2.4	2.2	2.0	1.8	1.6	1.4	1.2	1.0	0.8	0.5
3.0	142 865	138 320	133 775	129 230	124 685	120 140	115 595	11 1050	106 505	101 960	97 415	92 870	86 052
2.8	138 320	133 775	129 230	124 685	120 140	115 595	111 050	106 505	101 960	97 415	92 870	88 325	81 507
2.6	133 775	129 230	124 685	120 140	11 5595	111 050	106 505	101 960	97 415	92 870	88 325	83 780	76 962
2.4	129 230	124 685	120 140	115 595	111 050	106 505	101 960	97 415	92 870	88 325	83 780	79 235	72 417
2.2	124 685	120 140	115 595	111 050	106 505	101 960	97 415	92 870	88 325	83 780	79 235	74 690	67 872
2.0	120 140	115 595	111 050	106 505	101 960	97 415	92 870	88 325	83 780	79 235	74 690	70 145	63 327
1.8	115 595	111 050	106 505	101 960	97 415	92 870	88 325	83 780	79 235	74 690	70 145	65 600	58 782
1.6	111 050	106 505	101 960	97 415	92 870	88 325	83 780	79 235	74 690	70 145	65 600	61 055	54 237
1.4	106 505	101 960	97 415	92 870	88 325	83 780	79 235	74 690	70 145	65 600	61 055	56 510	49 692
1.2	101 960	97 415	92 870	88 325	83 780	79 235	74 690	70 145	65 600	61 055	56 510	51 965	45 147
1.0	97 415	92 870	88 325	83 780	79 235	74 690	70 145	65 600	61 055	56 510	51 965	47 420	40 602
0.8	92 870	88 325	83 780	79 235	74 690	70 145	65 600	61 055	56 510	51 965	47 420	42 875	36 057
0.5	86 052	81 507	76 962	72 417	67 872	63 327	58 782	54 237	49 692	45 147	40 602	36 057	29 240

坝高 H	坝顶宽 b	设计参数 C
28m	4m	40.00
上游坝坡 m_1	下游坝坡 m_2	马道宽 d
2	1.5	3m

基本工程量 V_0 查算表

坝轴横断面左岸边坡 N_z	坝轴横断面右岸边坡 N_y												
	3.0	2.8	2.6	2.4	2.2	2.0	1.8	1.6	1.4	1.2	1.0	0.8	0.5
3.0	113 160	109 560	105 960	102 360	98 760	95 160	91 560	87 960	84 360	80 760	77 160	73 560	68 160
2.8	109 560	105 960	102 360	98 760	95 160	91 560	87 960	84 360	80 760	77 160	73 560	69 960	64 560
2.6	105 960	102 360	98 760	95 160	91 560	87 960	84 360	80 760	77 160	73 560	69 960	66 360	60 960
2.4	102 360	98 760	95 160	91 560	87 960	84 360	80 760	77 160	73 560	69 960	66 360	62 760	57 360
2.2	98 760	95 160	91 560	87 960	84 360	80 760	77 160	73 560	69 960	66 360	62 760	59 160	53 760
2.0	95 160	91 560	87 960	84 360	80 760	77 160	73 560	69 960	66 360	62 760	59 160	55 560	50 160
1.8	91 560	87 960	84 360	80 760	77 160	73 560	69 960	66 360	62 760	59 160	55 560	51 960	46 560
1.6	87 960	84 360	80 760	77 160	73 560	69 960	66 360	62 760	59 160	55 560	51 960	48 360	42 960
1.4	84 360	80 760	77 160	73 560	69 960	66 360	62 760	59 160	55 560	51 960	48 360	44 760	39 360
1.2	80 760	77 160	73 560	69 960	66 360	62 760	59 160	55 560	51 960	48 360	44 760	41 160	35 760
1.0	77 160	73 560	69 960	66 360	62 760	59 160	55 560	51 960	48 360	44 760	41 160	37 560	32 160
0.8	73 560	69 960	66 360	62 760	59 160	55 560	51 960	48 360	44 760	41 160	37 560	33 960	28 560
0.5	68 160	64 560	60 960	57 360	53 760	50 160	46 560	42 960	39 360	35 760	32 160	28 560	23 160

坝高 H	坝顶宽 b	设计参数 C
28m	4m	50.00
上游坝坡 m_1	下游坝坡 m_2	马道宽 d
2.5	2	3m

基本工程量 V_0 查算表

坝轴横断面左岸边坡 N_z	坝轴横断面右岸边坡 N_y												
	3.0	2.8	2.6	2.4	2.2	2.0	1.8	1.6	1.4	1.2	1.0	0.8	0.5
3.0	141 450	136 950	132 450	127 950	123 450	118 950	114 450	109 950	105 450	100 950	96 450	91 950	85 200
2.8	136 950	132 450	127 950	123 450	118 950	114 450	109 950	105 450	100 950	96 450	91 950	87 450	80 700
2.6	132 450	127 950	123 450	118 950	114 450	109 950	105 450	100 950	96 450	91 950	87 450	82 950	76 200
2.4	127 950	123 450	118 950	114 450	109 950	105 450	100 950	96 450	91 950	87 450	82 950	78 450	71 700
2.2	123 450	118 950	114 450	109 950	105 450	100 950	96 450	91 950	87 450	82 950	78 450	73 950	67 200
2.0	118 950	114 450	109 950	105 450	100 950	96 450	91 950	87 450	82 950	78 450	73 950	69 450	62 700
1.8	114 450	109 950	105 450	100 950	96 450	91 950	87 450	82 950	78 450	73 950	69 450	64 950	58 200
1.6	109 950	105 450	100 950	96 450	91 950	87 450	82 950	78 450	73 950	69 450	64 950	60 450	53 700
1.4	105 450	100 950	96 450	91 950	87 450	82 950	78 450	73 950	69 450	64 950	60 450	55 950	49 200
1.2	100 950	96 450	91 950	87 450	82 950	78 450	73 950	69 450	64 950	60 450	55 950	51 450	44 700
1.0	96 450	91 950	87 450	82 950	78 450	73 950	69 450	64 950	60 450	55 950	51 450	46 950	40 200
0.8	91 950	87 450	82 950	78 450	73 950	69 450	64 950	60 450	55 950	51 450	46 950	42 450	35 700
0.5	85 200	80 700	76 200	71 700	67 200	62 700	58 200	53 700	49 200	44 700	40 200	35 700	28 950

坝高 H	坝顶宽 b	设计参数 C
28m	5m	41.00
上游坝坡 m_1	下游坝坡 m_2	马道宽 d
2	1.5	3m

基本工程量 V_0 查算表

坝轴横断面左岸边坡 N_z	坝轴横断面右岸边坡 N_y												
	3.0	2.8	2.6	2.4	2.2	2.0	1.8	1.6	1.4	1.2	1.0	0.8	0.5
3.0	115 989	112 299	108 609	104 919	101 229	97 539	93 849	90 159	86 469	82 779	79 089	75 399	69 864
2.8	112 299	108 609	104 919	101 229	97 539	93 849	90 159	86 469	82 779	79 089	75 399	71 709	66 174
2.6	108 609	104 919	101 229	97 539	93 849	90 159	86 469	82 779	79 089	75 399	71 709	68 019	62 484
2.4	104 919	101 229	97 539	93 849	90 159	86 469	82 779	79 089	75 399	71 709	68 019	64 329	58 794
2.2	101 229	97 539	93 849	90 159	86 469	82 779	79 089	75 399	71 709	68 019	64 329	60 639	55 104
2.0	97 539	93 849	90 159	86 469	82 779	79 089	75 399	71 709	68 019	64 329	60 639	56 949	51 414
1.8	93 849	90 159	86 469	82 779	79 089	75 399	71 709	68 019	64 329	60 639	56 949	53 259	47 724
1.6	90 159	86 469	82 779	79 089	75 399	71 709	68 019	64 329	60 639	56 949	53 259	49 569	44 034
1.4	86 469	82 779	79 089	75 399	71 709	68 019	64 329	60 639	56 949	53 259	49 569	45 879	40 344
1.2	82 779	79 089	75 399	71 709	68 019	64 329	60 639	56 949	53 259	49 569	45 879	42 189	36 654
1.0	79 089	75 399	71 709	68 019	64 329	60 639	56 949	53 259	49 569	45 879	42 189	38 499	32 964
0.8	75 399	71 709	68 019	64 329	60 639	56 949	53 259	49 569	45 879	42 189	38 499	34 809	29 274
0.5	69 864	66 174	62 484	58 794	55 104	51 414	47 724	44 034	40 344	36 654	32 964	29 274	23 739

坝高 H	坝顶宽 b	28m	设计参数 C	51.00
上游坝坡 m_1	下游坝坡 m_2	2.5	马道宽 d	3m
			5m	2

基本工程量 V_0 查算表

坝轴横断面右岸边坡 N_y

坝轴横断面左岸边坡 N_z	3.0	2.8	2.6	2.4	2.2	2.0	1.8	1.6	1.4	1.2	1.0	0.8	0.5
3.0	144 279	139 689	135 099	130 509	125 919	121 329	116 739	112 149	107 559	102 969	98 379	93 789	86 904
2.8	139 689	135 099	130 509	125 919	121 329	116 739	112 149	107 559	102 969	98 379	93 789	89 199	82 314
2.6	135 099	130 509	125 919	121 329	116 739	112 149	107 559	102 969	98 379	93 789	89 199	84 609	77 724
2.4	130 509	125 919	121 329	116 739	112 149	107 559	102 969	98 379	93 789	89 199	84 609	80 019	73 134
2.2	125 919	121 329	116 739	112 149	107 559	102 969	98 379	93 789	89 199	84 609	80 019	75 429	68 544
2.0	121 329	116 739	112 149	107 559	102 969	98 379	93 789	89 199	84 609	80 019	75 429	70 839	63 954
1.8	116 739	112 149	107 559	102 969	98 379	93 789	89 199	84 609	80 019	75 429	70 839	66 249	59 364
1.6	112 149	107 559	102 969	98 379	93 789	89 199	84 609	80 019	75 429	70 839	66 249	61 659	54 774
1.4	107 559	102 969	98 379	93 789	89 199	84 609	80 019	75 429	70 839	66 249	61 659	57 069	50 184
1.2	102 969	98 379	93 789	89 199	84 609	80 019	75 429	70 839	66 249	61 659	57 069	52 479	45 594
1.0	98 379	93 789	89 199	84 609	80 019	75 429	70 839	66 249	61 659	57 069	52 479	47 889	41 004
0.8	93 789	89 199	84 609	80 019	75 429	70 839	66 249	61 659	57 069	52 479	47 889	43 299	36 414
0.5	86 904	82 314	77 724	73 134	68 544	63 954	59 364	54 774	50 184	45 594	41 004	36 414	29 529

附表15　坝高30m(一个马道)时淤地坝坝体压实土(石)方基本工程量 V_0、设计参数 C 查算表

坝高 H	30m	坝顶宽 b	4m	设计参数 C	41.83
上游坝坡 m_1	2	下游坝坡 m_2	1.5	马道宽 d	1.5m

基本工程量 V_0 查算表

坝轴横断面左岸边坡 N_z	坝轴横断面右岸边坡 N_y												
	3.0	2.8	2.6	2.4	2.2	2.0	1.8	1.6	1.4	1.2	1.0	0.8	0.5
3.0	134 268	129 985	125 701	121 417	117 133	112 850	108 566	104 282	99 998	95 715	91 431	87 147	80 722
2.8	129 985	125 701	121 417	117 133	112 850	108 566	104 282	99 998	95 715	91 431	87 147	82 863	76 438
2.6	125 701	121 417	117 133	112 850	108 566	104 282	99 998	95 715	91 431	87 147	82 863	78 580	72 154
2.4	121 417	117 133	112 850	108 566	104 282	99 998	95 715	91 431	87 147	82 863	78 580	74 296	67 870
2.2	117 133	112 850	108 566	104 282	99 998	95 715	91 431	87 147	82 863	78 580	74 296	70 012	63 587
2.0	112 850	108 566	104 282	99 998	95 715	91 431	87 147	82 863	78 580	74 296	70 012	65 729	59 303
1.8	108 566	104 282	99 998	95 715	91 431	87 147	82 863	78 580	74 296	70 012	65 729	61 445	55 019
1.6	104 282	99 998	95 715	91 431	87 147	82 863	78 580	74 296	70 012	65 729	61 445	57 161	50 735
1.4	99 998	95 715	91 431	87 147	82 863	78 580	74 296	70 012	65 729	61 445	57 161	52 877	46 452
1.2	95 715	91 431	87 147	82 863	78 580	74 296	70 012	65 729	61 445	57 161	52 877	48 594	42 168
1.0	91 431	87 147	82 863	78 580	74 296	70 012	65 729	61 445	57 161	52 877	48 594	44 310	37 884
0.8	87 147	82 863	78 580	74 296	70 012	65 729	61 445	57 161	52 877	48 594	44 310	40 026	33 601
0.5	80 722	76 438	72 154	67 870	63 587	59 303	55 019	50 735	46 452	42 168	37 884	33 601	27 175

坝高 H	30m	坝顶宽 b	4m	设计参数 C	52.50
上游坝坡 m_1	2.5	下游坝坡 m_2	2	马道宽 d	1.5m

基本工程量 V_0 查算表

坝轴横断面左岸边坡 N_z	坝轴横断面右岸边坡 N_y												
	3.0	2.8	2.6	2.4	2.2	2.0	1.8	1.6	1.4	1.2	1.0	0.8	0.5
3.0	168 504	163 128	157 752	152 376	147 000	141 624	136 248	130 872	125 496	120 120	114 744	109 368	1013 04
2.8	163 128	157 752	152 376	147 000	141 624	136 248	130 872	125 496	120 120	114 744	109 368	103 992	95 928
2.6	157 752	152 376	147 000	141 624	136 248	130 872	125 496	120 120	114 744	109 368	103 992	98 616	90 552
2.4	152 376	147 000	141 624	136 248	130 872	125 496	120 120	114 744	109 368	103 992	98 616	93 240	85 176
2.2	147 000	141 624	136 248	130 872	125 496	120 120	114 744	109 368	103 992	98 616	93 240	87 864	79 800
2.0	141 624	136 248	130 872	125 496	120 120	114 744	109 368	103 992	98 616	93 240	87 864	82 488	74 424
1.8	136 248	130 872	125 496	120 120	114 744	109 368	103 992	98 616	93 240	87 864	82 488	77 112	69 048
1.6	130 872	125 496	120 120	114 744	109 368	103 992	98 616	93 240	87 864	82 488	77 112	71 736	63 672
1.4	125 496	120 120	114 744	109 368	103 992	98 616	93 240	87 864	82 488	77 112	71 736	66 360	58 296
1.2	120 120	114 744	109 368	103 992	98 616	93 240	87 864	82 488	77 112	71 736	66 360	60 984	52 920
1.0	114 744	109 368	103 992	98 616	93 240	87 864	82 488	77 112	71 736	66 360	60 984	55 608	47 544
0.8	109 368	103 992	98 616	93 240	87 864	82 488	77 112	71 736	66 360	60 984	55 608	50 232	42 168
0.5	101 304	95 928	90 552	85 176	79 800	74 424	69 048	63 672	58 296	52 920	47 544	42 168	34 104

续附表 15

坝高 H	坝顶宽 b	设计参数 C	53.50
30m	5m		
上游坝坡 m_1	下游坝坡 m_2	马道宽 d	1.5m
2.5	2		

基本工程量 V_0 查算表

坝轴横断面左岸边坡 N_z	坝轴横断面右岸边坡 N_y												
	3.0	2.8	2.6	2.4	2.2	2.0	1.8	1.6	1.4	1.2	1.0	0.8	0.5
3.0	171 714	166 235	160 757	155 278	149 800	144 322	138 843	133 365	127 886	122 408	116 930	111 451	103 234
2.8	166 235	160 757	155 278	149 800	144 322	138 843	133 365	127 886	122 408	116 930	111 451	105 973	97 755
2.6	160 757	155 278	149 800	144 322	138 843	133 365	127 886	122 408	116 930	111 451	105 973	100 494	92 277
2.4	155 278	149 800	144 322	138 843	133 365	127 886	122 408	116 930	111 451	105 973	100 494	95 016	86 798
2.2	149 800	144 322	138 843	133 365	127 886	122 408	116 930	111 451	105 973	100 494	95 016	89 538	81 320
2.0	144 322	138 843	133 365	127 886	122 408	116 930	111 451	105 973	100 494	95 016	89 538	84 059	75 842
1.8	138 843	133 365	127 886	122 408	116 930	111 451	105 973	100 494	95 016	89 538	84 059	78 581	70 363
1.6	133 365	127 886	122 408	116 930	111 451	105 973	100 494	95 016	89 538	84 059	78 581	73 102	64 885
1.4	127 886	122 408	116 930	111 451	105 973	100 494	95 016	89 538	84 059	78 581	73 102	67 624	59 406
1.2	122 408	116 930	111 451	105 973	100 494	95 016	89 538	84 059	78 581	73 102	67 624	62 146	53 928
1.0	116 930	111 451	105 973	100 494	95 016	89 538	84 059	78 581	73 102	67 624	62 146	56 667	48 450
0.8	111 451	105 973	100 494	95 016	89 538	84 059	78 581	73 102	67 624	62 146	56 667	51 189	42 971
0.5	103 234	97 755	92 277	86 798	81 320	75 842	70 363	64 885	59 406	53 928	48 450	42 971	34 754

续附表 15

坝高 H	30	设计参数 C	58.83
坝顶宽 b	5m	马道宽 d	1.5m
上游坝坡 m_1	3	下游坝坡 m_2	2

基本工程量 V_0 查算表

坝轴横断面右岸边坡 N_y

坝轴横断面左岸边坡 N_z	3.0	2.8	2.6	2.4	2.2	2.0	1.8	1.6	1.4	1.2	1.0	0.8	0.5
3.0	188 831	182 807	176 782	170 758	164 733	158 709	152 684	146 660	140 635	134 611	128 586	122 562	113 525
2.8	182 807	176 782	170 758	164 733	158 709	152 684	146 660	140 635	134 611	128 586	122 562	116 537	107 500
2.6	176 782	170 758	164 733	158 709	152 684	146 660	140 635	134 611	128 586	122 562	116 537	110 513	101 476
2.4	170 758	164 733	158 709	152 684	146 660	140 635	134 611	128 586	122 562	116 537	110 513	104 488	95 451
2.2	164 733	158 709	152 684	146 660	140 635	134 611	128 586	122 562	116 537	110 513	104 488	98 463	89 427
2.0	158 709	152 684	146 660	140 635	134 611	128 586	122 562	116 537	110 513	104 488	98 463	92 439	83 402
1.8	152 684	146 660	140 635	134 611	128 586	122 562	116 537	110 513	104 488	98 463	92 439	86 414	77 378
1.6	146 660	140 635	134 611	128 586	122 562	116 537	110 513	104 488	98 463	92 439	86 414	80 390	71 353
1.4	140 635	134 611	128 586	122 562	116 537	110 513	104 488	98 463	92 439	86 414	80 390	74 365	65 329
1.2	134 611	128 586	122 562	116 537	110 513	104 488	98 463	92 439	86 414	80 390	74 365	68 341	59 304
1.0	128 586	122 562	116 537	110 513	104 488	98 463	92 439	86 414	80 390	74 365	68 341	62 316	53 279
0.8	122 562	116 537	110 513	104 488	98 463	92 439	86 414	80 390	74 365	68 341	62 316	56 292	47 255
0.5	113 525	107 500	101 476	95 451	89 427	83 402	77 378	71 353	65 329	59 304	53 279	47 255	38 218

坝高 H	坝顶宽 b	设计参数 C
30m	6m	54.50
上游坝坡 m_1	下游坝坡 m_2	马道宽 d
3	2	1.5m

基本工程量 V_0 查算表

坝轴横断面左岸边坡 N_z	坝轴横断面右岸边坡 N_y												
	3.0	2.8	2.6	2.4	2.2	2.0	1.8	1.6	1.4	1.2	1.0	0.8	0.5
3.0	174 923	169 342	163 762	158 181	152 600	147 019	141 438	135 858	130 277	124 696	119 115	113 534	105 163
2.8	169 342	163 762	158 181	152 600	147 019	141 438	135 858	130 277	124 696	119 115	113 534	107 954	99 582
2.6	163 762	158 181	152 600	147 019	141 438	135 858	130 277	124 696	119 115	113 534	107 954	102 373	94 002
2.4	158 181	152 600	147 019	141 438	135 858	130 277	124 696	119 115	113 534	107 954	102 373	96 792	88 421
2.2	152 600	147 019	141 438	135 858	130 277	124 696	119 115	113 534	107 954	102 373	96 792	91 211	82 840
2.0	147 019	141 438	135 858	130 277	124 696	119 115	113 534	107 954	102 373	96 792	91 211	85 630	77 259
1.8	141 438	135 858	130 277	124 696	119 115	113 534	107 954	102 373	96 792	91 211	85 630	80 050	71 678
1.6	135 858	130 277	124 696	119 115	113 534	107 954	102 373	96 792	91 211	85 630	80 050	74 469	66 098
1.4	130 277	124 696	119 115	113 534	107 954	102 373	96 792	91 211	85 630	80 050	74 469	68 888	60 517
1.2	124 696	119 115	113 534	107 954	102 373	96 792	91 211	85 630	80 050	74 469	68 888	63 307	54 936
1.0	119 115	113 534	107 954	102 373	96 792	91 211	85 630	80 050	74 469	68 888	63 307	57 726	49 355
0.8	113 534	107 954	102 373	96 792	91 211	85 630	80 050	74 469	68 888	63 307	57 726	52 146	43 774
0.5	105 163	99 582	94 002	88 421	82 840	77 259	716 78	66 098	60 517	54 936	49 355	43 774	35 403

坝高 H	坝顶宽 b	30m	设计参数 C	59.83
上游坝坡 m_1	下游坝坡 m_2	3	马道宽 d	1.5m
3	2			

基本工程量 V_0 查算表

坝轴横断面左岸边坡 N_z	坝轴横断面右岸边坡 N_y												
	3.0	2.8	2.6	2.4	2.2	2.0	1.8	1.6	1.4	1.2	1.0	0.8	0.5
3.0	192 041	185 914	179 787	173 660	167 533	161 406	155 279	149 153	143 026	136 899	130 772	124 645	115 454
2.8	185 914	179 787	173 660	167 533	161 406	155 279	149 153	143 026	136 899	130 772	124 645	118 518	109 327
2.6	179 787	173 660	167 533	161 406	155 279	149 153	143 026	136 899	130 772	124 645	118 518	112 391	103 201
2.4	173 660	167 533	161 406	155 279	149 153	143 026	136 899	130 772	124 645	118 518	112 391	106 264	97 074
2.2	167 533	161 406	155 279	149 153	143 026	136 899	130 772	124 645	118 518	112 391	106 264	100 137	90 947
2.0	161 406	155 279	149 153	143 026	136 899	130 772	124 645	118 518	112 391	106 264	100 137	94 010	84 820
1.8	155 279	149 153	143 026	136 899	130 772	124 645	118 518	112 391	106 264	100 137	94 010	87 883	78 693
1.6	149 153	143 026	136 899	130 772	124 645	118 518	112 391	106 264	100 137	94 010	87 883	81 756	72 566
1.4	143 026	136 899	130 772	124 645	118 518	112 391	106 264	100 137	94 010	87 883	81 756	75 629	66 439
1.2	136 899	130 772	124 645	118 518	112 391	106 264	100 137	94 010	87 883	81 756	75 629	69 502	60 312
1.0	130 772	124 645	118 518	112 391	106 264	100 137	94 010	87 883	81 756	75 629	69 502	63 375	54 185
0.8	124 645	118 518	112 391	106 264	100 137	94 010	87 883	81 756	75 629	69 502	63 375	57 249	48 058
0.5	115 454	109 327	103 201	97 074	90 947	84 820	78 693	72 566	66 439	60 312	54 185	48 058	38 868

附表 16　坝高 30m(二个马道)时淤地坝坝体压实土(石)方基本工程量 V_0、设计参数 C 查算表

坝高 H	坝顶宽 b	设计参数 C
30m	4m	42.33

上游坝坡 m_1	下游坝坡 m_2	马道宽 d
2	1.5	3m

基本工程量 V_0 查算表

坝轴横断面左岸边坡 N_z	坝轴横断面右岸边坡 N_y												
	3.0	2.8	2.6	2.4	2.2	2.0	1.8	1.6	1.4	1.2	1.0	0.8	0.5
3.0	135 873	131 538	127 203	122 868	118 533	114 198	109 863	105 529	101 194	96 859	92 524	88 189	81 686
2.8	131 538	127 203	122 868	118 533	114 198	109 863	105 529	101 194	96 859	92 524	88 189	83 854	77 351
2.6	127 203	122 868	118 533	114 198	109 863	105 529	101 194	96 859	92 524	88 189	83 854	79 519	73 017
2.4	122 868	118 533	114 198	109 863	105 529	101 194	96 859	92 524	88 189	83 854	79 519	75 184	68 682
2.2	118 533	114 198	109 863	105 529	101 194	96 859	92 524	88 189	83 854	79 519	75 184	70 849	64 347
2.0	114 198	109 863	105 529	101 194	96 859	92 524	88 189	83 854	79 519	75 184	70 849	66 514	60 012
1.8	109 863	105 529	101 194	96 859	92 524	88 189	83 854	79 519	75 184	70 849	66 514	62 179	55 677
1.6	105 529	101 194	96 859	92 524	88 189	83 854	79 519	75 184	70 849	66 514	62 179	57 844	51 342
1.4	101 194	96 859	92 524	88 189	83 854	79 519	75 184	70 849	66 514	62 179	57 844	53 509	47 007
1.2	96 859	92 524	88 189	83 854	79 519	75 184	70 849	66 514	62 179	57 844	53 509	49 174	42 672
1.0	92 524	88 189	83 854	79 519	75 184	70 849	66 514	62 179	57 844	53 509	49 174	44 839	38 337
0.8	88 189	83 854	79 519	75 184	70 849	66 514	62 179	57 844	53 509	49 174	44 839	40 505	34 002
0.5	81 686	77 351	73 017	68 682	64 347	60 012	55 677	51 342	47 007	42 672	38 337	34 002	27 500

续附表 16

坝高 H	坝顶宽 b	设计参数 C
30m	4m	53.00
上游坝坡 m_1	下游坝坡 m_2	马道宽 d
2.5	2	3m

基本工程量 V_0 查算表

坝轴横断面右岸边坡 N_y

坝轴横断面左岸边坡 N_z	3.0	2.8	2.6	2.4	2.2	2.0	1.8	1.6	1.4	1.2	1.0	0.8	0.5
3.0	170 109	164 682	159 254	153 827	148 400	142 973	137 546	132 118	126 691	121 264	115 837	110 410	102 269
2.8	164 682	159 254	153 827	148 400	142 973	137 546	132 118	126 691	121 264	115 837	110 410	104 982	96 842
2.6	159 254	153 827	148 400	142 973	137 546	132 118	126 691	121 264	115 837	110 410	104 982	99 555	91 414
2.4	153 827	148 400	142 973	137 546	132 118	126 691	121 264	115 837	110 410	104 982	99 555	94 128	85 987
2.2	148 400	142 973	137 546	132 118	126 691	121 264	115 837	110 410	104 982	99 555	94 128	88 701	80 560
2.0	142 973	137 546	132 118	126 691	121 264	115 837	110 410	104 982	99 555	94 128	88 701	83 274	75 133
1.8	137 546	132 118	126 691	121 264	115 837	110 410	104 982	99 555	94 128	88 701	83 274	77 846	69 706
1.6	132 118	126 691	121 264	115 837	110 410	104 982	99 555	94 128	88 701	83 274	77 846	72 419	64 278
1.4	126 691	121 264	115 837	110 410	104 982	99 555	94 128	88 701	83 274	77 846	72 419	66 992	58 851
1.2	121 264	115 837	110 410	104 982	99 555	94 128	88 701	83 274	77 846	72 419	66 992	61 565	53 424
1.0	115 837	110 410	104 982	99 555	94 128	88 701	83 274	77 846	72 419	66 992	61 565	56 138	47 997
0.8	110 410	104 982	99 555	94 128	88 701	83 274	77 846	72 419	66 992	61 565	56 138	50 710	42 570
0.5	102 269	96 842	91 414	85 987	80 560	75 133	69 706	64 278	58 851	53 424	47 997	42 570	34 429

坝高 H	坝顶宽 b	设计参数 C	
30m	5m	54.00	
上游坝坡 m_1	下游坝坡 m_2	马道宽 d	
2.5	2	3m	

基本工程量 V_0 查算表

坝轴横断面左岸边坡 N_z	坝轴横断面右岸边坡 N_y												
	3.0	2.8	2.6	2.4	2.2	2.0	1.8	1.6	1.4	1.2	1.0	0.8	0.5
3.0	173 318	167 789	162 259	156 730	151 200	145 670	140 141	134 611	129 082	123 552	118 022	112 493	104 198
2.8	167 789	162 259	156 730	151 200	145 670	140 141	134 611	129 082	123 552	118 022	112 493	106 963	98 669
2.6	162 259	156 730	151 200	145 670	140 141	134 611	129 082	123 552	118 022	112 493	106 963	101 434	93 139
2.4	156 730	151 200	145 670	140 141	134 611	129 082	123 552	118 022	112 493	106 963	101 434	95 904	87 610
2.2	151 200	145 670	140 141	134 611	129 082	123 552	118 022	112 493	106 963	101 434	95 904	90 374	82 080
2.0	145 670	140 141	134 611	129 082	123 552	118 022	112 493	106 963	101 434	95 904	90 374	84 845	76 550
1.8	140 141	134 611	129 082	123 552	118 022	112 493	106 963	101 434	95 904	90 374	84 845	79 315	71 021
1.6	134 611	129 082	123 552	118 022	112 493	106 963	101 434	95 904	90 374	84 845	79 315	73 786	65 491
1.4	129 082	123 552	118 022	112 493	106 963	101 434	95 904	90 374	84 845	79 315	73 786	68 256	59 962
1.2	123 552	118 022	112 493	106 963	101 434	95 904	90 374	84 845	79 315	73 786	68 256	62 726	54 432
1.0	118 022	112 493	106 963	101 434	95 904	90 374	84 845	79 315	73 786	68 256	62 726	57 197	48 902
0.8	112 493	106 963	101 434	95 904	90 374	84 845	79 315	73 786	68 256	62 726	57 197	51 667	43 373
0.5	104 198	98 669	93 139	87 610	82 080	76 550	71 021	65 491	59 962	54 432	48 902	43 373	35 078

坝高 H	30m	设计参数 C	59.33
上游坝坡 m_1	3	下游坝坡 m_2	2
坝顶宽 b	5m	马道宽 d	3m

基本工程量 V_0 查算表

坝轴横断面左岸边坡 N_z	坝轴横断面右岸边坡 N_y												
	0.5	0.8	1.0	1.2	1.4	1.6	1.8	2.0	2.2	2.4	2.6	2.8	3.0
3.0	114 490	123 603	129 679	135 755	141 830	147 906	153 982	160 058	166 133	172 209	178 285	184 361	190 436
2.8	108 414	117 527	123 603	129 679	135 755	141 830	147 906	153 982	160 058	166 133	172 209	178 285	184 361
2.6	102 338	111 452	117 527	123 603	129 679	135 755	141 830	147 906	153 982	160 058	166 133	172 209	178 285
2.4	96 262	105 376	111 452	117 527	123 603	129 679	135 755	141 830	147 906	153 982	160 058	166 133	172 209
2.2	90 187	99 300	105 376	111 452	117 527	123 603	129 679	135 755	141 830	147 906	153 982	160 058	166 133
2.0	84 111	93 225	99 300	105 376	111 452	117 527	123 603	129 679	135 755	141 830	147 906	153 982	160 058
1.8	78 035	87 149	93 225	99 300	105 376	111 452	117 527	123 603	129 679	135 755	141 830	147 906	153 982
1.6	71 959	81 073	87 149	93 225	99 300	105 376	111 452	117 527	123 603	129 679	135 755	141 830	147 906
1.4	65 884	74 997	81 073	87 149	93 225	99 300	105 376	111 452	117 527	123 603	129 679	135 755	141 830
1.2	59 808	68 922	74 997	81 073	87 149	93 225	99 300	105 376	111 452	117 527	123 603	129 679	135 755
1.0	53 732	62 846	68 922	74 997	81 073	87 149	93 225	99 300	105 376	111 452	117 527	123 603	129 679
0.8	47 657	56 770	62 846	68 922	74 997	81 073	87 149	93 225	99 300	105 376	111 452	117 527	123 603
0.5	38 543	47 657	53 732	59 808	65 884	71 959	78 035	84 111	90 187	96 262	102 338	108 414	114 490

续附表 16

坝高 H	30m	坝顶宽 b	6m	设计参数 C	55.00
上游坝坡 m_1	2.5	下游坝坡 m_2	2	马道宽 d	3m

基本工程量 V_0 查算表

坝轴横断面左岸边坡 N_z	坝轴横断面右岸边坡 N_y												
	3.0	2.8	2.6	2.4	2.2	2.0	1.8	1.6	1.4	1.2	1.0	0.8	0.5
3.0	176 528	170 896	165 264	159 632	154 000	148 368	142 736	137 104	131 472	125 840	120 208	114 576	113 168
2.8	170 896	165 264	159 632	154 000	148 368	142 736	137 104	131 472	125 840	120 208	114 576	108 944	107 536
2.6	165 264	159 632	154 000	148 368	142 736	137 104	131 472	125 840	120 208	114 576	108 944	103 312	101 904
2.4	159 632	154 000	148 368	142 736	137 104	131 472	125 840	120 208	114 576	108 944	103 312	97 680	96 272
2.2	154 000	148 368	142 736	137 104	131 472	125 840	120 208	114 576	108 944	103 312	97 680	92 048	90 640
2.0	148 368	142 736	137 104	131 472	125 840	120 208	114 576	108 944	103 312	97 680	92 048	86 416	85 008
1.8	142 736	137 104	131 472	125 840	120 208	114 576	108 944	103 312	97 680	92 048	86 416	80 784	79 376
1.6	137 104	131 472	125 840	120 208	114 576	108 944	103 312	97 680	92 048	86 416	80 784	75 152	73 744
1.4	131 472	125 840	120 208	114 576	108 944	103 312	97 680	92 048	86 416	80 784	75 152	69 520	68 112
1.2	125 840	120 208	114 576	108 944	103 312	97 680	92 048	86 416	80 784	75 152	69 520	63 888	62 480
1.0	120 208	114 576	108 944	103 312	97 680	92 048	86 416	80 784	75 152	69 520	63 888	58 256	56 848
0.8	114 576	108 944	103 312	97 680	92 048	86 416	80 784	75 152	69 520	63 888	58 256	52 624	51 216
0.5	113 168	107 536	101 904	96 272	90 640	85 008	79 376	73 744	68 112	62 480	56 848	51 216	49 808

坝高 H	坝顶宽 b	设计参数 C
30m	6m	60.33
上游坝坡 m_1	下游坝坡 m_2	马道宽 d
3	2	3m

基本工程量 V_0 查算表

坝轴横断面左岸边坡 N_z	坝轴横断面右岸边坡 N_y												
	0.5	0.8	1.0	1.2	1.4	1.6	1.8	2.0	2.2	2.4	2.6	2.8	3.0
3.0	124 142	125 686	131 865	138 043	144 221	150 399	156 577	162 755	168 933	175 111	181 290	187 468	193 646
2.8	117 964	119 508	125 686	131 865	138 043	144 221	150 399	156 577	162 755	168 933	175 111	181 290	187 468
2.6	111 786	113 330	119 508	125 686	131 865	138 043	144 221	150 399	156 577	162 755	168 933	175 111	181 290
2.4	105 607	107 152	113 330	119 508	125 686	131 865	138 043	144 221	150 399	156 577	162 755	168 933	175 111
2.2	99 429	100 974	107 152	113 330	119 508	125 686	131 865	138 043	144 221	150 399	156 577	162 755	168 933
2.0	93 251	94 796	100 974	107 152	113 330	119 508	125 686	131 865	138 043	144 221	150 399	156 577	162 755
1.8	87 073	88 618	94 796	100 974	107 152	113 330	119 508	125 686	131 865	138 043	144 221	150 399	156 577
1.6	80 895	82 439	88 618	94 796	100 974	107 152	113 330	119 508	125 686	131 865	138 043	144 221	150 399
1.4	74 717	76 261	82 439	88 618	94 796	100 974	107 152	113 330	119 508	125 686	131 865	138 043	144 221
1.2	68 539	70 083	76 261	82 439	88 618	94 796	100 974	107 152	113 330	119 508	125 686	131 865	138 043
1.0	62 361	63 905	70 083	76 261	82 439	88 618	94 796	100 974	107 152	113 330	119 508	125 686	131 865
0.8	56 182	57 727	63 905	70 083	76 261	82 439	88 618	94 796	100 974	107 152	113 330	119 508	125 686
0.5	54 638	56 182	62 361	68 539	74 717	80 895	87 073	93 251	99 429	105 607	111 786	117 964	124 142

附表 17　坝高 32m(一个马道)时淤地坝坝体压实土(石)方基本工程量 V_0、设计参数 C 查算表

坝高 H	坝顶宽 b	设计参数 C	56.50
32m	5m		
上游坝坡 m_1	下游坝坡 m_2	马道宽 d	1.5m
2.5	2		

基本工程量 V_0 查算表

坝轴横断面左岸边坡 N_z	坝轴横断面右岸边坡 N_y												
	3.0	2.8	2.6	2.4	2.2	2.0	1.8	1.6	1.4	1.2	1.0	0.8	0.5
3.0	204 202	197 671	191 140	184 608	178 077	171 545	165 014	158 483	151 951	145 420	138 888	132 357	122 560
2.8	197 671	191 140	184 608	178 077	171 545	165 014	158 483	151 951	145 420	138 888	132 357	125 826	116 028
2.6	191 140	184 608	178 077	171 545	165 014	158 483	151 951	145 420	138 888	132 357	125 826	119 294	109 497
2.4	184 608	178 077	171 545	165 014	158 483	151 951	145 420	138 888	132 357	125 826	119 294	112 763	102 966
2.2	178 077	171 545	165 014	158 483	151 951	145 420	138 888	132 357	125 826	119 294	112 763	106 231	96 434
2.0	171 545	165 014	158 483	151 951	145 420	138 888	132 357	125 826	119 294	112 763	106 231	99 700	89 903
1.8	165 014	158 483	151 951	145 420	138 888	132 357	125 826	119 294	112 763	106 231	99 700	93 169	83 371
1.6	158 483	151 951	145 420	138 888	132 357	125 826	119 294	112 763	106 231	99 700	93 169	86 637	76 840
1.4	151 951	145 420	138 888	132 357	125 826	119 294	112 763	106 231	99 700	93 169	86 637	80 106	70 309
1.2	145 420	138 888	132 357	125 826	119 294	112 763	106 231	99 700	93 169	86 637	80 106	73 574	63 777
1.0	138 888	132 357	125 826	119 294	112 763	106 231	99 700	93 169	86 637	80 106	73 574	67 043	57 246
0.8	132 357	125 826	119 294	112 763	106 231	99 700	93 169	86 637	80 106	73 574	67 043	60 512	50 714
0.5	122 560	116 028	109 497	102 966	96 434	89 903	83 371	76 840	70 309	63 777	57 246	50 714	40 917

续附表 17

坝高 H	坝顶宽 b	设计参数 C
32m	5m	62.17
上游坝坡 m_1	下游坝坡 m_2	马道宽 d
3	2	1.5m

基本工程量 V_0 查算表

坝轴横断面右岸边坡 N_y

坝轴横断面左岸边坡 N_z	3.0	2.8	2.6	2.4	2.2	2.0	1.8	1.6	1.4	1.2	1.0	0.8	0.5
3.0	224 683	217 496	210 310	203 123	195 937	188 750	181 564	174 378	167 191	160 005	152 818	145 632	134 852
2.8	217 496	210 310	203 123	195 937	188 750	181 564	174 378	167 191	160 005	152 818	145 632	138 445	127 665
2.6	210 310	203 123	195 937	188 750	181 564	174 378	167 191	160 005	152 818	145 632	138 445	131 259	120 479
2.4	203 123	195 937	188 750	181 564	174 378	167 191	160 005	152 818	145 632	138 445	131 259	124 072	113 293
2.2	195 937	188 750	181 564	174 378	167 191	160 005	152 818	145 632	138 445	131 259	124 072	116 886	106 106
2.0	188 750	181 564	174 378	167 191	160 005	152 818	145 632	138 445	131 259	124 072	116 886	109 699	98 920
1.8	181 564	174 378	167 191	160 005	152 818	145 632	138 445	131 259	124 072	116 886	109 699	102 513	91 733
1.6	174 378	167 191	160 005	152 818	145 632	138 445	131 259	124 072	116 886	109 699	102 513	95 326	84 547
1.4	167 191	160 005	152 818	145 632	138 445	131 259	124 072	116 886	109 699	102 513	95 326	88 140	77 360
1.2	160 005	152 818	145 632	138 445	131 259	124 072	116 886	109 699	102 513	95 326	88 140	80 953	70 174
1.0	152 818	145 632	138 445	131 259	124 072	116 886	109 699	102 513	95 326	88 140	80 953	73 767	62 987
0.8	145 632	138 445	131 259	124 072	116 886	109 699	102 513	95 326	88 140	80 953	73 767	66 581	55 801
0.5	134 852	127 665	120 479	113 293	106 106	98 920	91 733	84 547	77 360	70 174	62 987	55 801	45 021

坝高 H	坝顶宽 b	设计参数 C	57.50
		马道宽 d	1.5m
32m	6m		
上游坝坡 m_1	下游坝坡 m_2		
2.5	2		

基本工程量 V_0 查算表

坝轴横断面左岸边坡 N_z	坝轴横断面右岸边坡 N_y												
	3.0	2.8	2.6	2.4	2.2	2.0	1.8	1.6	1.4	1.2	1.0	0.8	0.5
3.0	207 817	201 170	194 523	187 876	181 229	174 582	167 935	161 288	154 641	147 994	141 347	134 700	124 729
2.8	201 170	194 523	187 876	181 229	174 582	167 935	161 288	154 641	147 994	141 347	134 700	128 053	118 082
2.6	194 523	187 876	181 229	174 582	167 935	161 288	154 641	147 994	141 347	13 4700	128 053	121 406	111 435
2.4	187 876	181 229	174 582	167 935	161 288	154 641	147 994	141 347	134 700	128 053	121 406	114 759	104 788
2.2	181 229	174 582	167 935	161 288	154 641	147 994	141 347	134 700	128 053	121 406	114 759	108 112	98 141
2.0	174 582	167 935	161 288	154 641	147 994	141 347	134 700	128 053	121 406	114 759	108 112	101 465	91 494
1.8	167 935	161 288	154 641	147 994	141 347	134 700	128 053	121 406	114 759	108 112	101 465	94 818	84 847
1.6	161 288	154 641	147 994	141 347	134 700	128 053	121 406	114 759	108 112	101 465	94 818	88 171	78 200
1.4	154 641	147 994	141 347	134 700	128 053	121 406	114 759	108 112	101 465	94 818	88 171	81 524	71 553
1.2	147 994	141 347	134 700	128 053	121 406	114 759	108 112	101 465	94 818	88 171	81 524	74 877	64 906
1.0	141 347	134 700	128 053	121 406	114 759	108 112	101 465	94 818	88 171	81 524	74 877	68 230	58 259
0.8	134 700	128 053	121 406	114 759	108 112	101 465	94 818	88 171	81 524	74 877	68 230	61 583	51 612
0.5	124 729	118 082	111 435	104 788	98 141	91 494	84 847	78 200	71 553	64 906	58 259	51 612	41 642

续附表 17

坝高 H	坝顶宽 b	设计参数 C	63.17
32m	6m		
上游坝坡 m_1	下游坝坡 m_2	马道宽 d	1.5m
3	2		

基本工程量 V_0 查算表

坝轴横断面左岸边坡 N_z	\\ 坝轴横断面右岸边坡 N_y = 0.5	0.8	1.0	1.2	1.4	1.6	1.8	2.0	2.2	2.4	2.6	2.8	3.0
3.0	137 021	147 974	155 276	162 578	169 880	177 183	184 485	191 787	199 089	206 391	213 693	220 995	22 8297
2.8	129 719	140 672	147 974	155 276	162 578	169 880	177 183	184 485	191 787	199 089	206 391	213 693	220 995
2.6	122 417	133 370	140 672	147 974	155 276	162 578	169 880	177 183	184 485	191 787	199 089	206 391	213 693
2.4	115 115	126 068	133 370	140 672	147 974	155 276	162 578	169 880	177 183	184 485	191 787	199 089	206 391
2.2	107 813	118 766	126 068	133 370	140 672	147 974	155 276	162 578	169 880	177 183	184 485	191 787	199 089
2.0	100 511	111 464	118 766	126 068	133 370	140 672	147 974	155 276	162 578	169 880	177 183	184 485	191 787
1.8	93 209	104 162	111 464	118 766	126 068	133 370	140 672	147 974	155 276	162 578	169 880	177 183	184 485
1.6	85 907	96 860	104 162	111 464	118 766	126 068	133 370	140 672	147 974	155 276	162 578	169 880	177 183
1.4	78 605	89 558	96 860	104 162	111 464	118 766	126 068	133 370	140 672	147 974	155 276	162 578	169 880
1.2	71 303	82 256	89 558	96 860	104 162	111 464	118 766	126 068	133 370	140 672	147 974	155 276	162 578
1.0	64 000	74 954	82 256	89 558	96 860	104 162	111 464	118 766	126 068	133 370	140 672	147 974	155 276
0.8	56 698	67 652	74 954	82 256	89 558	96 860	104 162	111 464	118 766	126 068	133 370	140 672	147 974
0.5	45 745	56 698	64 000	71 303	78 605	85 907	93 209	100 511	107 813	115 115	122 417	129 719	137 021

附表 18 坝高 32m(二个马道)时淤地坝坝体压实土(石)方基本工程量 V_0、设计参数 C 查算表

坝高 H	坝顶宽 b	设计参数 C
32m	5m	57.00
上游坝坡 m_1	下游坝坡 m_2	马道宽 d
2.5	2	3m

基本工程量 V_0 查算表

坝轴横断面左岸边坡 N_z	坝轴横断面右岸边坡 N_y												
	0.5	0.8	1.0	1.2	1.4	1.6	1.8	2.0	2.2	2.4	2.6	2.8	3.0
3.0	123 644	133 528	140 117	146 707	153 296	159 885	166 474	173 063	179 653	186 242	192 831	199 420	206 009
2.8	117 055	126 939	133 528	140 117	146 707	153 296	159 885	166 474	173 063	179 653	186 242	192 831	199 420
2.6	110 466	120 350	126 939	133 528	140 117	146 707	153 296	159 885	166 474	173 063	179 653	186 242	192 831
2.4	103 877	113 761	120 350	126 939	133 528	140 117	146 707	153 296	159 885	166 474	173 063	179 653	186 242
2.2	97 288	107 171	113 761	120 350	126 939	133 528	140 117	146 707	153 296	159 885	166 474	173 063	179 653
2.0	90 698	100 582	107 171	113 761	120 350	126 939	133 528	140 117	146 707	153 296	159 885	166 474	173 063
1.8	84 109	93 993	100 582	107 171	113 761	120 350	126 939	133 528	140 117	146 707	153 296	159 885	166 474
1.6	77 520	87 404	93 993	100 582	107 171	113 761	120 350	126 939	133 528	140 117	146 707	153 296	159 885
1.4	70 931	80 815	87 404	93 993	100 582	107 171	113 761	120 350	126 939	133 528	140 117	146 707	153 296
1.2	64 342	74 225	80 815	87 404	93 993	100 582	107 171	113 761	120 350	126 939	133 528	140 117	146 707
1.0	57 752	67 636	74 225	80 815	87 404	93 993	100 582	107 171	113 761	120 350	126 939	133 528	140 117
0.8	51 163	61 047	67 636	74 225	80 815	87 404	93 993	100 582	107 171	113 761	120 350	126 939	133 528
0.5	41 279	51 163	57 752	64 342	70 931	77 520	84 109	90 698	97 288	103 877	110 466	117 055	123 644

坝高 H	坝顶宽 b	设计参数 C	62.67
32m	5m	马道宽 d	3m
上游坝坡 m_1	下游坝坡 m_2		
3	2		

基本工程量 V_0 查算表

坝轴横断面左岸边坡 N_z	坝轴横断面右岸边坡 N_y												
	3.0	2.8	2.6	2.4	2.2	2.0	1.8	1.6	1.4	1.2	1.0	0.8	0.5
3.0	226 490	219 246	212 001	204 757	197 513	190 269	183 024	175 780	168 536	161 291	154 047	146 803	135 937
2.8	219 246	212 001	204 757	197 513	190 269	183 024	175 780	168 536	161 291	154 047	146 803	139 559	128 692
2.6	212 001	204 757	197 513	190 269	183 024	175 780	168 536	161 291	154 047	146 803	139 559	132 314	121 448
2.4	204 757	197 513	190 269	183 024	175 780	168 536	161 291	154 047	146 803	139 559	132 314	125 070	114 204
2.2	197 513	190 269	183 024	175 780	168 536	161 291	154 047	146 803	139 559	132 314	125 070	117 826	106 959
2.0	190 269	183 024	175 780	168 536	161 291	154 047	146 803	139 559	132 314	125 070	117 826	110 582	99 715
1.8	183 024	175 780	168 536	161 291	154 047	146 803	139 559	132 314	125 070	117 826	110 582	103 337	92 471
1.6	175 780	168 536	161 291	154 047	146 803	139 559	132 314	125 070	117 826	110 582	103 337	96 093	85 227
1.4	168 536	161 291	154 047	146 803	139 559	132 314	125 070	117 826	110 582	103 337	96 093	88 849	77 982
1.2	161 291	154 047	146 803	139 559	132 314	125 070	117 826	110 582	103 337	96 093	88 849	81 605	70 738
1.0	154 047	146 803	139 559	132 314	125 070	117 826	110 582	103 337	96 093	88 849	81 605	74 360	63 494
0.8	146 803	139 559	132 314	125 070	117 826	110 582	103 337	96 093	88 849	81 605	74 360	67 116	56 250
0.5	135 937	128 692	121 448	114 204	106 959	99 715	92 471	85 227	77 982	70 738	63 494	56 250	45 383

坝高 H	坝顶宽 b	设计参数 C	58.00
32m	6m		
上游坝坡 m_1	下游坝坡 m_2	马道宽 d	3m
2.5	2		

基本工程量 V_0 查算表

坝轴横断面左岸边坡 N_z	\multicolumn{13}{c}{坝轴横断面右岸边坡 N_y}												
	3.0	2.8	2.6	2.4	2.2	2.0	1.8	1.6	1.4	1.2	1.0	0.8	0.5
3.0	209 624	202 919	196 214	189 509	182 804	176 100	169 395	162 690	155 985	149 280	142 576	135 871	125 814
2.8	202 919	196 214	189 509	182 804	176 100	169 395	162 690	155 985	149 280	142 576	135 871	129 166	119 109
2.6	196 214	189 509	182 804	176 100	169 395	162 690	155 985	149 280	142 576	135 871	129 166	122 461	112 404
2.4	189 509	182 804	176 100	169 395	162 690	155 985	149 280	142 576	135 871	129 166	122 461	115 756	105 699
2.2	182 804	176 100	169 395	162 690	155 985	149 280	142 576	135 871	129 166	122 461	115 756	109 052	98 994
2.0	176 100	169 395	162 690	155 985	149 280	142 576	135 871	129 166	122 461	115 756	109 052	102 347	92 290
1.8	169 395	162 690	155 985	149 280	142 576	135 871	129 166	122 461	115 756	109 052	102 347	95 642	85 585
1.6	162 690	155 985	149 280	142 576	135 871	129 166	122 461	115 756	109 052	102 347	95 642	88 937	78 880
1.4	155 985	149 280	142 576	135 871	129 166	122 461	115 756	109 052	102 347	95 642	88 937	82 232	72 175
1.2	149 280	142 576	135 871	129 166	122 461	115 756	109 052	102 347	95 642	88 937	82 232	75 528	65 470
1.0	142 576	135 871	129 166	122 461	115 756	109 052	102 347	95 642	88 937	82 232	75 528	68 823	58 766
0.8	135 871	129 166	122 461	115 756	109 052	102 347	95 642	88 937	82 232	75 528	68 823	62 118	52 061
0.5	125 814	119 109	112 404	105 699	98 994	92 290	85 585	78 880	72 175	65 470	58 766	52 061	42 004

続附表 18

坝高 H	坝顶宽 b	设计参数 C
32m	6m	63.67
上游坝坡 m_1	下游坝坡 m_2	马道宽 d
3	2	3m

基本工程量 V_0 查算表

坝轴横断面左岸边坡 N_z	坝轴横断面右岸边坡 N_y												
	3.0	2.8	2.6	2.4	2.2	2.0	1.8	1.6	1.4	1.2	1.0	0.8	0.5
3.0	230 104	222 744	215 384	208 024	200 665	193 305	185 945	178 585	171 225	163 865	156 505	149 146	138 106
2.8	222 744	215 384	208 024	200 665	193 305	185 945	178 585	171 225	163 865	156 505	149 146	141 786	130 746
2.6	215 384	208 024	200 665	193 305	185 945	178 585	171 225	163 865	156 505	149 146	141 786	134 426	123 386
2.4	208 024	200 665	193 305	185 945	178 585	171 225	163 865	156 505	149 146	141 786	134 426	127 066	116 026
2.2	200 665	193 305	185 945	178 585	171 225	163 865	156 505	149 146	141 786	134 426	127 066	119 706	108 666
2.0	193 305	185 945	178 585	171 225	163 865	156 505	149 146	141 786	134 426	127 066	119 706	112 346	101 306
1.8	185 945	178 585	171 225	163 865	156 505	149 146	141 786	134 426	127 066	119 706	112 346	104 986	93 947
1.6	178 585	171 225	163 865	156 505	149 146	141 786	134 426	127 066	119 706	112 346	104 986	97 626	86 587
1.4	171 225	163 865	156 505	149 146	141 786	134 426	127 066	119 706	112 346	104 986	97 626	90 267	79 227
1.2	163 865	156 505	149 146	141 786	134 426	127 066	119 706	112 346	104 986	97 626	90 267	82 907	71 867
1.0	156 505	149 146	141 786	134 426	127 066	119 706	112 346	104 986	97 626	90 267	82 907	75 547	64 507
0.8	149 146	141 786	134 426	127 066	119 706	112 346	104 986	97 626	90 267	82 907	75 547	68 187	57 147
0.5	138 106	130 746	123 386	116 026	108 666	101 306	93 947	86 587	79 227	71 867	64 507	57 147	46 107

附表 19　坝高 34m（一个马道）时淤地坝坝体压实土（石）方基本工程量 V_0、设计参数 C 查算表

坝高 H	坝顶宽 b	设计参数 C	59.50
34m	5m	马道宽 d	1.5m
上游坝坡 m_1	下游坝坡 m_2	2	
2.5			

基本工程量 V_0 查算表

坝轴横断面左岸边坡 N_z	坝轴横断面右岸边坡 N_y												
	3.0	2.8	2.6	2.4	2.2	2.0	1.8	1.6	1.4	1.2	1.0	0.8	0.5
3.0	240 547	232 835	225 124	217 413	209 702	201 991	194 279	186 568	178 857	171 146	163 435	155 723	144 157
2.8	232 835	225 124	217 413	209 702	201 991	194 279	186 568	178 857	171 146	163 435	155 723	148 012	136 445
2.6	225 124	217 413	209 702	201 991	194 279	186 568	178 857	171 146	163 435	155 723	148 012	140 301	128 734
2.4	217 413	209 702	201 991	194 279	186 568	178 857	171 146	163 435	155 723	148 012	140 301	132 590	121 023
2.2	209 702	201 991	194 279	186 568	178 857	171 146	163 435	155 723	148 012	140 301	132 590	124 879	113 312
2.0	201 991	194 279	186 568	178 857	171 146	163 435	155 723	148 012	140 301	132 590	124 879	117 167	105 601
1.8	194 279	186 568	178 857	171 146	163 435	155 723	148 012	140 301	132 590	124 879	117 167	109 456	97 889
1.6	186 568	178 857	171 146	163 435	155 723	148 012	140 301	132 590	124 879	117 167	109 456	101 745	90 178
1.4	178 857	171 146	163 435	155 723	148 012	140 301	132 590	124 879	117 167	109 456	101 745	94 034	82 467
1.2	171 146	163 435	155 723	148 012	140 301	132 590	124 879	117 167	109 456	101 745	94 034	86 323	74 756
1.0	163 435	155 723	148 012	140 301	132 590	124 879	117 167	109 456	101 745	94 034	86 323	78 611	67 045
0.8	155 723	148 012	140 301	132 590	124 879	117 167	109 456	101 745	94 034	86 323	78 611	70 900	59 333
0.5	144 157	136 445	128 734	121 023	113 312	105 601	97 889	90 178	82 467	74 756	67 045	59 333	47 767

坝高 H	坝顶宽 b	设计参数 C
34m	5m	65.50
上游坝坡 m_1	下游坝坡 m_2	马道宽 d
3	2	1.5m

基本工程量 V_0 查算表

坝轴横断面左岸边坡 N_z	坝轴横断面右岸边坡 N_y												
	0.5	0.8	1.0	1.2	1.4	1.6	1.8	2.0	2.2	2.4	2.6	2.8	3.0
3.0	158 693	171 427	179 915	188 404	196 893	205 382	213 871	222 359	230 848	239 337	247 826	256 315	264 803
2.8	150 205	162 938	171 427	179 915	188 404	196 893	205 382	213 871	222 359	230 848	239 337	247 826	256 315
2.6	141 716	154 449	162 938	171 427	179 915	188 404	196 893	205 382	213 871	222 359	230 848	239 337	247 826
2.4	133 227	145 960	154 449	162 938	171 427	179 915	188 404	196 893	205 382	213 871	222 359	230 848	239 337
2.2	124 738	137 471	145 960	154 449	162 938	171 427	179 915	188 404	196 893	205 382	213 871	222 359	230 848
2.0	116 249	128 983	137 471	145 960	154 449	162 938	171 427	179 915	188 404	196 893	205 382	213 871	222 359
1.8	107 761	120 494	128 983	137 471	145 960	154 449	162 938	171 427	179 915	188 404	196 893	205 382	213 871
1.6	99 272	112 005	120 494	128 983	137 471	145 960	154 449	162 938	171 427	179 915	188 404	196 893	205 382
1.4	90 783	103 516	112 005	120 494	128 983	137 471	145 960	154 449	162 938	171 427	179 915	188 404	196 893
1.2	82 294	95 027	103 516	112 005	120 494	128 983	137 471	145 960	154 449	162 938	171 427	179 915	188 404
1.0	73 805	86 539	95 027	103 516	112 005	120 494	128 983	137 471	145 960	154 449	162 938	171 427	179 915
0.8	65 317	78 050	86 539	95 027	103 516	112 005	120 494	128 983	137 471	145 960	154 449	162 938	171 427
0.5	52 583	65 317	73 805	82 294	90 783	99 272	107 761	116 249	124 738	133 227	141 716	150 205	158 693

坝高 H	坝顶宽 b	设计参数 C	60.50
34m	6m		
上游坝坡 m_1	下游坝坡 m_2	马道宽 d	1.5m
2.5	2		

基本工程量 V_0 查算表

坝轴横断面左岸边坡 N_z	坝轴横断面右岸边坡 N_y												
	0.5	0.8	1.0	1.2	1.4	1.6	1.8	2.0	2.2	2.4	2.6	2.8	3.0
3.0	146 579	158 341	166 181	174 022	181 863	189 704	197 545	205 385	213 226	221 067	228 908	236 749	244 589
2.8	138 739	150 500	158 341	166 181	174 022	181 863	189 704	197 545	205 385	213 226	221 067	228 908	236 749
2.6	130 898	142 659	150 500	158 341	166 181	174 022	181 863	189 704	197 545	205 385	213 226	221 067	228 908
2.4	123 057	134 818	142 659	150 500	158 341	166 181	174 022	181 863	189 704	197 545	205 385	213 226	221 067
2.2	115 216	126 977	134 818	142 659	150 500	158 341	166 181	174 022	181 863	189 704	197 545	205 385	213 226
2.0	107 375	119 137	126 977	134 818	142 659	150 500	158 341	166 181	174 022	181 863	189 704	197 545	205 385
1.8	99 535	111 296	119 137	126 977	134 818	142 659	150 500	158 341	166 181	174 022	181 863	189 704	197 545
1.6	91 694	103 455	111 296	119 137	126 977	134 818	142 659	150 500	158 341	166 181	174 022	181 863	189 704
1.4	83 853	95 614	103 455	111 296	119 137	126 977	134 818	142 659	150 500	158 341	166 181	174 022	181 863
1.2	76 012	87 773	95 614	103 455	111 296	119 137	126 977	134 818	142 659	150 500	158 341	166 181	174 022
1.0	68 171	79 933	87 773	95 614	103 455	111 296	119 137	126 977	134 818	142 659	150 500	158 341	166 181
0.8	60 331	72 092	79 933	87 773	95 614	103 455	111 296	119 137	126 977	134 818	142 659	150 500	158 341
0.5	48 569	60 331	68 171	76 012	83 853	91 694	99 535	107 375	115 216	123 057	130 898	138 739	146 579

坝高 H	34m	坝顶宽 b	6m	设计参数 C	66.50
上游坝坡 m_1	3	下游坝坡 m_2	2	马道宽 d	1.5m

基本工程量 V_0 查算表

坝轴横断面左岸边坡 N_z	坝轴横断面右岸边坡 N_y												
	3.0	2.8	2.6	2.4	2.2	2.0	1.8	1.6	1.4	1.2	1.0	0.8	0.5
3.0	268 846	260 228	251 609	242 991	234 373	225 754	217 136	208 517	199 899	191 281	182 662	174 044	161 116
2.8	260 228	251 609	242 991	234 373	225 754	217 136	208 517	199 899	191 281	182 662	174 044	165 425	152 498
2.6	251 609	242 991	234 373	225 754	217 136	208 517	199 899	191 281	182 662	174 044	165 425	156 807	143 879
2.4	242 991	234 373	225 754	217 136	208 517	199 899	191 281	182 662	174 044	165 425	156 807	148 189	135 261
2.2	234 373	225 754	217 136	208 517	199 899	191 281	182 662	174 044	165 425	156 807	148 189	139 570	126 643
2.0	225 754	217 136	208 517	199 899	191 281	182 662	174 044	165 425	156 807	148 189	139 570	130 952	118 024
1.8	217 136	208 517	199 899	191 281	182 662	174 044	165 425	156 807	148 189	139 570	130 952	122 333	109 406
1.6	208 517	199 899	191 281	182 662	174 044	165 425	156 807	148 189	139 570	130 952	122 333	113 715	100 787
1.4	199 899	191 281	182 662	174 044	165 425	156 807	148 189	139 570	130 952	122 333	113 715	105 097	92 169
1.2	191 281	182 662	174 044	165 425	156 807	148 189	139 570	130 952	122 333	113 715	105 097	96 478	83 551
1.0	182 662	174 044	165 425	156 807	148 189	139 570	130 952	122 333	113 715	105 097	96 478	87 860	74 932
0.8	174 044	165 425	156 807	148 189	139 570	130 952	122 333	113 715	105 097	96 478	87 860	79 241	66 314
0.5	161 116	152 498	143 879	135 261	126 643	118 024	109 406	100 787	92 169	83 551	74 932	66 314	53 386

附表 20　坝高 34m（二个马道）时淤地坝坝体压实土（石）方基本工程量 V_0，设计参数 C 查算表

坝高 H	坝顶宽 b	设计参数 C
34m	5m	60.00
上游坝坡 m_1	下游坝坡 m_2	马道宽 d
1	2	3	3m

基本工程量 V_0 查算表

坝轴横断面左岸边坡 N_z	坝轴横断面右岸边坡 N_y												
	3.0	2.8	2.6	2.4	2.2	2.0	1.8	1.6	1.4	1.2	1.0	0.8	0.5
3.0	242 568	234 792	227 016	219 240	211 464	203 688	195 912	188 136	180 360	172 584	164 808	157 032	145 368
2.8	234 792	227 016	219 240	211 464	203 688	195 912	188 136	180 360	172 584	164 808	157 032	149 256	137 592
2.6	227 016	219 240	211 464	203 688	195 912	188 136	180 360	172 584	164 808	157 032	149 256	141 480	129 816
2.4	219 240	211 464	203 688	195 912	188 136	180 360	172 584	164 808	157 032	149 256	141 480	133 704	122 040
2.2	211 464	203 688	195 912	188 136	180 360	172 584	164 808	157 032	149 256	141 480	133 704	125 928	114 264
2.0	203 688	195 912	188 136	180 360	172 584	164 808	157 032	149 256	141 480	133 704	125 928	118 152	106 488
1.8	195 912	188 136	180 360	172 584	164 808	157 032	149 256	141 480	133 704	125 928	118 152	110 376	98 712
1.6	188 136	180 360	172 584	164 808	157 032	149 256	141 480	133 704	125 928	118 152	110 376	102 600	90 936
1.4	180 360	172 584	164 808	157 032	149 256	141 480	133 704	125 928	118 152	110 376	102 600	94 824	83 160
1.2	172 584	164 808	157 032	149 256	141 480	133 704	125 928	118 152	110 376	102 600	94 824	87 048	75 384
1.0	164 808	157 032	149 256	141 480	133 704	125 928	118 152	110 376	102 600	94 824	87 048	79 272	67 608
0.8	157 032	149 256	141 480	133 704	125 928	118 152	110 376	102 600	94 824	87 048	79 272	71 496	59 832
0.5	145 368	137 592	129 816	122 040	114 264	106 488	98 712	90 936	83 160	75 384	67 608	59 832	48 168

坝高 H	34m	坝顶宽 b	5m	设计参数 C	66.00
上游坝坡 m_1	3	下游坝坡 m_2	2	马道宽 d	3m

基本工程量 V_0 查算表

坝轴横断面左岸边坡 N_z	坝轴横断面右岸边坡 N_y												
	3.0	2.8	2.6	2.4	2.2	2.0	1.8	1.6	1.4	1.2	1.0	0.8	0.5
3.0	266 825	258 271	249 718	241 164	232 610	224 057	215 503	206 950	198 396	189 842	181 289	172 735	159 905
2.8	258 271	249 718	241 164	232 610	224 057	215 503	206 950	198 396	189 842	181 289	172 735	164 182	151 351
2.6	249 718	241 164	232 610	224 057	215 503	206 950	198 396	189 842	181 289	172 735	164 182	155 628	142 798
2.4	241 164	232 610	224 057	215 503	206 950	198 396	189 842	181 289	172 735	164 182	155 628	147 074	134 244
2.2	232 610	224 057	215 503	206 950	198 396	189 842	181 289	172 735	164 182	155 628	147 074	138 521	125 690
2.0	224 057	215 503	206 950	198 396	189 842	181 289	172 735	164 182	155 628	147 074	138 521	129 967	117 137
1.8	215 503	206 950	198 396	189 842	181 289	172 735	164 182	155 628	147 074	138 521	129 967	121 414	108 583
1.6	206 950	198 396	189 842	181 289	172 735	164 182	155 628	147 074	138 521	129 967	121 414	112 860	100 030
1.4	198 396	189 842	181 289	172 735	164 182	155 628	147 074	138 521	129 967	121 414	112 860	104 306	91 476
1.2	189 842	181 289	172 735	164 182	155 628	147 074	138 521	129 967	121 414	112 860	104 306	95 753	82 922
1.0	181 289	172 735	164 182	155 628	147 074	138 521	129 967	121 414	112 860	104 306	95 753	87 199	74 369
0.8	172 735	164 182	155 628	147 074	138 521	129 967	121 414	112 860	104 306	95 753	87 199	78 646	65 815
0.5	159 905	151 351	142 798	134 244	125 690	117 137	108 583	100 030	91 476	82 922	74 369	65 815	52 985

坝高 H		坝顶宽 b		设计参数 C	
34m		6m		61.00	
上游坝坡 m_1		下游坝坡 m_2		马道宽 d	
2.5		2		3m	

基本工程量 V_0 查算表

坝轴横断面左岸边坡 N_z	坝轴横断面右岸边坡 N_y												
	3.0	2.8	2.6	2.4	2.2	2.0	1.8	1.6	1.4	1.2	1.0	0.8	0.5
3.0	246 611	238 705	230 800	222 894	214 988	207 083	199 177	191 272	183 366	175 460	167 555	159 649	147 791
2.8	238 705	230 800	222 894	214 988	207 083	199 177	191 272	183 366	175 460	167 555	159 649	151 744	139 885
2.6	230 800	222 894	214 988	207 083	199 177	191 272	183 366	175 460	167 555	159 649	151 744	143 838	131 980
2.4	222 894	214 988	207 083	199 177	191 272	183 366	175 460	167 555	159 649	151 744	143 838	135 932	124 074
2.2	214 988	207 083	199 177	191 272	183 366	175 460	167 555	159 649	151 744	143 838	135 932	128 027	116 168
2.0	207 083	199 177	191 272	183 366	175 460	167 555	159 649	151 744	143 838	135 932	128 027	120 121	108 263
1.8	199 177	191 272	183 366	175 460	167 555	159 649	151 744	143 838	135 932	128 027	120 121	112 216	100 357
1.6	191 272	183 366	175 460	167 555	159 649	151 744	143 838	135 932	128 027	120 121	112 216	104 310	92 452
1.4	183 366	175 460	167 555	159 649	151 744	143 838	135 932	128 027	120 121	112 216	104 310	96 404	84 546
1.2	175 460	167 555	159 649	151 744	143 838	135 932	128 027	120 121	112 216	104 310	96 404	88 499	76 640
1.0	167 555	159 649	151 744	143 838	135 932	128 027	120 121	112 216	104 310	96 404	88 499	80 593	68 735
0.8	159 649	151 744	143 838	135 932	128 027	120 121	112 216	104 310	96 404	88 499	80 593	72 688	60 829
0.5	147 791	139 885	131 980	124 074	116 168	108 263	100 357	92 452	84 546	76 640	68 735	60 829	48 971

坝高 H	坝顶宽 b	设计参数 C	67.00
上游坝坡 m₁	下游坝坡 m₂	马道宽 d	3m

坝高 H	34m		
坝顶宽 b	6m		
设计参数 C	67.00		
马道宽 d	3m		
上游坝坡 m_1	3		
下游坝坡 m_2	2		

基本工程量 V_0 查算表

坝轴横断面右岸边坡 N_y

坝轴横断面左岸边坡 N_z	3.0	2.8	2.6	2.4	2.2	2.0	1.8	1.6	1.4	1.2	1.0	0.8	0.5
3.0	270 868	262 184	253 501	244 818	236 135	227 452	218 768	210 085	201 402	192 719	184 036	175 352	162 328
2.8	262 184	253 501	244 818	236 135	227 452	218 768	210 085	201 402	192 719	184 036	175 352	166 669	153 644
2.6	253 501	244 818	236 135	227 452	218 768	210 085	201 402	192 719	184 036	175 352	166 669	157 986	144 961
2.4	244 818	236 135	227 452	218 768	210 085	201 402	192 719	184 036	175 352	166 669	157 986	149 303	136 278
2.2	236 135	227 452	218 768	210 085	201 402	192 719	184 036	175 352	166 669	157 986	149 303	140 620	127 595
2.0	227 452	218 768	210 085	201 402	192 719	184 036	175 352	166 669	157 986	149 303	140 620	131 936	118 912
1.8	218 768	210 085	201 402	192 719	184 036	175 352	166 669	157 986	149 303	140 620	131 936	123 253	110 228
1.6	210 085	201 402	192 719	184 036	175 352	166 669	157 986	149 303	140 620	131 936	123 253	114 570	101 545
1.4	201 402	192 719	184 036	175 352	166 669	157 986	149 303	140 620	131 936	123 253	114 570	105 887	92 862
1.2	192 719	184 036	175 352	166 669	157 986	149 303	140 620	131 936	123 253	114 570	105 887	97 204	84 179
1.0	184 036	175 352	166 669	157 986	149 303	140 620	131 936	123 253	114 570	105 887	97 204	88 520	75 496
0.8	175 352	166 669	157 986	149 303	140 620	131 936	123 253	114 570	105 887	97 204	88 520	79 837	66 812
0.5	162 328	153 644	144 961	136 278	127 595	118 912	110 228	101 545	92 862	84 179	75 496	66 812	53 788

附表21 坝高36m(一个马道)时淤地坝坝体压实土(石)方基本工程量 V_0、设计参数 C 查算表

坝高 H	36m	坝顶宽 b	5m	设计参数 C	62.50
上游坝坡 m_1	2.5	下游坝坡 m_2	2	马道宽 d	1.5m

基本工程量 V_0 查算表

坝轴横断面左岸边坡 N_z	\multicolumn{13}{c}{坝轴横断面右岸边坡 N_y}
	0.5	0.8	1.0	1.2	1.4	1.6	1.8	2.0	2.2	2.4	2.6	2.8	3.0
3.0	168 150	181 688	190 713	199 738	208 763	217 788	226 813	235 838	244 863	253 888	262 913	271 938	280 963
2.8	159 125	172 663	181 688	190 713	199 738	208 763	217 788	226 813	235 838	244 863	253 888	262 913	271 938
2.6	150 100	163 638	172 663	181 688	190 713	199 738	208 763	217 788	226 813	235 838	244 863	253 888	262 913
2.4	141 076	154 613	163 638	172 663	181 688	190 713	199 738	208 763	217 788	226 813	235 838	244 863	253 888
2.2	132 050	145 588	154 613	163 638	172 663	181 688	190 713	199 738	208 763	217 788	226 813	235 838	244 863
2.0	123 025	136 563	145 588	154 613	163 638	172 663	181 688	190 713	199 738	208 763	217 788	226 813	235 838
1.8	114 000	127 538	136 563	145 588	154 613	163 638	172 663	181 688	190 713	199 738	208 763	217 788	226 813
1.6	104 975	118 513	127 538	136 563	145 588	154 613	163 638	172 663	181 688	190 713	199 738	208 763	217 788
1.4	95 950	109 488	118 513	127 538	136 563	145 588	154 613	163 638	172 663	181 688	190 713	199 738	208 763
1.2	86 925	100 463	109 488	118 513	127 538	136 563	145 588	154 613	163 638	172 663	181 688	190 713	199 738
1.0	77 900	91 438	100 463	109 488	118 513	127 538	136 563	145 588	154 613	163 638	172 663	181 688	190 713
0.8	68 875	82 413	91 438	100463	109 488	118 513	127 538	136 563	145 588	154 613	163 638	172 663	181 688
0.5	55 338	68 875	77 900	86 925	95 950	104 975	114 000	123 025	132 050	141 075	150 100	159 125	168 150

坝高 H	坝顶宽 b	设计参数 C	68.83
36m	5m		
上游坝坡 m₁	下游坝坡 m₂	马道宽 d	1.5m
3	2		

m_1 上游坝坡, m_2 下游坝坡

基本工程量 V_0 查算表

坝轴横断面右岸边坡 N_y

坝轴横断面左岸边坡 N_z	3.0	2.8	2.6	2.4	2.2	2	1.8	1.6	1.4	1.2	1.0	0.8	0.5
3.0	309 433	299 494	289 554	279 615	269 675	259 736	249 796	239 857	229 917	219 978	210 038	200 099	185 189
2.8	299 494	289 554	279 615	269 675	259 736	249 796	239 857	229 917	219 978	210 038	200 099	190159	175 250
2.6	289 554	279 615	269 675	259 736	249 796	239 857	229 917	219 978	210 038	200 099	190 159	180 219	165 310
2.4	279 615	269 675	259 736	249 796	239 857	229 917	219 978	210 038	200 099	190 159	180 219	170 280	155 371
2.2	269675	259 736	249 796	239 857	229 917	219 978	210 038	200 099	190 159	180 219	170 280	160 340	145 431
2.0	259 736	249 796	239 857	229 917	219 978	210 038	200 099	190 159	180 219	170 280	160 340	150 401	135 492
1.8	249 796	239 857	229 917	219 978	210 038	200 099	190 159	180 219	170 280	160 340	150 401	140 461	125 552
1.6	239 857	229 917	219 978	210 038	200 099	190 159	180 219	170 280	160 340	150 401	140 461	130 522	115 612
1.4	229 917	219 978	210 038	200 099	190 159	180 219	170 280	160 340	150 401	140 461	130 522	120 582	105 673
1.2	219 978	210 038	200 099	190 159	180 219	170 280	160 340	150 401	140 461	130 522	120 582	110 643	95 733
1.0	210 038	200 099	190 159	180 219	170 280	160 340	150 401	140 461	130 522	120 582	110 643	100 703	85 794
0.8	200 099	190 159	180 219	170 280	160 340	150 401	140 461	130 522	120 582	110 643	100 703	90 764	75 854
0.5	185 189	175 250	165 310	155 371	145 431	135 492	125 552	115 612	105 673	95 733	85 794	75 854	60 945

坝高 H	坝顶宽 b	设计参数 C	63.50
36m	6m	马道宽 d	1.5m
上游坝坡 m_1	下游坝坡 m_2		
2.5	2		

基本工程量 V_0 查算表

坝轴横断面左岸边坡 N_z	坝轴横断面右岸边坡 N_y												
	3.0	2.8	2.6	2.4	2.2	2.0	1.8	1.6	1.4	1.2	1.0	0.8	0.5
3.0	285 458	276 289	267 119	257 950	248 780	239 611	230 442	221 272	212 103	202 933	193 764	184 595	170 840
2.8	276 289	267 119	257 950	248 780	239 611	230 442	221 272	212 103	202 933	193 764	184 595	175 425	161 671
2.6	267 119	257 950	248 780	239 611	230 442	221 272	212 103	202 933	193 764	184 595	175 425	166 256	152 502
2.4	257 950	248 780	239 611	230 442	221 272	212 103	202 933	193 764	184 595	175 425	166 256	157 086	143 332
2.2	248 780	239 611	230 442	221 272	212 103	202 933	193 764	184 595	175 425	166 256	157 086	147 917	134 163
2.0	239 611	230 442	221 272	212 103	202 933	193 764	184 595	175 425	166 256	157 086	147 917	138 748	124 993
1.8	230 442	221 272	212 103	202 933	193 764	184 595	175 425	166 256	157 086	147 917	138 748	129 578	115 824
1.6	221 272	212 103	202 933	193 764	184 595	175 425	166 256	157 086	147 917	138 748	129 578	120 409	106 655
1.4	212 103	202 933	193 764	184 595	175 425	166 256	157 086	147 917	138 748	129 578	120 409	111 239	97 485
1.2	202 933	193 764	184 595	175 425	166 256	157 086	147 917	138 748	129 578	120 409	111 239	102 070	88 316
1.0	193 764	184 595	175 425	166 256	157 086	147 917	138 748	129 578	120 409	111 239	102 070	92 901	79 146
0.8	184 595	175 425	166 256	157 086	147 917	138 748	129 578	120 409	111 239	102 070	92 901	83 731	69 977
0.5	170 840	161 671	152 502	143 332	134 163	124 993	115 824	106 655	97 485	88 316	79 146	69 977	56 223

坝高 H	36m	坝顶宽 b	6m	设计参数 C	69.83
上游坝坡 m_1	3	下游坝坡 m_2	2	马道宽 d	1.5m

基本工程量 V_0 查算表

坝轴横断面左岸边坡 N_z	坝轴横断面右岸边坡 N_y												
	3.0	2.8	2.6	2.4	2.2	2.0	1.8	1.6	1.4	1.2	1.0	0.8	0.5
3.0	313 929	303 845	293 761	283 677	273 593	263 509	253 425	243 341	233 257	223 173	213 089	203 006	187 880
2.8	303 845	293 761	283 677	273 593	263 509	253 425	243 341	233 257	223 173	213 089	203 006	192 922	177 796
2.6	293 761	283 677	273 593	263 509	253 425	243 341	233 257	223 173	213 089	203 006	192 922	182 838	167 712
2.4	283 677	273 593	263 509	253 425	243 341	233 257	223 173	213 089	203 006	192 922	182 838	172 754	157 628
2.2	273 593	263 509	253 425	243 341	233 257	223 173	213 089	203 006	192 922	182 838	172 754	162 670	147 544
2.0	263 509	253 425	243 341	233 257	223 173	213 089	203 006	192 922	182 838	172 754	162 670	152 586	137 460
1.8	253 425	243 341	233 257	223 173	213 089	203 006	192 922	182 838	172 754	162 670	152 586	142 502	127 376
1.6	243 341	233 257	223 173	213 089	203 006	192 922	182 838	172 754	162 670	152 586	142 502	132 418	117 292
1.4	233 257	223 173	213 089	203 006	192 922	182 838	172 754	162 670	152 586	142 502	132 418	122 334	107 208
1.2	223 173	213 089	203 006	192 922	182 838	172 754	162 670	152 586	142 502	132 418	122 334	112 250	97 124
1.0	213 089	203 006	192 922	182 838	172 754	162 670	152 586	142 502	132 418	122 334	112 250	102 166	87 040
0.8	203 006	192 922	182 838	172 754	162 670	152 586	142 502	132 418	122 334	112 250	102 166	92 082	76 956
0.5	187 880	177 796	167 712	157 628	147 544	137 460	127 376	117 292	107 208	97 124	87 040	76 956	61 830

附表 22　坝高 36m(二个马道)时淤地坝坝体压实土(石)方基本工程量 V_0、设计参数 C 查算表

坝高 H	坝顶宽 b	设计参数 C
36m	5m	63.00
上游坝坡 m_1	下游坝坡 m_2	马道宽 d
2.5	2	3m

基本工程量 V_0 查算表

坝轴横断面左岸边坡 N_z \ 坝轴横断面右岸边坡 N_y	3.0	2.8	2.6	2.4	2.2	2.0	1.8	1.6	1.4	1.2	1.0	0.8	0.5
3.0	283 210	274 113	265 016	255 919	246 821	237 724	228 627	219 530	210 433	201 335	192 238	183 141	169 495
2.8	274 113	265 016	255 919	246 821	237 724	228 627	219 530	210 433	201 335	192 238	183 141	174 044	160 398
2.6	265 016	255 919	246 821	237 724	228 627	219 530	210 433	201 335	192 238	183 141	174 044	164 947	151 301
2.4	255 919	246 821	237 724	228 627	219 530	210 433	201 335	192 238	183 141	174 044	164 947	155 849	142 204
2.2	246 821	237 724	228 627	219 530	210 433	201 335	192 238	183 141	174 044	164 947	155 849	146 752	133 106
2.0	237 724	228 627	219 530	210 433	201 335	192 238	183 141	174 044	164 947	155 849	146 752	137 655	124 009
1.8	228 627	219 530	210 433	201 335	192 238	183 141	174 044	164 947	155 849	146 752	137 655	128 558	114 912
1.6	219 530	210 433	201 335	192 238	183 141	174 044	164 947	155 849	146 752	137 655	128 558	119 461	105 815
1.4	210 433	201 335	192 238	183 141	174 044	164 947	155 849	146 752	137 655	128 558	119 461	110 363	96 718
1.2	201 335	192 238	183 141	174 044	164 947	155 849	146 752	137 655	128 558	119 461	110 363	101 266	87 620
1.0	192 238	183 141	174 044	164 947	155 849	146 752	137 655	128 558	119 461	110 363	101 266	92 169	78 523
0.8	183 141	174 044	164 947	155 849	146 752	137 655	128 558	119 461	110 363	101 266	92 169	83 072	69 426
0.5	169 495	160 398	151 301	142 204	133 106	124 009	114 912	105 815	96 718	87 620	78 523	69 426	55 780

续附表 22

坝高 H	坝顶宽 b	设计参数 C	69.33
36m	5m		
上游坝坡 m_1	下游坝坡 m_2	马道宽 d	3m
3	2		

基本工程量 V_0 查算表

坝轴横断面左岸边坡 N_z	坝轴横断面右岸边坡 N_y												
	0.5	0.8	1.0	1.2	1.4	1.6	1.8	2.0	2.2	2.4	2.6	2.8	3.0
3.0	186 534	201 552	211 564	221 575	231 587	241 599	251 611	261 622	271 634	281 646	291 658	301 669	311 681
2.8	176 523	191 540	201 552	211 564	221 575	231 587	241 599	251 611	261 622	271 634	281 646	291 658	301 669
2.6	166 511	181 529	191 540	201 552	211 564	221 575	231 587	241 599	251 611	261 622	271 634	281 646	291 658
2.4	156 499	171 517	181 529	191 540	201 552	211 564	221 575	231 587	241 599	251 611	261 622	271 634	281 646
2.2	146 487	161 505	171 517	181 529	191 540	201 552	211 564	221 575	231 587	241 599	251 611	261 622	271 634
2.0	136 476	151 493	161 505	171 517	181 529	191 540	201 552	211 564	221 575	231 587	241 599	251 611	261 622
1.8	126 464	141 482	151 493	161 505	171 517	181 529	191 540	201 552	211 564	221 575	231 587	241 599	251 611
1.6	116 452	131 470	141 482	151 493	161 505	171 517	181 529	191 540	201 552	211 564	221 575	231 587	241 599
1.4	106 441	121 458	131 470	141 482	151 493	161 505	171 517	181 529	191 540	201 552	211 564	221 575	231 587
1.2	96 429	111 446	121 458	131 470	141 482	151 493	161 505	171 517	181 529	191 540	201 552	211 564	221 575
1.0	86 417	101 435	111 446	121 458	131 470	141 482	151 493	161 505	171 517	181 529	191 540	201 552	211 564
0.8	76 405	91 423	101 435	111 446	121 458	131 470	141 482	151 493	161 505	171 517	181 529	191 540	201 552
0.5	61 388	76 405	86 417	96 429	106 441	116 452	126 464	136 476	146 487	156 499	166 511	176 523	186 534

坝高 H	坝顶宽 b	设计参数 C	64.00
36m	6m		
上游坝坡 m_1	下游坝坡 m_2	马道宽 d	3m
2.5	2		

基本工程量 V_0 查算表

坝轴横断面左岸坡 N_z	坝轴横断面右岸坡 N_y												
	3.0	2.8	2.6	2.4	2.2	2.0	1.8	1.6	1.4	1.2	1.0	0.8	0.5
3.0	287 706	278 464	269 222	259 981	250 739	241 498	232 256	223 014	213 773	204 531	195 290	186 048	172 186
2.8	278 464	269 222	259 981	250 739	241 498	232 256	223 014	213 773	204 531	195 290	186 048	176 806	162 944
2.6	269 222	259 981	250 739	241 498	232 256	223 014	213 773	204 531	195 290	186 048	176 806	167 565	153 702
2.4	259 981	250 739	241 498	232 256	223 014	213 773	204 531	195 290	186 048	176 806	167 565	158 323	144 461
2.2	250 739	241 498	232 256	223 014	213 773	204 531	195 290	186 048	176 806	167 565	158 323	149 082	135 219
2.0	241 498	232 256	223 014	213 773	204 531	195 290	186 048	176 806	167 565	158 323	149 082	139 840	125 978
1.8	232 256	223 014	213 773	204 531	195 290	186 048	176 806	167 565	158 323	149 082	139 840	130 598	116 736
1.6	223 014	213 773	204 531	195 290	186 048	176 806	167 565	158 323	149 082	139 840	130 598	121 357	107 494
1.4	213 773	204 531	195 290	186 048	176 806	167 565	158 323	149 082	139 840	130 598	121 357	112 115	98 253
1.2	204 531	195 290	186 048	176 806	167 565	158 323	149 082	139 840	130 598	121 357	112 115	102 874	89 011
1.0	195 290	186 048	176 806	167 565	158 323	149 082	139 840	130 598	121 357	112 115	102 874	93 632	79 770
0.8	186 048	176 806	167 565	158 323	149 082	139 840	130 598	121 357	112 115	102 874	93 632	84 390	70 528
0.5	172 186	162 944	153 702	144 461	135 219	125 978	116 736	107 494	98 253	89 011	79 770	70 528	56 666

续附表 22

坝高 H	坝顶宽 b	设计参数 C
36m	6m	70.33
上游坝坡 m_1	下游坝坡 m_2	马道宽 d
3	2	3m

基本工程量 V_0 查算表

坝轴横断面左岸边坡 N_z	坝轴横断面右岸边坡 N_y												
	0.5	0.8	1.0	1.2	1.4	1.6	1.8	2.0	2.2	2.4	2.6	2.8	3.0
3.0	189 225	204 459	214 615	224 771	234 927	245 084	255 240	265 396	275 552	285 708	295 864	306 020	316 176
2.8	179 069	194 303	204 459	214 615	224 771	234 927	245 084	255 240	265 396	275 552	285 708	295 864	306 020
2.6	168 913	184 147	194 303	204 459	214 615	224 771	234 927	245 084	255 240	265 396	275 552	285 708	295 864
2.4	158 756	17 400	184 147	194 303	204 459	214 615	224 771	234 927	245 084	255 240	265 396	275 552	285 708
2.2	148 600	163 834	173 991	184 147	194 303	204 459	214 615	224 771	234 927	245 084	255 240	265 396	275 552
2.0	138 444	153 678	163 834	173 991	184 147	194 303	204 459	214615	224 771	234 927	245 084	255 240	265 396
1.8	128 288	143 522	153 678	163 834	173 991	184 147	194 303	204 459	214 615	224 771	234 927	245 084	255 240
1.6	118 132	133 366	143 522	153 678	163 834	173 991	184 147	194 303	204 459	214 615	224 771	234 927	245 084
1.4	107 976	123 210	133 366	143 522	153 678	163 834	173 991	184 147	194 303	204 459	214 615	224 771	234 927
1.2	97 820	113 054	123 210	133 366	143 522	153 678	163 834	173 991	184 147	194 303	204 459	214 615	224 771
1.0	87 663	102 898	113 054	123 210	133 366	143 522	153 678	163 834	173 991	184 147	194 303	204 459	214 615
0.8	77 507	92 742	102 898	113 054	123 210	133 366	143 522	153 678	163 834	173 991	184 147	194 303	204 459
0.5	62 273	77 507	87 663	97 820	107 976	118 132	128 288	138 444	148 600	158 756	168 913	179 069	189 225

附表 23　坝高 38m(一个马道)时淤地坝坝体压实土(石)方基本工程量 V_0、设计参数 C 查算表

坝高 H	38m	坝顶宽 b	5m	设计参数 C	65.50
上游坝坡 m_1	2.5	下游坝坡 m_2	-2	马道宽 d	1.5m

基本工程量 V_0 查算表

坝轴横断面左岸边坡 N_z	坝轴横断面右岸边坡 N_y												
	3.0	2.8	2.6	2.4	2.2	2.0	1.8	1.6	1.4	1.2	1.0	0.8	0.5
3.0	325 666	315 186	304 706	294 226	283 746	273 266	262 786	252 306	241 826	231 346	220 866	210 386	194 666
2.8	315 186	304 706	294 226	283 746	273 266	262 786	252 306	241 826	231 346	220 866	210 386	199 906	184 186
2.6	304 706	294 226	283 746	273 266	262 786	252 306	241 826	231 346	220 866	210 386	199 906	189 426	173 706
2.4	294 226	283 746	273 266	262 786	252 306	241 826	231 346	220 866	210 386	199 906	189 426	178 946	163 226
2.2	283 746	273 266	262 786	252 306	241 826	231 346	220 866	210 386	199 906	189 426	178 946	168 466	152 746
2.0	273 266	262 786	252 306	241 826	231 346	220 866	210 386	199 906	189 426	178 946	168 466	157 986	142 266
1.8	262 786	252 306	241 826	231 346	220 866	210 386	199 906	189 426	178 946	168 466	157 986	147 506	131 786
1.6	252 306	241 826	231 346	220 866	210 386	199 906	189 426	178 946	168 466	157 986	147 506	137 026	121 306
1.4	241 826	231 346	220 866	210 386	199 906	189 426	178 946	168 466	157 986	147 506	137 026	126 546	110 826
1.2	231 346	220 866	210 386	199 906	189 426	178 946	168 466	157 986	147 506	137 026	126 546	116 066	100 346
1.0	220 866	210 386	199 906	189 426	178 946	168 466	157 986	147 506	137 026	126 546	116 066	105 586	89 866
0.8	210 386	199 906	189 426	178 946	168 466	157 986	147 506	137 026	126 546	116 066	105 586	95 106	79 386
0.5	194 666	184 186	173 706	163 226	152 746	142 266	131 786	121 306	110 826	100 346	89 866	79 386	63 666

续附表 23

坝高 H	38m	坝顶宽 b	5m	设计参数 C	72.17
上游坝坡 m_1	3	下游坝坡 m_2	2	马道宽 d	1.5m

基本工程量 V_0 查算表

坝轴横断面左岸边坡 N_z \ 坝轴横断面右岸边坡 N_y	3.0	2.8	2.6	2.4	2.2	2.0	1.8	1.6	1.4	1.2	1.0	0.8	0.5
3.0	358 813	347 266	335 719	324 173	312 626	301 079	289 533	277 986	266 439	254 893	243 346	231 799	214 479
2.8	347 266	335 719	324 173	312 626	301 079	289 533	277 986	266 439	254 893	243 346	231 799	220 253	202 933
2.6	335 719	324 173	312 626	301 079	289 533	277 986	266 439	254 893	243 346	231 799	220 253	208 706	191 386
2.4	324 173	312 626	301 079	289 533	277 986	266 439	254 893	243 346	231 799	220 253	208 706	197 159	179 839
2.2	312 626	301 079	289 533	277 986	266 439	254 893	243 346	231 799	220 253	208 706	197 159	185 613	168 293
2.0	301 079	289 533	277 986	266 439	254 893	243 346	231 799	220 253	208 706	197 159	185 613	174 066	156 746
1.8	289 533	277 986	266 439	254 893	243 346	231 799	220 253	208 706	197 159	185 613	174 066	162 519	145 199
1.6	277 986	266 439	254 893	243 346	231 799	220 253	208 706	197 159	185 613	174 066	162 519	150 973	133 653
1.4	266 439	254 893	243 346	231 799	220 253	208 706	197 159	185 613	174 066	162 519	150 973	139 426	122 106
1.2	254 893	243 346	231 799	220 253	208 706	197 159	185 613	174 066	162 519	150 973	139 426	127 879	110 559
1.0	243 346	231 799	220 253	208 706	197 159	185 613	174 066	162 519	150 973	139 426	127 879	116 333	99 013
0.8	231 799	220 253	208 706	197 159	185 613	174 066	162 519	150 973	139 426	127 879	116 333	104 786	87 466
0.5	214 479	202 933	191 386	179 839	168 293	156 746	145 199	133 653	122 106	110 559	99 013	87 466	70 146

续附表 23

坝高 H	38m	坝顶宽 b	6m	设计参数 C	66.50
上游坝坡 m_1	2.5	下游坝坡 m_2	2	马道宽 d	1.5m

基本工程量 V_0 查算表

坝轴横断面左岸边坡 N_z	坝轴横断面右岸边坡 N_y												
	3.0	2.8	2.6	2.4	2.2	2.0	1.8	1.6	1.4	1.2	1.0	0.8	0.5
3.0	330 638	319 998	309 358	298 718	288 078	277 438	266 798	256 158	245 518	234 878	224 238	213 598	197 638
2.8	319 998	309 358	298 718	288 078	277 438	266 798	256 158	245 518	234 878	224 238	213 598	202 958	186 998
2.6	309 358	298 718	288 078	277 438	266 798	256 158	245 518	234 878	224 238	213 598	202 958	192318	176 358
2.4	298 718	288 078	277 438	266 798	256 158	245 518	234 878	224 238	213 598	202 958	192 318	181 678	165 718
2.2	288 078	277 438	266 798	256 158	245 518	234 878	224 238	213 598	202 958	192 318	181 678	171 038	155 078
2.0	277 438	266 798	256 158	245 518	234 878	224 238	213 598	202 958	192 318	181 678	171 038	160 398	144 438
1.8	266 798	256 158	245 518	234 878	224 238	213 598	202 958	192 318	181 678	171 038	160 398	149 758	133 798
1.6	256 158	245 518	234 878	224 238	213 598	202 958	192 318	181 678	171 038	160 398	149 758	139 118	123 158
1.4	245 518	234 878	224 238	213 598	202 958	192 318	181 678	171 038	160 398	149 758	139 118	128 478	112 518
1.2	234 878	224 238	213 598	202 958	192 318	181 678	171 038	160 398	149 758	139 118	128 478	117 838	101 878
1.0	224 238	213 598	202 958	192 318	181 678	171 038	160 398	149 758	139 118	128 478	117 838	107 198	912 38
0.8	213 598	202 958	192 318	181 678	171 038	160 398	149 758	139 118	128 478	117 838	107 198	96 558	80 598
0.5	197 638	186 998	176 358	165 718	155 078	144 438	133 798	123 158	112 518	101 878	91 238	80 598	64 638

坝高 H	38m	坝顶宽 b	6m	设计参数 C	73.17
上游坝坡 m_1	3	下游坝坡 m_2	2	马道宽 d	1.5m

基本工程量 V_0 查算表

坝轴横断面左岸边坡 N_z	坝轴横断面右岸边坡 N_y												
	0.5	0.8	1.0	1.2	1.4	1.6	1.8	2.0	2.2	2.4	2.6	2.8	3.0
3.0	217 451	235 011	246 718	258 425	270 131	281 838	293 545	305 251	316 958	328 665	340 371	352 078	363 785
2.8	205 745	223 305	235 011	246 718	258 425	270 131	281 838	293 545	305 251	316 958	328 665	340 371	352 078
2.6	194 038	211 598	223 305	235 011	246 718	258 425	270 131	281 838	293 545	305 251	316 958	328 665	340 371
2.4	182 331	199 891	211 598	223 305	235 011	246 718	258 425	270 131	281 838	293 545	305 251	316 958	328 665
2.2	170 625	188 185	199 891	211 598	223 305	235 011	246 718	258 425	270 131	281 838	293 545	305 251	316 958
2.0	158 918	176 478	188 185	199 891	211 598	223 305	235 011	246 718	258 425	270 131	281 838	293 545	305 251
1.8	147 211	164 771	176 478	188 185	199 891	211 598	223 305	235 011	246 718	258 425	270 131	281 838	293 545
1.6	135 505	153 065	164 771	176 478	188 185	199 891	211 598	223 305	235 011	246 718	258 425	270 131	281 838
1.4	123 798	141 358	153 065	164 771	176 478	188 185	199 891	211 598	223 305	235 011	246 718	258 425	270 131
1.2	112 091	129 651	141 358	153 065	164 771	176 478	188 185	199 891	211 598	223 305	235 011	246 718	258 425
1.0	100 385	117 945	129 651	141 358	153 065	164 771	176 478	188 185	199 891	211 598	223 305	235 011	246 718
0.8	88 678	106 238	117 945	129 651	141 358	153 065	164 771	176 478	188 185	199 891	211 598	223 305	235 011
0.5	71 118	88 678	100 385	112 091	123 798	135 505	147 211	158 918	170 625	182 331	194 038	205 745	217 451

附表24 坝高38m(二个马道)时淤地坝坝体压实土(石)方基本工程量 V_0、设计参数 C 查算表

坝高 H		坝顶宽 b		设计参数 C	66.00
上游坝坡 m_1	2.5	下游坝坡 m_2	2	马道宽 d	3m
38m		5m			

基本工程量 V_0 查算表

坝轴横断面左岸边坡 N_z \ 坝轴横断面右岸边坡 N_y	0.5	0.8	1.0	1.2	1.4	1.6	1.8	2.0	2.2	2.4	2.6	2.8	3.0
3.0	196 152	211 992	222 552	233 112	243 672	254 232	264 792	275 352	285 912	296 472	307 032	317 592	328 152
2.8	185 592	201 432	211 992	222 552	233 112	243 672	254 232	264 792	275 352	285 912	296 472	307 032	317 592
2.6	175 032	190 872	201 432	211 992	222 552	233 112	243 672	254 232	264 792	275 352	285 912	296 472	307 032
2.4	164 472	180 312	190 872	201 432	211 992	222 552	233 112	243 672	254 232	264 792	275 352	285 912	296 472
2.2	153 912	169 752	180 312	190 872	201 432	211 992	222 552	233 112	243 672	254 232	264 792	275 352	285 912
2.0	143 352	159 192	169 752	180 312	190 872	201 432	211 992	222 552	233 112	243 672	254 232	264 792	275 352
1.8	132 792	148 632	159 192	169 752	180 312	190 872	201 432	211 992	222 552	233 112	243 672	254 232	264 792
1.6	122 232	138 072	148 632	159 192	169 752	180 312	190 872	201 432	211 992	222 552	233 112	243 672	254 232
1.4	111 672	127 512	138 072	148 632	159 192	169 752	180 312	190 872	201 432	211 992	222 552	233 112	243 672
1.2	101 112	116 952	127 512	138 072	148 632	159 192	169 752	180 312	190 872	201 432	211 992	222 552	233 112
1.0	90552	106 392	116 952	127 512	138 072	148 632	159 192	169 752	180 312	190 872	201 432	211 992	222 552
0.8	79 992	95 832	106 392	116 952	127 512	138 072	148 632	159 192	169 752	180 312	190 872	201 432	211 992
0.5	64 152	79 992	90 552	101 112	111 672	122 232	132 792	143 352	153 912	164 472	175 032	185 592	196 152

续附表 24

坝高 H	坝顶宽 b	设计参数 C	72.67
38m	5m		
上游坝坡 m_1	下游坝坡 m_2	马道宽 d	3m
3	2		

基本工程量 V_0 查算表

坝轴横断面左岸边坡 N_z	___ 坝轴横断面右岸边坡 N_y												
	0.5	0.8	1.0	1.2	1.4	1.6	1.8	2.0	2.2	2.4	2.6	2.8	3.0
3.0	215 965	233 405	245 032	256 659	268 285	279 912	291 539	303 165	314 792	326 419	338 045	349 672	361 299
2.8	204 339	221 779	233 405	245 032	256 659	268 285	279 912	291 539	303 165	314 792	326 419	338 045	349 672
2.6	192 712	210 152	221 779	233 405	245 032	256 659	268 285	279 912	291 539	303 165	314 792	326 419	338 045
2.4	181 085	198 525	210 152	221 779	233 405	245 032	256 659	268 285	279 912	291 539	303 165	314 792	326 419
2.2	169 459	186 899	198 525	210 152	221 779	233 405	245 032	256 659	268 285	279 912	291 539	303 165	314 792
2.0	157 832	175 272	186 899	198 525	210 152	221 779	233 405	245 032	256 659	268 285	279 912	291 539	303 165
1.8	146 205	163 645	175 272	186 899	198 525	210 152	221 779	233 405	245 032	256 659	268 285	279 912	291 539
1.6	13 4579	152 019	163 645	175 272	186 899	198 525	210 152	221 779	233 405	245 032	256 659	268 285	279 912
1.4	122 952	140 392	152 019	163 645	175 272	186 899	198 525	210 152	221 779	233 405	245 032	256 659	268 285
1.2	111 325	128 765	140 392	152 019	163 645	175 272	186 899	198 525	210 152	221 779	233 405	245 032	256 659
1.0	99 699	117 139	128 765	140 392	152 019	163 645	175 272	186 899	198 525	210 152	221 779	233 405	245 032
0.8	88 072	105 512	117 139	128 765	140 392	152 019	163 645	175 272	186 899	198 525	210 152	221 779	233 405
0.5	70 632	88 072	99 699	111 325	122 952	134 579	146 205	157 832	169 459	181 085	192 712	204 339	215 965

坝高 H	坝顶宽 b	设计参数 C
38m	6m	67.00
上游坝坡 m_1	下游坝坡 m_2	马道宽 d
2.5	2	3m

基本工程量 V_0 查算表

坝轴横断面左岸边坡 N_z	坝轴横断面右岸边坡 N_y												
	3.0	2.8	2.6	2.4	2.2	2.0	1.8	1.6	1.4	1.2	1.0	0.8	0.5
3.0	333 124	322 404	311 684	300 964	290 244	279 524	268 804	258 084	247 364	236 644	225 924	215 204	199 124
2.8	322 404	311 684	300 964	290 244	279 524	268 804	258 084	247 364	236 644	225 924	215 204	204 484	188 404
2.6	311 684	300 964	290 244	279 524	268 804	258 084	247 364	236 644	225 924	215 204	204 484	193 764	177 684
2.4	300 964	290 244	279 524	268 804	258 084	247 364	236 644	225 924	215 204	204 484	193 764	183 044	166 964
2.2	290 244	279 524	268 804	258 084	247 364	236 644	225 924	215 204	204 484	193 764	183 044	172 324	156 244
2.0	279 524	268 804	258 084	247 364	236 644	225 924	215 204	204 484	193 764	183 044	172 324	161 604	145 524
1.8	268 804	258 084	247 364	236 644	225 924	215 204	204 484	193 764	183 044	172 324	161 604	150 884	134 804
1.6	258 084	247 364	236 644	225 924	215 204	204 484	193 764	183 044	172 324	161 604	150 884	140 164	124 084
1.4	247 364	236 644	225 924	215 204	204 484	193 764	183 044	172 324	161 604	150 884	140 164	129 444	113 364
1.2	236 644	225 924	215 204	204 484	193 764	183 044	172 324	161 604	150 884	140 164	129 444	118 724	102 644
1.0	225 924	215 204	204 484	193 764	183 044	172 324	161 604	150 884	140 164	129 444	118 724	108 004	91 924
0.8	215 204	204 484	193 764	183 044	172 324	161 604	150 884	140 164	129 444	118 724	108 004	97 284	81 204
0.5	199 124	188 404	177 684	166 964	156 244	145 524	134 804	124 084	113 364	102 644	91 924	81 204	65 124

坝高 H	坝顶宽 b	设计参数 C	73.67
38m	6m	马道宽 d	3m
上游坝坡 m_1	下游坝坡 m_2		
3	2		

基本工程量 V_0 查算表

坝轴横断面左岸边坡 N_z	坝轴横断面右岸边坡 N_y												
	3.0	2.8	2.6	2.4	2.2	2.0	1.8	1.6	1.4	1.2	1.0	0.8	0.5
3.0	366 271	354 484	342 697	330 911	319 124	307 337	295 551	283 764	271 977	260 191	248 404	236 617	218 937
2.8	354 484	342 697	330 911	319 124	307 337	295 551	283 764	271 977	260 191	248 404	236 617	224 831	207 151
2.6	342 697	330 911	319 124	307 337	295 551	283 764	271 977	260 191	248 404	236 617	224 831	213 044	195 364
2.4	330 911	319 124	307 337	295 551	283 764	271 977	260 191	248 404	236 617	224 831	213 044	201 257	183 577
2.2	319 124	307 337	295 551	283 764	271 977	260 191	248 404	236 617	224 831	213 044	201 257	189 471	171 791
2.0	307 337	295 551	283 764	271 977	260 191	248 404	236 617	224 831	213 044	201 257	189 471	177 684	160 004
1.8	295 551	283 764	271 977	260 191	248 404	236 617	224 831	213 044	201 257	189 471	177 684	165 897	148 217
1.6	283 764	271 977	260 191	248 404	236 617	224 831	213 044	201 257	189 471	177 684	165 897	154 111	136 431
1.4	271 977	260 191	248 404	236 617	224 831	213 044	201 257	189 471	177 684	165 897	154 111	142 324	124 644
1.2	260 191	248 404	236 617	224 831	213 044	201 257	189 471	177 684	165 897	154 111	142 324	130 537	112 857
1.0	248 404	236 617	224 831	213 044	201 257	189 471	177 684	165 897	154 111	142 324	130 537	118 751	101 071
0.8	236 617	224 831	213 044	201 257	189 471	177 684	165 897	154 111	142 324	130 537	118 751	106 964	89 284
0.5	218 937	207 151	195 364	183 577	171 791	160 004	148 217	136 431	124 644	112 857	101 071	89 284	71 604

附表 25 坝高 40m（一个马道）时淤地坝坝体压实土（石）方基本工程量 V_0、设计参数 C 查算表

坝高 H	40m	坝顶宽 b	5m	设计参数 C	68.5
上游坝坡 m_1	2.5	下游坝坡 m_2	2	马道宽 d	1.5m

基本工程量 V_0 查算表

坝轴横断面右岸边坡 N_y

坝轴横断面左岸边坡 N_z	3.0	2.8	2.6	2.4	2.2	2.0	1.8	1.6	1.4	1.2	1.0	0.8	0.5
3.0	374 873	362 790	350 706	338 623	326 540	314 456	302 373	290 289	278 206	266 123	254 039	241 956	223 831
2.8	362 790	350 706	338 623	326 540	314 456	302 373	290 289	278 206	266 123	254 039	241 956	229 872	211 747
2.6	350 706	338 623	326 540	314 456	302 373	290 289	278 206	266 123	254 039	241 956	229 872	217 789	199 664
2.4	338 623	326 540	314 456	302 373	290 289	278 206	266 123	254 039	241 956	229 872	217 789	205 706	187 580
2.2	326 540	314 456	302 373	290 289	278 206	266 123	254 039	241 956	229 872	217 789	205 706	193 622	175 497
2.0	314 456	302 373	290 289	278 206	266 123	254 039	241 956	229 872	217 789	205 706	193 622	181 539	163 414
1.8	302 373	290 289	278 206	266 123	254 039	241 956	229 872	217 789	205 706	193 622	181 539	169 455	151 330
1.6	290 289	278 206	266 123	254 039	241 956	229 872	217 789	205 706	193 622	181 539	169 455	157 372	139 247
1.4	278 206	266 123	254 039	241 956	229 872	217 789	205 706	193 622	181 539	169 455	157 372	145 289	127 163
1.2	266 123	254 039	241 956	229 872	217 789	205 706	193 622	181 539	169 455	157 372	145 289	133 205	115 080
1.0	254 039	241 956	229 872	217 789	205 706	193 622	181 539	169 455	157 372	145 289	133 205	121 122	102 997
0.8	241 956	229 872	217 789	205 706	193 622	181 539	169 455	157 372	145 289	133 205	121 122	109 038	90 913
0.5	223 831	211 747	199 664	187 580	175 497	163 414	151 330	139 247	127 163	115 080	102 997	90 913	72 788

续附表 25

坝高 H	40m			坝顶宽 b	5m			设计参数 C	75.50		
上游坝坡 m_1	3			下游坝坡 m_2	2			马道宽 d	1.5m		

基本工程量 V_0 查算表

坝轴横断面右岸边坡 N_y

坝轴横断面左岸边坡 N_z	3.0	2.8	2.6	2.4	2.2	2.0	1.8	1.6	1.4	1.2	1.0	0.8	0.5
3.0	413 181	399 863	386 545	373 227	359 909	346 590	333 272	319 954	306 636	293 318	279 999	266 681	246 704
2.8	399 863	386 545	373 227	359 909	346 590	333 272	319 954	306 636	293 318	279 999	266 681	253 363	233 386
2.6	386 545	373 227	359 909	346 590	333 272	319 954	306 636	293 318	279 999	266 681	253 363	240 045	220 067
2.4	373 227	359 909	346 590	333 272	319 954	306 636	293 318	279 999	266 681	253 363	240 045	226 727	206 749
2.2	359 909	346 590	333 272	319 954	306 636	293 318	279 999	266 681	253 363	240 045	226 727	213 408	193 431
2.0	346 590	333 272	319 954	306 636	293 318	279 999	266 681	253 363	240 045	226 727	213 408	200 090	180 113
1.8	333 272	319 954	306 636	293 318	279 999	266 681	253 363	240 045	226 727	213 408	200 090	186 772	166 795
1.6	319 954	306 636	293 318	279 999	266 681	253 363	240 045	226 727	213 408	200 090	186 772	173 454	153 476
1.4	306 636	293 318	279 999	266 681	253 363	240 045	226 727	213 408	200 090	186 772	173 454	160 136	140 158
1.2	293 318	279 999	266 681	253 363	240 045	226 727	213 408	200 090	186 772	173 454	160 136	146 817	126 840
1.0	279 999	266 681	253 363	240 045	226 727	213 408	200 090	186 772	173 454	160 136	146 817	133 499	113 522
0.8	266 681	253 363	240 045	226 727	213 408	200 090	186 772	173 454	160 136	146 817	133 499	120 181	100 204
0.5	246 704	233 386	220 067	206 749	193 431	180 113	166 795	153 476	140 158	126 840	113 522	100 204	80 226

续附表 25

坝高 H		坝顶宽 b		设计参数 C	
40m		6m		69.50	
上游坝坡 m_1		下游坝坡 m_2		马道宽 d	
2.5		2		1.5m	

基本工程量 V_0 查算表

坝轴横断面左岸边坡 N_z \ 坝轴横断面右岸边坡 N_y	3.0	2.8	2.6	2.4	2.2	2.0	1.8	1.6	1.4	1.2	1.0	0.8	0.5
3.0	380 346	368 086	355 826	343 566	331 307	319 047	306 787	294 527	282 267	270 008	257 748	245 488	227 098
2.8	368 086	355 826	343 566	331 307	319 047	306 787	294 527	282 267	270 008	257 748	245 488	233 228	214 838
2.6	355 826	343 566	331 307	319 047	306 787	294 527	282 267	270 008	257 748	245 488	233 228	220 968	202 579
2.4	343 566	331 307	319 047	306 787	294 527	282 267	270 008	257 748	245 488	233 228	220 968	208 709	190 319
2.2	331 307	319 047	306 787	294 527	282 267	270 008	257 748	245 488	233 228	220 968	208 709	196 449	178 059
2.0	319 047	306 787	294 527	282 267	270 008	257 748	245 488	233 228	220 968	208 709	196 449	184 189	165 799
1.8	306 787	294 527	282 267	270 008	257 748	245 488	233 228	220 968	208 709	196 449	184 189	171 929	153 539
1.6	294 527	282 267	270 008	257 748	245 488	233 228	220 968	208 709	196 449	184 189	171 929	159 669	141 280
1.4	282 267	270 008	257 748	245 488	233 228	220 968	208 709	196 449	184 189	171 929	159 669	147410	129 020
1.2	270 008	257 748	245 488	233 228	220 968	208 709	196 449	184 189	171 929	159 669	147 410	135 150	116 760
1.0	257 748	245 488	233 228	220 968	208 709	196 449	184 189	171 929	159 669	147 410	135 150	122 870	104 500
0.8	245 488	233 228	220 969	208 709	196 449	184 189	171 929	159 669	147 410	135 150	122 890	110 630	92 240
0.5	227 098	214 838	202 579	190 319	178 059	165 799	153 539	141 280	129 020	116 760	104 500	92 240	73 851

坝高 H	40m		设计参数 C	76.50
上游坝坡 m_1	3		马道宽 d	1.5m
坝顶宽 b	6m			
下游坝坡 m_2	2			

基本工程量 V_0 查算表

坝轴横断面右岸边坡 N_y

坝轴横断面左岸边坡 N_z	3.0	2.8	2.6	2.4	2.2	2.0	1.8	1.6	1.4	1.2	1.0	0.8	0.5
3.0	418 654	405 159	391 665	378 170	364 676	351 181	337 686	324 192	310 697	297 203	283 708	270 213	249 971
2.8	405 159	391 665	378 170	364 676	351 181	337 686	324 192	310 697	297 203	283 708	270 213	256 719	236 477
2.6	391 665	378 170	364 676	351 181	337 686	324 192	310 697	297 203	283 708	270 213	256 719	243 224	222 982
2.4	378 170	364 676	351 181	337 686	324 192	310 697	297 203	283 708	270 213	256 719	243 224	229 730	209 488
2.2	364 676	351 181	337 686	324 192	310 697	297 203	283 708	270 213	256 719	243 224	229 730	216 235	195 993
2.0	351 181	337 686	324 192	310 697	297 203	283 708	270 213	256 719	243 224	229 730	216 235	202 740	182 498
1.8	337 686	324 192	310 697	297 203	283 708	270 213	256 719	243 224	229 730	216 235	202 740	189 246	169 004
1.6	324 192	310 697	297 203	283 708	270 213	256 719	243 224	229 730	216 235	202 740	189 246	175 751	155 509
1.4	310 697	297 203	283 708	270 213	256 719	243 224	229 730	216 235	202 740	189 246	175 751	162 257	142 015
1.2	297 203	283 708	270 213	256 719	243 224	229 730	216 235	202 740	189 246	175 751	162 257	148 762	128 520
1.0	283 708	270 213	256 719	243 224	229 730	216 235	202 740	189 246	175 751	162 257	148 762	135 267	115 025
0.8	270 213	256 719	243 224	229 730	216 235	202 740	189 246	175 751	162 257	148 762	135 267	121 773	101 531
0.5	249 971	236 477	222 982	209 488	195 993	182 498	169 004	155 509	142 015	128 520	115 025	101 531	81 289

附表26 坝高40m(二个马道)时淤地坝坝体压实土(石)方基本工程量 V_0、设计参数 C 查算表

坝高 H	坝顶宽 b	设计参数 C	
40m	5m	69.00	
上游坝坡 m_1	下游坝坡 m_2	马道宽 d	
2.5	2	3m	

基本工程量 V_0 查算表

坝轴横断面左岸边坡 N_z	\multicolumn{13}{c}{坝轴横断面右岸边坡 N_y}												
	3.0	2.8	2.6	2.4	2.2	2.0	1.8	1.6	1.4	1.2	1.0	0.8	0.5
3.0	377 609	365 438	353 266	341 095	328 923	316 751	304 580	292 408	280 237	268 065	255 893	243 722	225 464
2.8	365 438	353 266	341 095	328 923	316 751	304 580	292 408	280 237	268 065	255 893	243 722	231 550	213 293
2.6	353 266	341 095	328 923	316 751	304 580	292 408	280 237	268 065	255 893	243 722	231 550	219 379	201 121
2.4	341 095	328 923	316 751	304 580	292 408	280 237	268 065	255 893	243 722	231 550	219 379	207 207	188 950
2.2	328 923	316 751	304 580	292 408	280 237	268 065	255 893	243 722	231 550	219 379	207 207	195 035	176 778
2.0	316 751	304 580	292 408	280 237	268 065	255 893	243 722	231 550	219 379	207 207	195 035	182 864	164 606
1.8	304 580	292 408	280 237	268 065	255 893	243 722	231 550	219 379	207 207	195 035	182 864	170 692	152 235
1.6	292 408	280 237	268 065	255 893	243 722	231 550	219 379	207 207	195 035	182 864	170 692	158 521	140 263
1.4	280 237	268 065	255 893	243 722	231 550	219 379	207 207	195 035	182 864	170 692	158 521	146 349	128 092
1.2	268 065	255 893	243 722	231 550	219 379	207 207	195 035	182 864	170 692	158 521	146 349	134 177	115 920
1.0	255 893	243 722	231 550	219 379	207 207	195 035	182 864	170 692	158 521	146 349	134 177	122 006	103 748
0.8	243 722	231 550	219 379	207 207	195 035	182 864	170 692	158 521	146 349	134 177	122 006	109 834	91 577
0.5	225 464	213 293	201 121	188 950	176 778	164 606	152 235	140 263	128 092	115 920	103 748	91 577	73 319

续附表 26

坝高 H	40m	坝顶宽 b	5m	设计参数 C	76.00
上游坝坡 m_1	3	下游坝坡 m_2	2	马道宽 d	3m

基本工程量 V_0 查算表

坝轴横断面右岸边坡 N_y

坝轴横断面左岸边坡 N_z	3.0	2.8	2.6	2.4	2.2	2.0	1.8	1.6	1.4	1.2	1.0	0.8	0.5
3.0	415 918	402 511	389 105	375 698	362 292	348 886	335 479	322 073	308 666	295 260	281 854	268 447	248 338
2.8	402 511	389 105	375 698	362 292	348 886	335 479	322 073	308 666	295 260	281 854	268 447	255 041	234 931
2.6	389 105	375 698	362 292	348 886	335 479	322 073	308 666	295 260	281 854	268 447	255 041	241 634	221 525
2.4	375 698	362 292	348 886	335 479	322 073	308 666	295 260	281 854	268 447	255 041	241 634	228 228	208 118
2.2	362 292	348 886	335 479	322 073	308 666	295 260	281 854	268 447	255 041	241 634	228 228	214 822	194 712
2.0	348 886	335 479	322 073	308 666	295 260	281 854	268 447	255 041	241 634	228 228	214 822	201 415	181 306
1.8	335 479	322 073	308 666	295 260	281 854	268 447	255 041	241 634	228 228	214 822	201 415	188 009	167 899
1.6	322 073	308 666	295 260	281 854	268 447	255 041	241 634	228 228	214 822	201 415	188 009	174 602	154 493
1.4	308 666	295 260	281 854	268 447	255 041	241 634	228 228	214 822	201 415	188 009	174 602	161 196	141 086
1.2	295 260	281 854	268 447	255 041	241 634	228 228	214 822	201 415	188 009	174 602	161 196	147 790	127 680
1.0	281 854	268 447	255 041	241 634	228 228	214 822	201 415	188 009	174 602	161 196	147 790	134 383	114 274
0.8	268 447	255 041	241 634	228 228	214 822	201 415	188 009	174 602	161 196	147 790	134 383	120 977	100 867
0.5	248 338	234 931	221 525	208 118	194 712	181 306	167 899	154 493	141 086	127 680	114 274	100 867	80 758

坝高 H	坝顶宽 b	设计参数 C	70.00
40m	6m		
上游坝坡 m_1	下游坝坡 m_2	马道宽 d	3m
2.5	2		

基本工程量 V_0 查算表

坝轴横断面右岸边坡 N_y

坝轴横断面左岸边坡 N_z	3.0	2.8	2.6	2.4	2.2	2.0	1.8	1.6	1.4	1.2	1.0	0.8	0.5
3.0	383 082	370 734	358 386	346 038	333 690	321 342	308 994	296 646	284 298	271 950	259 602	247 254	228 732
2.8	370 734	358 386	346 038	333 690	321 342	308 994	296 646	284 298	271 950	259 602	247 254	234 906	216 384
2.6	358 386	346 038	333 690	321 342	308 994	296 646	284 298	271 950	259 602	247 254	234 906	222 558	204 036
2.4	346 038	333 690	321 342	308 994	296 646	284 298	271 950	259 602	247 254	234 906	222 558	210 210	191 688
2.2	333 690	321 342	308 994	296 646	284 298	271 950	259 602	247 254	234 906	222 558	210 210	197 862	179 340
2.0	321 342	308 994	296 646	284 298	271 950	259 602	247 254	234 906	222 558	210 210	197 862	185 514	166 992
1.8	308 994	296 646	284 298	271 950	259 602	247 254	234 906	222 558	210 210	197 862	185 514	173 166	154 644
1.6	296 646	284 298	271 950	259 602	247 254	234 906	222 558	210 210	197 862	185 514	173 166	160 818	142 296
1.4	284 298	271 950	259 602	247 254	234 906	222 558	210 210	197 862	185 514	173 166	160 818	148 470	129 948
1.2	271 950	259 602	247 254	234 906	222 558	210 210	197 862	185 514	173 166	160 818	148 470	136 122	117 600
1.0	259 602	247 254	234 906	222 558	210 210	197 862	185 514	173 166	160 818	148 470	136 122	123 774	105 252
0.8	247 254	234 906	222 558	210 210	197 862	185 514	173 166	160 818	148 470	136 122	123 774	111 426	92 904
0.5	228 732	216 384	204 036	191 688	179 340	166 992	154 644	142 296	129 948	117 600	105 252	92 904	74 382

续表 26

坝高 H	40m		坝顶宽 b	6m		设计参数 C	77.00
上游坝坡 m_1	3		下游坝坡 m_2	2		马道宽 d	3m

基本工程量 V_0 查算表

坝轴横断面左边坡 N_z	坝轴横断面右岸边坡 N_y												
	3.0	2.8	2.6	2.4	2.2	2.0	1.8	1.6	1.4	1.2	1.0	0.8	0.5
3.0	421 390	407 807	394 225	380 642	367 059	353 476	339 893	326 311	312 728	299 145	285 562	271 979	251 605
2.8	407 807	394 225	380 642	367 059	353 476	339 893	326 311	312 728	299 145	285 562	271 979	258 397	238 022
2.6	394 225	380 642	367 059	353 476	339 893	326 311	312 728	299 145	285 562	271 979	258 397	244 814	224 440
2.4	380 642	367 059	353 476	339 893	326 311	312 728	299 145	285 562	271 979	258 397	244 814	231 231	210 857
2.2	367 059	353 476	339 893	326 311	312 728	299 145	285 562	271 979	258 397	244 814	231 231	217 648	197 274
2.0	353 476	339 893	326 311	312 728	299 145	285 562	271 979	258 397	244 814	231 231	217 648	204 065	183 691
1.8	339 893	326 311	312 728	299 145	285 562	271 979	258 397	244 814	231 231	217 648	204 065	190 483	170 108
1.6	326 311	312 728	299 145	285 562	271 979	258 397	244 814	231 231	217 648	204 065	190 483	176 900	156 526
1.4	312 728	299 145	285 562	271 979	258 397	244 814	231 231	217 648	204 065	190 483	176 900	163 317	142 943
1.2	299 145	285 562	271 979	258 397	244 814	231 231	217 648	204 065	190 483	176 900	163 317	149 734	129 360
1.0	285 562	271 979	258 397	244 814	231 231	217 648	204 065	190 483	176 900	163 317	149 734	136 151	115 777
0.8	271 979	258 397	244 814	231 231	217 648	204 065	190 483	176 900	163 317	149 734	136 151	122 569	102 194
0.5	251 605	238 022	224 440	210 857	197 274	183 691	170 108	156 526	142 943	129 360	115 777	102 194	81 820

参 考 文 献

[1] 路基设计手册编写组．路基．北京:人民交通出版社,1982

[2] 王青兰．浅谈小城镇建设水土流失特点及防治对策．中国水土保持,2005(1)

[3] 张绒君,等．线形开发建设项目的土壤侵蚀与工程防治．水土保持学报,2002(5)

[4] 水利部．水土保持治沟骨干工程技术规范(SL289—2003)．北京:中国水利水电出版社,2003